MISSION 5
LES SURVIVANTS

www.cherubcampus.fr
www.casterman.com

Couverture : montage photo d'après ©mediarts.ch/fotolia et ©Kwest/fotolia
Publié en Grande-Bretagne par Hodder Children's Books, sous le titre : *Divine Madness*

ISBN 978-2-203-03002-2
N° d'Édition : L.10EJDN000698.C007

casterman

Achevé d'imprimer en avril 2013, en Espagne.
Dépôt légal : janvier 2010 ; D.2010/0053/132
Déposé au ministère de la Justice, Paris (loi n° 49.956 du 16 juillet 1949
sur les publications destinées à la jeunesse).

Les Survivants

Robert Muchamore

CHERUB/05

Traduit de l'anglais
par Antoine Pinchot

Avant-propos

CHERUB est un département spécial des services de renseignement britanniques composé d'agents âgés de dix à dix-sept ans recrutés dans les orphelinats du pays. Soumis à un entraînement intensif, ils sont chargés de remplir des missions d'espionnage visant à mettre en échec les entreprises criminelles et terroristes qui menacent le Royaume-Uni. Ils vivent au quartier général de CHERUB, une base aussi appelée « campus », dissimulée au cœur de la campagne anglaise.

Ces agents mineurs sont utilisés en dernier recours dans le cadre d'opérations d'infiltration, lorsque les agents adultes se révèlent incapables de tromper la vigilance des criminels. Les membres de CHERUB, en raison de leur âge, demeurent insoupçonnables tant qu'ils n'ont pas été pris en flagrant délit d'espionnage.

Près de trois cents agents vivent au campus. Le rapport de mission suivant décrit en particulier les activités de **JAMES ADAMS**, né à Londres en 1991, agent respecté comptant quatre missions à son actif ; sa petite sœur **LAUREN ADAMS**, née en 1994 ; **KERRY CHANG**, née à Hong Kong en 1992, ex-petite amie de James et experte en combat à mains nues ; **BRUCE NORRIS**, né en 1992 au pays de Galles, surdoué des arts martiaux ; **GABRIELLE O'BRIEN**, née à la Jamaïque en 1991, meilleure amie de Kerry ; **KYLE BLUEMAN**, né en 1989 au Royaume-Uni, meilleur ami de James ; **DANA SMITH**, née en 1991 dans l'État australien du Queensland.

Les faits décrits dans le rapport que vous allez consulter se déroulent en 2006.

Rappel réglementaire

En 1957, CHERUB a adopté le port de T-shirts de couleur pour matérialiser le rang hiérarchique de ses agents et de ses instructeurs.

Le T-shirt **orange** est réservé aux invités. Les résidents de CHERUB ont l'interdiction formelle de leur adresser la parole, à moins d'avoir reçu l'autorisation du directeur.

Le T-shirt **rouge** est porté par les résidents qui n'ont pas encore suivi le programme d'entraînement initial exigé pour obtenir la qualification d'agent opérationnel. Ils sont pour la plupart âgés de six à dix ans.

Le T-shirt **bleu ciel** est réservé aux résidents qui suivent le programme d'entraînement initial.

Le T-shirt **gris** est remis à l'issue du programme d'entraînement initial aux résidents ayant acquis le statut d'agent opérationnel.

Le T-shirt **bleu marine** récompense les agents ayant accompli une performance exceptionnelle au cours d'une mission.

Le T-shirt **noir** est décerné sur décision du directeur aux agents ayant accompli des actes héroïques au cours d'un grand nombre de missions. La moitié des résidents reçoivent cette distinction avant de quitter CHERUB.

La plupart des agents prennent leur retraite à dix-sept ou dix-huit ans. À leur départ, ils reçoivent le T-shirt **blanc**. Ils ont l'obligation – et l'honneur – de le porter à chaque fois qu'ils reviennent au campus pour rendre visite à leurs anciens camarades ou participer à une convention.

La plupart des instructeurs de CHERUB portent le T-shirt blanc.

1. Combat avancé

Il était sept heures trente. Douze agents équipés de protections matelassées suaient sang et eau sur les tatamis du dojo. Ils avaient entamé la séance d'entraînement une heure et demie plus tôt.

L'exercice de combat par binômes avait duré précisément vingt minutes. À bout de souffle, James s'inclina devant Gabrielle, puis s'accroupit pour saisir une bouteille en plastique. Il bascula la tête en arrière, ouvrit grand la bouche et avala de longues gorgées de boisson énergétique enrichie en glucose.

Il sentit une main se refermer sur sa nuque puis le projeter violemment en avant. Il s'affala à plat ventre sur le sol élastique, le menton dégoulinant de liquide poisseux. Miss Takada posa un pied sur son visage et le pressa fermement contre le tatami. Les ongles de ses orteils étaient jaunâtres et épais, sa peau aussi rugueuse que du papier de verre.

— Répète règle numéro un ! cria l'instructrice

Elle s'exprimait dans un anglais approximatif,

mais James connaissait par cœur ses tirades stéréotypées.

— Rester constamment sur ses gardes, dit-il, embarrassé de se trouver dans une telle situation devant ses camarades. Une attaque peut venir de n'importe où, à n'importe quel moment.

— Oui, rester constamment sur ses gardes. Tu bois vite, sans regarder dans le plafond comme un imbécile. Relève-toi tout de suite. Tu déshonores le tatami.

James se redressa péniblement sans quitter son professeur du coin de l'œil.

— OK ! cria Takada en claquant des mains pour capter l'attention des autres élèves. Exercice final. Test de la vitesse, petites balles.

Malgré leur état d'épuisement, les élèves trouvèrent la force de maugréer. Ils avaient déjà enduré plus d'un mois de stage de combat avancé, soit près des deux tiers du programme, mais aucun d'entre eux n'avait pu s'accoutumer à cette épreuve d'une extrême violence où tous les coups ou presque étaient permis. Dix ballons allaient être lancés dans la salle. Les deux agents qui regagneraient les vestiaires les mains vides seraient condamnés à se passer de petit déjeuner et à effectuer vingt tours de dojo au pas de course.

Takada plongea la main dans le filet contenant les balles et jeta les trois premières. Aussitôt, les douze élèves chargèrent.

Constatant que l'un des projectiles roulait dans sa direction, James plongea sans se préoccuper des autres concurrents, mais Gabrielle, comme surgie de nulle part, écarta le ballon de sa trajectoire. Il roula sur le sol pour la centième fois de la journée.

Sa camarade parvint à aligner trois pas hésitants avant d'être assaillie par deux garçons qui s'étaient élancés depuis l'autre bout de la salle. L'un d'eux percuta son estomac tête baissée. L'autre lui administra un tacle glissé des deux jambes, la précipitant à plat ventre sur le tatami.

Malgré la violence du choc, Gabrielle parvint à conserver la balle en la pressant sous sa poitrine.

L'un de ses agresseurs essaya de lui infliger une clé de bras. Il reçut une coudière dans l'œil et s'effondra, le visage enfoui entre ses mains.

Alors que les trois premiers ballons étaient encore en jeu, Miss Takada en jeta deux autres. James était à bout de forces, mais la perspective de devoir courir autour du dojo lui insuffla un soudain regain d'énergie. Il se dressa d'un bond, estima la trajectoire de l'un des projectiles, courut dans sa direction et s'en saisit sans interrompre sa foulée.

Constatant qu'il se trouvait à moins de quinze mètres de l'entrée du vestiaire, il prit de la vitesse, désormais persuadé de pouvoir profiter d'un petit déjeuner bien mérité. Alors, Mark Fox, un garçon de seize ans taillé comme une armoire à glace, le percuta de plein fouet.

Propulsé contre le mur capitonné, James parvint à conserver l'équilibre et à adopter une posture défensive. L'affrontement s'annonçait déséquilibré, mais le stage de combat avancé était précisément destiné à placer les jeunes agents dans des situations réalistes, comparables à celles qu'ils seraient amenés à affronter dans le cadre des opérations d'infiltration.

James espérait pouvoir faire mentir les statistiques, comme dans les films pour enfants où le plus faible terrasse le plus fort grâce à son courage et à son ingéniosité. Mais ses illusions furent de courte durée. Mark le sécha impitoyablement d'un enchaînement gauche-droite suivi d'un coup de genou dans les côtes, puis lui arracha le ballon.

— À plus tard ! lança-t-il, un sourire suffisant sur le visage, avant de se diriger d'un pas vif vers les vestiaires.

Les coups portés par Frank sur les protections matelassées de James avaient chassé l'air de ses poumons. En outre, il s'était tordu trois doigts en se réceptionnant maladroitement sur le sol, s'infligeant une vive douleur.

Lorsqu'il eut retrouvé son souffle, il constata que neuf des douze agents avaient déjà quitté la zone de test. Gabrielle et Dana Smith se disputaient le dernier ballon.

Dana était une jeune fille de quinze ans originaire d'Australie, aussi grande que James et étonnamment musclée pour son âge. C'était une athlète et une nageuse exceptionnelle. Gabrielle O'Brien venait de fêter ses quatorze ans. C'était la plus jeune élève du stage de combat avancé, mais elle inspirait crainte et respect chez ses camarades.

Dana était acculée dans un coin de la salle. Gabrielle,

les genoux fléchis et les jambes écartées, se tenait devant elle, résolue à l'intercepter.

James se positionna deux mètres derrière cette dernière, espérant profiter de l'inévitable empoignade entre les deux filles pour s'emparer de la balle.

Mais Dana, parfaitement immobile, ne semblait pas décidée à se laisser débusquer.

Miss Takada, ne pouvant pas laisser plus longtemps sans surveillance le groupe de T-shirts rouges qui attendait à l'entrée du dojo, manifesta son impatience.

— Si vous n'avez pas fini dans une minute, lança-t-elle en tambourinant du bout des doigts sur le cadran de sa montre, vous ferez de la footing tous les trois.

Convaincus que cette guerre de position ne pouvait pas s'éterniser, Gabrielle et James firent deux pas en arrière. Aussitôt, Dana tenta une percée. Elle s'élança vers les vestiaires puis, anticipant un coup de pied au niveau de la taille, se laissa tomber à genoux et saisit la jambe de sa camarade. Gabrielle perdit l'équilibre et bascula vers le sol.

Conscient qu'il bénéficiait d'une opportunité inespérée de sortir vainqueur du test final, il s'agenouilla derrière Dana, passa un bras autour de son cou, lui arracha le ballon des mains et le plaqua contre son torse malgré la douleur extrême que lui causaient ses doigts meurtris.

Dana poussa un hurlement sauvage, se dégagea vivement de la clé d'étranglement, saisit James par le bras et le fit basculer brutalement par-dessus son dos. En une fraction de seconde, ce dernier se retrouva étendu sur le sol. Son adversaire s'assit sur ses cuisses, posa ses genoux sur ses épaules, puis le gifla sèchement. James laissa échapper la balle qui se mit à rouler sur le tatami du dojo.

Gabrielle plongea aussitôt vers le ballon, s'en empara et regagna triomphalement le vestiaire des filles.

— Vous deux, vingt tours ! lança Miss Takada. Vous connaissez les règles.

Sur ces mots, l'instructrice quitta la salle pour accueillir les T-shirts rouges.

James, cloué au sol, incapable de faire un geste, adressa à Dana un regard suppliant. Les genoux de sa camarade pesaient douloureusement sur ses épaules.

— Laisse-moi me relever, soupira-t-il. C'est terminé.

Dana lui adressa un sourire inquiétant. James ne la connaissait pas très bien. C'était une solitaire qui portait toujours le T-shirt gris après cinq ans d'activités opérationnelles. Elle ne cachait pas son ressentiment à l'égard des agents plus jeunes dont l'ascension hiérarchique avait été favorisée par les circonstances .

— Pourquoi tu fais ça ? gémit James. C'est parce que je suis bleu marine, c'est ça ? Tu sais, tu ne peux pas en vouloir à tout le monde parce que tu n'as pas eu de chance avec tes missions. En tout cas, moi, je ne suis pas responsable.

La jeune fille resta parfaitement silencieuse.

— Allez, laisse-moi partir, implora James, furieux,

en se tortillant vainement. Si Takada nous trouve ici à son retour, on risque d'avoir de gros ennuis.

— T'inquiète. Il faut qu'elle aide les gamins à se changer. Ça nous laisse quelques minutes.

— Quelques minutes pour quoi ?

— Tu vas voir, dit Dana en positionnant son visage à la verticale de celui de James.

Elle gonfla les joues pendant quelques secondes puis entrouvrit les lèvres. Un épais filet de salive s'en échappa et coula lentement sur le visage de son camarade.

— Oh ! nom de Dieu, gémit James en se débattant.

Dana se redressa en riant aux larmes.

— Tu es une truie, gronda James en s'essuyant d'un revers de manche. C'est immonde. Je me vengerai.

Puis il éclata de rire à son tour. Au fond, il était parfaitement conscient de l'aspect comique de la situation. Il aimait bien Dana, malgré son côté bizarre et imprévisible.

Elle haussa les épaules.

— Des menaces ? Sans blague ! Tu crois vraiment que ça va m'empêcher de dormir ?

James regagna les vestiaires, ôta ses protections et enfila ses baskets.

Il pensa aux vingt tours de dojo qu'il devait accomplir et au froid extrêmement vif qui régnait à l'extérieur. Son sourire se figea.

2. Clyde

Le réseau de sécurité Echelon est le système de surveillance électronique le plus sophistiqué à ce jour. Il est administré conjointement par la National Security Agency *américaine (NSA) et les services de renseignement de nombreux États alliés, dont la Grande-Bretagne et l'Australie.*

Echelon analyse l'ensemble des communications mondiales (appels téléphoniques, courriers électroniques, fax, liaisons par satellite, par câble et par fibre optique). Il traite quotidiennement neuf milliards de conversations et de messages privés.

Toutes les heures, environ un million de messages contenant des mots comme bombe, terrorisme, napalm, Sauvez la Terre *ou* Al-Qaida *sont interceptés et stockés par le système.*

Chacun de ces messages est analysé automatiquement par un logiciel capable de déterminer l'état émotionnel de son auteur, en fonction du timbre de sa voix ou de l'agencement des mots suspects dans son message électronique.

Chaque jour, vingt mille échanges signalés par l'ordinateur sont écoutés ou déchiffrés par les deux mille analystes qui se relaient nuit et jour dans la cellule de veille.

À la fin de l'année 2005, une station Echelon du Sud-Est asiatique a intercepté un e-mail faisant mention d'une attaque planifiée par le groupe éco-terroriste Sauvez la Terre *à Hong Kong. Son auteur, un jeune militant environnementaliste nommé Clyde Xu, a été rapidement identifié.*

Espérant confondre d'autres membres importants de l'organisation, les autorités ont pris la décision de ne pas procéder à l'arrestation de Xu, mais de mettre sur pied une opération d'infiltration visant sa famille et son entourage.

(Extrait de l'ordre de mission de Kyle Blueman, Kerry Chang et Bruce Norris.)

∴

HONG KONG, FÉVRIER 2006

Kerry Chang fendit la foule des élèves, traversa la rue à quatre voies et se dirigea vers Rebecca Xu qui, adossée à un réverbère, l'attendait près d'un bus à impériale. Les deux filles, âgées de treize ans, portaient un uniforme identique : une veste, une jupe et un pull bleu marine assortis d'une paire de bas blancs.

— T'as passé une bonne journée ? demanda Kerry en cantonais.

Rebecca haussa les épaules.

— Bof. Le train-train habituel.

Kerry ressentait la même lassitude. La mission d'infiltration traînant en longueur, la routine s'était établie. Elle fréquentait le collège Prince-of-Wales depuis six semaines. Elle ne parvenait plus vraiment à faire la distinction entre sa personnalité réelle et le rôle qu'elle était censée jouer au cours de l'opération.

Rebecca se mit en route.

— On n'attend pas Bruce ? demanda Kerry.

— Il a récolté une heure de colle, répondit son amie avec un petit sourire en coin. Tu n'étais pas au courant ? Ton frère est vraiment débile, tu sais...

— C'est mon demi-frère, et par alliance, en plus. On n'a aucun gène en commun, Dieu merci. Qu'est-ce qu'il a encore fait ?

— Oh, il a chahuté avec ses copains pendant le cours de maths. Mr Lee a fini par piquer sa crise et il les a envoyés chez le directeur.

— C'est trop bête qu'on ne soit pas dans la même classe, toutes les deux. Je n'ai personne à qui parler.

— Dis-toi que ça nous évite d'être punies pour bavardage.

Kerry desserra sa cravate, ôta son pull et le noua autour de sa taille. Après un quart d'heure de marche, les deux jeunes filles s'engagèrent dans un réseau de rues étroites et de passerelles encadrées de tours d'habitation dont le sommet se perdait dans l'épais nuage formé par les gaz d'échappement.

Elles vivaient dans le même immeuble, sur le même palier, dans un bâtiment de vingt étages cerné de constructions identiques. L'ensemble immobilier n'avait que quelques années, mais le climat tropical et l'air marin de Hong Kong avaient déjà érodé les façades de béton.

Dans la plupart des pays développés, ces entassements verticaux d'appartements exigus auraient été réservés aux plus déshérités. À Hong Kong, l'une des villes les plus surpeuplées de la planète, ils abritaient des familles aisées.

Le père de Rebecca était dentiste ; sa mère, directrice d'une bijouterie dans un luxueux centre commercial.

Elles franchirent une double porte automatique et pénétrèrent dans un hall surchauffé. L'agent de sécurité les salua d'un hochement de tête.

Elles prirent place dans la cabine de l'ascenseur. Rebecca pressa le bouton du neuvième étage.

— Tu as beaucoup de devoirs ? demanda Kerry.

— Ouais, pas mal. On peut les faire ensemble, si tu veux. Après, on pourra surfer sur Internet.

— Cool. Je vais juste passer chez moi pour retirer mon uniforme. Je serai là dans dix minutes.

.:.

L'entrée du minuscule appartement donnait directement sur la cuisine. Kerry laissa tomber son sac à dos par terre, jeta ses clés sur la table et bâilla à s'en décrocher la mâchoire. Chloé Blake, la contrôleuse de mission adjointe, passa la tête dans l'encadrement de la porte de la salle à manger.

— Ah ! c'est toi. Tu sais où est Bruce ?

— Il a reçu une heure de colle.

— Formidable, lança la jeune femme, visiblement sur les nerfs.

— Qu'est-ce qui se passe ?

— Tu fais tes devoirs avec Rebecca, ce soir ?

— Oui, dès que je me serai changée. Pourquoi ?

— Suis-moi.

Chloé la conduisit jusqu'au salon. Kyle Blueman, l'agent de dix-sept ans qui tenait le rôle de son second demi-frère, était assis dans le canapé, vêtu d'un caleçon et d'un T-shirt.

— Tu n'es pas allé au lycée ? demanda Kerry.

— Clyde Xu a séché le cours d'anglais, ce matin. Je l'ai pris en filature jusqu'au port, mais vu que je devais garder mes distances, je l'ai perdu dans la foule, à un carrefour. John a intercepté quelques appels sur son mobile, mais ça ne nous a pas appris grand-chose. Tout ce qu'on sait, c'est que Clyde a rencontré un type dans un *Burger King* du quartier d'affaires à l'heure du déjeuner.

— Vous avez identifié son contact ? demanda Kerry.

— Non, dit Kyle. On n'a même pas son prénom. Après son rendez-vous, Clyde est retourné à l'appartement. Là, on a enregistré un truc intéressant sur le réseau de surveillance vidéo.

Chloé souleva l'écran d'un ordinateur portable connecté à une antenne satellite placée sur le balcon. Elle double-cliqua sur un fichier vidéo. L'image avait été captée par une caméra miniaturisée dissimulée par Bruce un mois plus tôt dans le plafonnier situé au-dessus du lit de Clyde Xu.

— Ça a été enregistré quand ? demanda Kerry.

— Il y a environ deux heures, répondit Chloé.

Sur l'écran, Kerry vit Clyde Xu pénétrer dans sa petite chambre, s'asseoir sur son lit puis ôter ses baskets et sa chemise.

— Qu'est-ce qu'il est bien foutu, lâcha-t-elle en considérant le torse musclé du garçon.

— Tu m'étonnes, sourit Kyle. C'est le terroriste le plus craquant que j'aie jamais vu.

Vous pouvez garder vos hormones sous contrôle une minute et vous concentrer sur l'image ? lança Chloé.

À l'écran, Clyde Xu sortit un paquet de cellophane de son sac à dos, ouvrit un tiroir de sa commode et le dissimula sous une pile de chaussettes.

— Vous savez ce que c'est ? demande Kerry.

— Aucune idée, répondit Chloé, mais je ne pense pas que ça vienne de l'épicerie du coin. Tu pourrais y jeter un œil et prendre quelques photos ?

Kerry ne se montra pas très enthousiaste.

— Je ne peux pas faire ça demain, quand les Xu auront quitté l'appartement ?

— On ne peut pas attendre quinze ou seize heures de plus. Clyde pourrait confier le paquet à quelqu'un d'autre. Il faut absolument découvrir ce qu'il contient. Des vies sont peut-être en jeu.

— Ça craint. Bruce n'est même pas là pour me couvrir. Quel abruti, celui-là. Il a vraiment bien choisi son jour.

Chloé fit glisser son doigt sur le trackpad de l'ordinateur. Une image en direct de l'appartement des Xu apparut à l'écran. Kerry et Bruce étaient parvenus à installer une caméra et un micro dans chaque pièce.

— Bon, dit Chloé en passant d'un angle de vue à l'autre. Rebecca est dans sa chambre. Clyde joue sur l'ordinateur de celle de ses parents, qui ne rentreront pas avant dix-neuf heures.

— Quand Clyde est sur un jeu *online*, il n'y a pas moyen de le faire décoller, précisa Kerry. Rebecca doit toujours se battre pour jouer à *Sims 2*.

— Tu penses que tu pourras entrer dans la chambre sans la couverture de Bruce ?

— Pour ça, je trouverai bien une excuse en cas de pépin, mais si je me fais attraper en train de prendre des photos de ce qui est caché dans le tiroir, la mission explosera en vol.

— Et si c'est une bombe ? demanda Kyle. Clyde pourrait la déposer n'importe où, dans les heures qui viennent.

— Ça m'étonnerait, dit Chloé. N'oublie pas qu'il a un deuxième rendez-vous.

— Quel rendez-vous ? s'étonna Kerry.

— Selon les communications interceptées par John, il doit rencontrer un complice ce soir, à vingt heures.

— Où ça ?

— Aucune idée. Mais les choses s'accélèrent, et c'est plutôt inquiétant. Les terroristes de *Sauvez la Terre* agissent toujours séparément, sans même se connaître. L'activiste chargé de poser la bombe ignore tout des détails de l'opération : il ne connaît ni l'endroit où se trouve l'engin explosif, ni quel objectif il doit viser, ni le jour et l'heure de l'attentat. En outre, l'artificier et le complice chargé de repérer la cible ne savent rien l'un de l'autre. De cette façon, si l'un des maillons de la chaîne est interpellé, le plan n'est pas totalement compromis. Ils ne sont mis en contact qu'au dernier moment.

— Si je comprends bien, tous ces rendez-vous indiquent que l'attaque est pour bientôt.

— Sans doute dans les soixante-douze heures.

— Et si Clyde n'est pas le membre de l'équipe chargé de poser la bombe ? demanda Kyle.

— C'est impossible. Il n'a que seize ans, et il ne dispose d'aucune compétence particulière. Il ne peut pas jouer d'autre rôle. Aux yeux des dirigeants de *Sauvez la Terre*, c'est juste un garçon assez fanatisé pour prendre des risques extrêmes.

— OK, lança Kerry. Je vais aller jeter un coup d'œil à ce tiroir. Je veux juste être équipée d'une oreillette. Vous surveillerez l'écran et vous me préviendrez si quelqu'un se pointe.

Chloé lui caressa amicalement le dos.

— Tu devrais te changer avant que Rebecca ne se demande où tu es passée.

3. Bain de sang

La chambre de Rebecca ne disposant pas de fenêtre, les deux amies avaient pris l'habitude de faire leurs devoirs dans le salon. Kerry était allongée à plat ventre sur une peau de mouton. Rebecca, vautrée dans un élégant canapé de cuir, gardait un œil rivé sur *MTV*.

— Waaah, c'est Busted ! s'exclama-t-elle avant de s'emparer de la télécommande et de pousser le volume.

— J'arrive pas à croire que tu écoutes encore ce groupe de nazes. Ils sont tellement ringards.

— Ringards, ringards... Matt Jay est toujours aussi sexy.

— Il n'arrive pas à la cheville de Clyde, gloussa Kerry.

Rebecca fronça les sourcils.

— Je ne peux pas t'empêcher de fantasmer sur mon frère, mais je préférerais que tu gardes ça pour toi. En plus, tu perds ton temps. Il ne pense qu'à sauver les dauphins à bosse et à manifester devant l'ambassade des États-Unis avec ses pancartes à la con. Je crois que si on lui offrait une nana sur un plateau, il ne saurait même pas quoi en faire.

— Les *baleines* à bosse, rectifia Kerry en se levant. Bon, puisque tu tiens absolument à écouter cette daube, je vais en profiter pour aller aux toilettes.

Elle avait la certitude que Rebecca ne quitterait pas le sofa avant la fin de la vidéo, dont elle estimait la durée à environ trois minutes trente. Elle quitta le salon et se dirigea vers la chambre de Mr et Mrs Xu. Elle jeta un œil par la porte entrouverte. Clyde, assis à un bureau, disputait une partie de *Doom III*. Bercé par les détonations qui jaillissaient des haut-parleurs, il semblait profondément absorbé.

Kerry s'éclaircit bruyamment la gorge pour capter l'attention du garçon.

— Qu'est-ce qu'il y a ?

Elle lui adressa un sourire enjôleur, puis repoussa du bout des doigts une mèche de cheveux qui tombait devant ses yeux.

— J'adore ton T-shirt, Clyde, dit-elle. Il te va trop bien.

— Je peux pas mettre sur *pause*, lança-t-il, visiblement agacé. Je suis en plein *deathmatch*. Qu'est-ce que tu veux ?

Il changea d'arme et lâcha un barrage de missiles.

— On n'a toujours pas de connexion Internet. C'est mon père qui doit s'en occuper, quand il aura terminé son boulot à Londres. Je me demandais si tu me laisserais envoyer quelques e-mails à mes copines, en Angleterre.

— Pourquoi tu ne fais pas ça depuis la bibliothèque du collège ?

Kerry recula d'un pas, l'air vexé.

— OK, murmura-t-elle. J'attendrai demain.

Clyde, conscient que Kerry se sentait blessée, quitta brièvement l'écran des yeux.

— Tu peux attendre la fin de cette partie ? Ça ne devrait pas prendre plus de dix minutes. Je t'appelle dès que j'ai terminé.

« Parfait », pensa Kerry en posant furtivement la main sur l'épaule du garçon.

— Merci, t'es adorable.

Convaincue de disposer de deux minutes pour accomplir sa mission, elle traversa la cuisine, emprunta le petit couloir menant aux chambres des enfants, puis alluma la lumière des toilettes voisines pour faire croire qu'elle se trouvait à l'intérieur.

Elle jeta un dernier coup d'œil par-dessus son épaule, entra dans la chambre de Clyde et ferma la porte derrière elle.

Le rythme de son cœur s'emballa. Elle tira une minuscule oreillette de la poche de son jean et l'enfonça dans son oreille.

— Chloé, tu m'entends ? chuchota-t-elle.

— Ne t'inquiète pas, répondit la contrôleuse de mission. Je surveille tes arrières. Je te préviens si quelqu'un se ramène.

— C'est quel tiroir, déjà ?

— Le deuxième en partant du bas.

Kerry tira calmement le tiroir de Clyde et glissa une main sous la pile de chaussettes. Ses doigts se posèrent sur le paquet. Elle nota mentalement sa position exacte, le sortit puis le posa sur la commode.

Elle entrouvrit délicatement l'emballage de cellophane et découvrit quatre blocs de pâte grise. Elle savait exactement de quoi il s'agissait. Elle avait utilisé ce matériau lors du programme d'entraînement initial de CHERUB.

— Quatre pains de plastic, probablement du C4, et deux détonateurs, murmura-t-elle.

L'explosif ressemblait à de la pâte à modeler. Le transformer en bombe était un jeu d'enfant : il suffisait d'y enfoncer les détonateurs, de lui donner la forme désirée, de le placer à l'endroit de son choix – sous un véhicule ou un meuble, par exemple –, puis d'enclencher les minuteurs.

— Prends des photos, dit Chloé d'une voix parfaitement calme.

Kerry tira un appareil photo digital de la poche arrière de son jean, aligna l'explosif et les détonateurs, puis réalisa une série de clichés.

On sonna à la porte.

— Merde ! s'étrangla Kerry. Chloé, c'est qui ?

La jeune femme bascula sur la caméra installée sur le palier.

— Bruce, dit-elle.

Saisie de panique, Kerry commença à replacer le plastic dans le sac.

— Putain, mais qu'est-ce qu'il fout là ? murmura-t-elle.

— Il s'est pointé à la porte des Xu sans repasser par l'appartement.

— Tu ne l'as pas appelé pour lui dire ce qui se passait ?

— Oh ! s'étouffa Chloé, je n'y ai pas pensé…

Kerry referma le sac plastique, le glissa sous les chaussettes et referma le tiroir.

— Clyde et Rebecca sont dans la cuisine, dit la contrôleuse de mission.

Kerry réalisa avec horreur que sa camarade se trouvait à moins de deux mètres de sa position. Il lui était désormais impossible de quitter la chambre de Clyde sans être vue. Elle colla son oreille à la porte.

∴

— Salut, Rebecca, lança Bruce, dont le cantonais s'était considérablement amélioré au cours des six semaines passées à Hong Kong. Kerry est là ?

— Oui, elle est aux toilettes. On fait nos devoirs ensemble, comme d'habitude. C'était comment, cette heure de colle ?

— Oh, c'était pas le bagne. J'ai juste gâché une heure de ma vie à regarder tourner la grande aiguille de l'horloge.

— Bon, puisque je suis là, je vais pisser, gronda Clyde, furieux d'avoir dû interrompre sa partie. J'étais en train de tout déchirer, avant que tu te pointes.

— Non, attends, Kerry est déjà aux... balbutia Rebecca.

Mais Clyde avait déjà ouvert la porte des toilettes.

— Ah bon ? s'étonna-t-il. Ben faut croire qu'elle est tombée dans le trou.

Rebecca était stupéfaite. Bruce comprit aussitôt qu'il venait de commettre un impair.

— Elle est peut-être retournée chez nous, dit-il, conscient de la situation dans laquelle se trouvait sa coéquipière.

∴

S'attendant à être découverte d'un instant à l'autre, Kerry retira son oreillette et la fourra dans sa poche.

Elle entendit Rebecca ouvrir la porte de sa chambre et s'exclamer :

— Non, elle n'est pas là.

Kerry enfouit son petit doigt dans sa narine droite et enfonça profondément l'ongle dans la muqueuse. La douleur était infernale. Elle saisit une poignée de Kleenex sur la table de nuit de Clyde, les pressa contre son nez et sortit de la pièce.

— Qu'est-ce que tu foutais dans ma chambre ? lança Clyde.

Kerry écarta les mouchoirs en papier de son visage. Un épais filet de sang jaillit de sa narine blessée et coula jusqu'à son menton. Le garçon, sous le choc, fit un pas en arrière.

— Oh, mon Dieu, murmura Rebecca. Qu'est-ce qui t'est arrivé ?

Kerry n'avait pas besoin de simuler. La blessure qu'elle s'était infligée était sanglante et extrêmement douloureuse.

— Ça me fait ça souvent. Je sortais des toilettes quand ça a commencé à saigner. J'ai couru dans la chambre pour trouver des Kleenex.

Si Clyde et Rebecca avaient pris le temps de réfléchir, ils se seraient demandé pourquoi Kerry s'était aventurée dans cette chambre qui ne lui était pas familière au lieu d'utiliser le papier hygiénique des toilettes ou le rouleau de Sopalin de la cuisine.

— Qu'est-ce qu'on peut faire pour toi ? demanda Clyde.

— Il faut que je rentre chez moi, gémit Kerry, au bord des larmes. Ma mère sait comment soigner ça. Elle a l'habitude.

•:•

Kyle et Chloé avaient assisté à la scène sur l'écran de l'ordinateur portable, mais ils ne s'attendaient pas à voir Kerry entrer dans la cuisine barbouillée de sang du nez jusqu'au torse. Elle tituba jusqu'à la table, se laissa tomber sur une chaise, puis adressa à Bruce un regard assassin.

— Espèce de connard, gronda-t-elle. Tu as failli foutre en l'air toute l'opération.

— Je m'excuse, je n'ai pas réfléchi, balbutia son camarade en prenant sa tête entre ses mains, incapable de regarder sa coéquipière droit dans les yeux.

— C'est ça, le problème. Tu ne réfléchis jamais.

— Kerry, c'est ma faute, dit Chloé. J'aurais dû appeler Bruce.

— Ce n'est pas toi qui as écopé d'une heure de colle, que je sache, répliqua la jeune fille.

Elle posa l'appareil photo sur la table. Kyle sortit la trousse de secours du placard situé sous l'évier.

— Bruce, dit-il, impatient de voir la tension retomber, tu pourrais envoyer les photos à John par e-mail ? Pendant ce temps, je vais m'occuper de Kerry.

Chloé accompagna Bruce jusqu'au salon. Kyle tendit une compresse humide à sa camarade.

— Le bon vieux coup du nez qui saigne, dit-il. J'ai appris ça en cours mais, pour être honnête, j'avais complètement oublié.

Kerry posa la compresse maculée de sang sur la table et esquissa un sourire.

— Je ne suis pas pressée de remettre ça.

— Penche la tête en arrière. Je vais t'examiner.

Kyle sortit une petite lampe torche de la trousse, inspecta la narine de Kerry et constata que l'hémorragie s'était résorbée.

— Les ongles sont bourrés de bactéries. Je vais devoir désinfecter tout ça.

Kerry hocha la tête. Kyle ôta le capuchon d'un spray antiseptique.

— Tu vas peut-être ressentir une légère sensation de froid. Retiens ton souffle pour éviter que le produit ne coule dans ta gorge.

Lorsque Kyle pressa le bouton de l'aérosol, Kerry ressentit une douleur indescriptible.

— Désolé, dit le garçon. Je vais mettre des glaçons dans un sac en plastique. Tu devras le laisser sur ton nez jusqu'à ce que ça s'arrête complètement de saigner.

Chloé fit irruption dans la cuisine.

— J'ai téléphoné à John, à l'hôtel. Je lui ai parlé du C4. Selon lui, la situation est critique. Nous devons impérativement filer Clyde Xu jusqu'à son point de rendez-vous et savoir ce que son contact a à lui dire.

4. Rendez-vous

Malgré les difficultés qu'elle éprouvait à respirer, Kerry marchait d'un pas vif aux côtés de John Jones, dans une rue commerçante bondée. C'était le crépuscule, et les néons multicolores se reflétaient sur le crâne chauve et les lunettes cerclées de fer du contrôleur de mission.

— Tu le vois toujours ? demanda-t-elle.

Elle avait le sentiment d'être noyée dans un océan de dos anonymes. Elle espérait que John, bien plus grand qu'elle, ne perdrait pas de vue la silhouette de Clyde Xu.

— Je crois que oui, répondit l'homme, mais les individus de taille moyenne aux cheveux bruns, ce n'est pas ce qui manque, dans le coin.

Alors, au hasard d'un mouvement de foule, il réalisa que l'individu dont il fixait la tête depuis deux minutes portait un pull de base-ball jaune. Or, Clyde portait un bomber kaki.

— Et merde, c'est pas lui, lâcha-t-il.

— Tu rigoles ? s'étrangla Kerry.

Ils s'immobilisèrent et se tournèrent vers la façade d'une bijouterie bon marché.

John tira un portable de sa poche et composa le numéro de Chloé.

— J'ai perdu Xu, dit John. Tu as un signal ?

Le MI5 disposait de contacts parmi les techniciens chargés du réseau de télécommunications de Hong Kong. Ces connexions avaient permis à l'équipe de CHERUB de localiser le téléphone mobile de Clyde Xu sans informer les autorités chinoises de l'opération menée sur leur territoire.

— Selon moi, il est tout près de toi, dit Chloé. Compte tenu de la précision du dispositif, à moins de cinquante mètres.

— Dans quelle direction il se dirige ?

— Apparemment, il est immobile. Il est peut-être entré dans une boutique.

— Merci, Chloé. Rappelle-moi s'il se remet en mouvement.

John se tourna vers Kerry.

— Nom de Dieu, il faut absolument remettre la main sur ce gamin.

— Je suis trop petite, dit Kerry. J'y vois rien avec tout ce monde.

— Selon Chloé, il s'est arrêté dans le coin.

— On est passés devant un *Starbucks* à vingt mètres. On pourrait vérifier.

— Excellente idée.

À ce moment précis, Kerry fut frôlée par un individu

qui marchait à toute allure, les mains enfoncées dans les poches de son blouson kaki.

— C'est lui, chuchota-t-elle.

Par chance, Clyde Xu ne l'avait pas vue. John et Kerry échangèrent un regard interdit puis se mêlèrent à la foule dans le sillage de leur cible.

— Comment on a pu se retrouver devant lui? demanda la jeune fille.

— Il a dû s'arrêter dans un magasin, dit John.

Il gardait le cou tendu, résolu à ne pas perdre Xu de vue une seconde fois.

Kerry consulta sa montre. Il était dix-neuf heures cinquante-trois. Soit Clyde était en retard, soit son point de rendez-vous était tout proche. Le garçon s'immobilisa devant un passage piétons. Les deux agents s'arrêtèrent, tête baissée, à trois mètres de leur suspect.

Dès que le signal piétons passa au vert, Clyde traversa la rue au pas de course, puis s'engouffra dans un restaurant à l'enseigne crasseuse et à la vitrine embuée.

Souhaitant lui laisser le temps de s'installer, John et Kerry rejoignirent tranquillement le trottoir opposé et firent halte devant un kiosque à journaux. Kerry acheta le *Hong Kong Times* et des bonbons. John joignit Kyle sur son téléphone portable.

— Tu es où ?

— Tout près. Bruce et moi, on vient de vous voir traverser la rue. Pas de panique.

— OK. Restez dans les parages, mais faites en sorte

que Clyde ne vous voie pas. Ne bougez pas tant que je ne vous donne pas le signal, c'est bien compris ?

— Ça marche, patron, répondit Kyle.

Kerry glissa un tube de pastilles à la menthe dans la poche arrière de son jean.

— Tu es prête ?

La jeune fille tendit son journal à John et hocha la tête.

— Plus que jamais.

— OK, alors passe à l'action. Et essaye de nous ramener un Oscar. Je te rejoins dans trois minutes.

Kerry poussa la porte de l'établissement. Un cuisinier au visage ruisselant de sueur se tenait derrière le comptoir où étaient exposés de grands plats de nouilles rissolées.

— Bonsoir, dit-il. C'est pour emporter ou dîner sur place ?

— Je viens voir quelqu'un. Je pense qu'il se trouve déjà ici.

L'homme l'invita à rejoindre la salle, un vaste espace équipé de meubles en plastique. Elle était occupée aux trois quarts, et il régnait un vacarme assourdissant. Clyde, assis seul à une table, battait nerveusement du pied et s'éventait avec un menu plastifié. Soulagée de constater que son contact ne l'avait pas encore rejoint, Kerry s'assit devant lui.

— Salut, lança-t-elle.

À l'évidence, Clyde était sidéré.

— Qu'est-ce que… Qu'est-ce que tu fais ici ?

— Je t'ai suivi.

— Pardon ?

— Clyde, je sais que ça a l'air complètement débile, mais il fallait que je te parle. Le truc, c'est que je n'arrête pas de penser à toi. Tout le temps. Alors il fallait que je sache si je te plais ou pas. Tu vois ce que je veux dire… Pas comme une copine. Comme une petite amie.

— Eh bien, hum… Kerry, je suis très flatté mais…

— Oh ! nom de Dieu, je me sens tellement conne, soupira-elle en faisant mine d'être sur le point de fondre en larmes.

Profitant de l'étonnement de son interlocuteur, elle glissa une main dans la poche de sa veste et retira le film protecteur de la face adhésive d'un minuscule dispositif d'écoute.

— Tu as le droit de sortir toute seule le soir ? demanda Clyde.

— Pas vraiment. J'ai fait le mur. Mais c'est tellement évident que tu n'en as rien à foutre de moi…

— Kerry, je n'ai rien à te reprocher. Je suis sûr qu'on irait très bien ensemble si on avait le même âge. Mais j'ai seize ans, et toi treize. Sois raisonnable. Ça ne pourra jamais marcher entre nous.

— J'ai presque quatorze ans, dit Kerry en collant le micro espion sous la table.

L'effet de surprise s'étant dissipé, Clyde prit conscience qu'il ne pouvait pas laisser la morveuse éplorée qui se tenait devant lui faire capoter son rendez-vous.

— Et moi, j'en ai presque dix-sept, gronda-t-il en saisissant brutalement le poignet de Kerry.

— Tu as rendez-vous avec une autre fille, c'est ça ?

— Bon, écoute-moi bien, lança Clyde en pointant un index menaçant. Je suis effectivement ici pour rencontrer quelqu'un, mais ce n'est pas ce que tu crois. Si tu veux, on pourra en reparler une autre fois, mais pour le moment, il faut que tu dégages.

Satisfaite d'avoir pu placer le dispositif d'écoute, Kerry n'avait plus aucune raison de s'attarder. Elle retira son bras, sanglota de façon théâtrale, puis se leva. Son esclandre avait attiré l'attention d'un groupe de femmes assises à quelques tables de là.

— Je suis désolée, Clyde.

Le garçon leva une main à hauteur de son visage, lui signifiant ainsi qu'il ne voulait pas en entendre davantage.

— Je t'ai dit de te tirer.

En se dirigeant à grandes enjambées vers la sortie, Kerry croisa John qui marchait dans la direction opposée.

Ce dernier s'installa à trois tables de celle de Clyde. Il ouvrit son journal, glissa à son oreille un récepteur en tous points semblable à un kit piéton pour téléphone portable et alluma le récepteur. Il entendit distinctement le garçon frapper nerveusement la tranche de son menu plastifié contre la table.

.:.

Aux alentours de vingt heures quinze, un homme solidement bâti portant un sac de sport entra dans le restaurant. Il s'assit face à Clyde, lui serra la main, puis s'adressa à lui en anglais, avec un fort accent australien.

— Ça va, petit ? Désolé de t'avoir fait attendre.

— Pas de souci, bredouilla Clyde.

Il était extrêmement tendu, comme pour un premier rendez-vous amoureux ou un entretien d'embauche.

— Tu n'as pas la possibilité de prendre des notes, alors ouvre bien tes oreilles, dit l'Australien en poussant le sac sous la chaise de son interlocuteur. Là-dedans, tu trouveras un pass magnétique et un uniforme d'agent d'entretien. Tu devras te rendre au *Pacific Business Centre*, un immeuble de bureaux situé à Kowloon. Les employés chargés du nettoyage travaillent de vingt-trois heures à deux heures. Tu entres quelques minutes après leur prise de service. Tu dis au vigile posté à l'entrée que c'est ton premier jour de boulot et que tu t'es perdu. Tu essaies d'avoir l'air un peu anxieux, bien entendu.

— Je n'aurai sûrement pas besoin de me forcer, fit remarquer Clyde.

— Je comprends, dit l'homme en lui adressant un large sourire. Une fois dans le bâtiment, tu t'arranges pour éviter les autres agents et tu te planques jusqu'à leur départ.

— Où ça ?

— Dans les toilettes situées sur le palier des ascenseurs. C'est une autre société qui est chargée de les nettoyer, et ils interviennent dans la journée, alors tu devrais être tranquille. À deux heures cinq, tu utilises le pass pour pénétrer dans les locaux de *Viennese Oil*, au sixième étage. C'est une petite société italienne de prospection pétrolière. Tu entres dans le bureau du président, tu franchis la double porte et tu accèdes à la suite privée. Dans la salle de bains, tu trouveras un sac de voyage Samsonite contenant des vêtements et des produits de toilette. Tu l'ouvres et tu places l'explosif au fond. Pour activer les deux détonateurs, tu casses les têtes et tu connectes les fils électriques. Tu retournes aux toilettes, tu te débarrasses de ta combinaison, puis tu quittes le bâtiment par l'escalier de secours. L'alarme se déclenchera quand tu ouvriras la porte coupe-feu. L'agent de sécurité devrait appeler les flics immédiatement, alors ne traîne pas, compris ?

— Et après ?

— Tu rentres chez toi et tu te fais oublier.

— Non, je veux dire… qu'est-ce qui va se passer avec la bombe ? Pourquoi je dois mettre le C4 dans le sac et pas sous le bureau ?

L'Australien secoua lentement la tête.

— Voyons, Clyde, tu sais bien comment fonctionne l'organisation. Il vaut mieux que tu en saches le moins possible. Et crois-moi, je dis ça pour ton bien.

5. Filature

À l'abri derrière son journal, John n'avait rien manqué de la conversation. Il avait désormais la conviction de tenir enfin un membre important de *Sauvez la Terre*, mais ses moyens d'action restaient limités. Il opérait à neuf mille cinq cents kilomètres de sa base, les autorités locales ignoraient tout de sa mission, et il estimait que son équipe souffrait d'un sous-effectif d'au moins deux agents.

Au Royaume-Uni, il lui aurait suffi de claquer des doigts pour obtenir le renfort d'un hélicoptère bourré de membres des services secrets. Ici, à Hong Kong, il n'avait d'autre soutien qu'une poignée d'employés administratifs du MI5 en poste à l'ambassade britannique, à qui il n'aurait pas fait confiance pour porter ses valises. En outre, ces fonctionnaires ignoraient l'existence de CHERUB.

Les agents avaient travaillé pendant six semaines pour parvenir à assister à cette rencontre entre Clyde Xu et un responsable de *Sauvez la Terre*. Si l'Australien disparaissait dans la nature avant de pouvoir être identifié, tous leurs efforts seraient réduits à néant. Ils ne pouvaient pas se permettre de le lâcher d'une semelle.

Seulement, John, qui était resté de longues minutes assis dans le champ de vision de sa cible, ne pouvait pas se charger de la filature ; l'homme avait sans doute repéré le restaurant avant de rencontrer son contact, et devait désormais connaître le visage de Kerry ; Chloé se trouvait à l'appartement.

Seuls Kyle et Bruce pouvaient prendre l'Australien en chasse. John leur avait ordonné de porter des gilets pare-balles sous leurs vêtements, mais l'idée de lancer des agents aussi jeunes aux trousses d'un homme qu'il soupçonnait d'être armé n'avait rien d'enthousiasmant. En outre, ils risquaient de tomber nez à nez avec Clyde.

John scruta en vain la silhouette imposante de l'inconnu, à la recherche d'une bosse trahissant le port d'un revolver, mais vingt années d'activité dans les services de renseignement lui avaient appris qu'il existait de nombreux moyens de transporter une arme de poing en toute discrétion.

L'Australien posa un billet de cent dollars sur la table, se leva et ordonna à Clyde de patienter cinq minutes avant de régler l'addition.

John composa le numéro de Kyle sur son téléphone mobile.

— Où êtes-vous ? chuchota-t-il. Le contact de Clyde va sortir du restau.

— On planque près d'un distributeur de billets à cinquante mètres.

Indécis, John resta muet pendant cinq interminables secondes. Une multitude de facteurs contradictoires se bousculaient dans son esprit.

— Allez, John, supplia Kyle. Ça fait six semaines qu'on attend. On peut s'occuper de ce type, Bruce et moi.

John prit une profonde inspiration. *Sauvez la Terre* était responsable de la mort de plus de deux cents personnes. Une chance exceptionnelle de frapper l'organisation se présentait enfin, et les garçons étaient impatients de passer à l'action.

— D'accord, dit-il en se massant anxieusement la nuque. Vous avez le feu vert, mais ne prenez pas de risques inconsidérés, c'est compris ? Le type est un Australien, très grand. Dans les deux mètres, à vue de nez. Des épaules larges, une tête de joueur de rugby, avec le nez cassé. Les cheveux blonds, avec une raie sur le côté. Il porte un costume gris et des lunettes rectangulaires avec des verres orange. Fais gaffe, il sort à l'instant.

— C'est bon, je le vois, dit Kyle. Qu'est-ce qu'on fait ?

— Prenez-le en filature. Ensuite, fiez-vous à votre bon sens et restez conscients de vos limites.

— Tu veux qu'on le neutralise quand on saura où il loge ?

John s'accorda un bref moment de réflexion.

— Oui, si vous pensez que c'est réalisable.

• • •

Kyle glissa le téléphone dans sa poche puis adressa à Bruce un sourire radieux.

— C'est bon, on lui colle le train. John est mort de trouille.

— Les contrôleurs de mission ont tout le temps la trouille, dit Bruce. Ça fait partie des compétences requises pour le job.

— Tu as repéré notre objectif ?

— Vu sa taille, on ne risque pas de le louper.

La tête blonde de l'Australien émergeait largement de la foule. Les garçons le suivirent à distance respectable, conscients que deux gamins occidentaux déambulant dans les rues de Hong Kong à la nuit tombée étaient susceptibles d'attirer son attention.

Après avoir parcouru un kilomètre, l'homme s'engouffra dans une station de métro souterraine. Les agents dévalèrent une volée de marches et virent leur cible franchir un portillon automatique à l'aide d'une carte d'abonné.

— Merde ! lâcha Kyle en se ruant vers le distributeur de tickets.

Il glissa une main dans sa poche et en sortit une poignée de petite monnaie.

Le vieillard qui les précédait devant la machine tentait vainement d'y introduire une coupure de vingt dollars. À chaque tentative, le billet était rejeté et un voyant rouge s'allumait au-dessus de la fente. Les deux agents étaient au supplice. À la cinquième tentative, l'appareil relâcha une cascade de pièces. Le vieil homme les ramassa une à une, avec une lenteur exaspérante.

— Magne-toi, papy, lança Kyle, à bout de nerfs.

N'y tenant plus, Bruce écarta l'ancêtre du bras, inséra sa monnaie puis s'empara des deux tickets crachés par la machine. Les garçons franchirent les portillons, dévalèrent l'escalier désert qui séparait deux Escalators bondés, puis s'immobilisèrent à une intersection.

— Il est passé où ? lâcha Bruce d'une voix étranglée.

Il considéra le panneau où figuraient les mots *est* et *ouest*.

— Il faut qu'on se sépare, dit Kyle avant de s'engager dans le couloir menant au quai ouest.

Une dizaine de mètres plus loin, il se retrouva prisonnier d'une masse compacte de passagers, sans possibilité d'apercevoir quoi que ce soit au-delà du dos de l'homme qui le précédait.

Bruce, lui, parvint à atteindre le quai noir de monde. Il se fraya un passage à coups de coude jusqu'à un distributeur de sodas, glissa un pied dans la fente de la machine et se hissa au-dessus de la foule.

Il aperçut aussitôt la tête blonde de l'Australien, à l'autre bout du quai. Au même instant, un grondement s'amplifia dans la station, un souffle d'air frais balaya ses cheveux, puis deux lumières vives apparurent à l'entrée du tunnel.

Réalisant qu'il n'avait pas le temps d'aller chercher Kyle sur le quai opposé, il trébucha en descendant de son promontoire et bouscula un punk coiffé à l'iroquoise.

— Tu peux pas faire gaffe, petit con ? lui lança le jeune homme.

La rame s'immobilisa puis les portes s'ouvrirent, libérant un flot de passagers. Bruce fendit péniblement la foule pour se rapprocher de sa cible. Lorsqu'il eut progressé sur une quinzaine de mètres, une voix enregistrée annonça le départ imminent. Il monta aussitôt à bord par la porte la plus proche.

La rame n'était pas constituée de wagons indépendants mais de structures tubulaires d'une trentaine de mètres séparées par des sections flexibles. Bruce commença à remonter vers la tête du train en demandant poliment aux voyageurs de lui céder le passage.

Il trouva l'Australien installé sur une banquette. Il s'assit entre deux femmes obèses, à quelques mètres du suspect, puis tira son téléphone de sa poche. Constatant qu'il n'accrochait pas le réseau, il s'empara d'un journal abandonné sur un porte-bagages. Malgré les six semaines passées au collège de Hong Kong, son niveau de cantonais ne lui permettait pas de déchiffrer rapidement les étranges pattes de mouche qui composaient l'article figurant en première page. Il parcourut péniblement quelques lignes, reposa le quotidien et se plongea dans la contemplation d'une affiche publicitaire vantant les performances d'une élégante voiture de sport.

∴

Lorsque le métro ralentit à la cinquième station, l'Australien se leva. Bruce ne l'avait pas quitté des yeux et avait la certitude que l'homme ne soupçonnait pas une seule seconde qu'il était suivi.

Ils sortirent de la rame par des portes séparées. Bruce, qui se trouvait plus près de la sortie, posa sa basket sur un banc et fit semblant de refaire son lacet jusqu'à ce que sa cible le dépasse. Avant de poursuivre sa filature, il chaussa une casquette Nike pour modifier légèrement son apparence.

L'Australien franchit le portillon automatique, gravit les quelques marches menant à la surface et déboucha sur un trottoir bordant une rue à quatre voies encadrée d'immeubles modernes. Il faisait désormais nuit noire, et la température avait chuté de plusieurs degrés.

L'homme parcourut une cinquantaine de mètres puis s'engagea dans la porte à tambour d'un hôtel. Bruce n'avait pas le temps de communiquer sa position à Chloé. Le ventre noué, il pénétra à son tour dans le palace et découvrit un hall au sol de marbre blanc et, dans la lumière tamisée, des murs décorés de tableaux abstraits. Au bar, une dizaine d'hommes d'affaires complètement saouls braillaient devant un écran plasma diffusant une course de chevaux.

L'Australien se dirigea droit vers l'ascenseur. Ignorant à quel étage se trouvait sa chambre, Bruce le rejoignit et patienta en silence à ses côtés. Il ne craignait pas grand-chose. Même si, malgré les précautions qu'il avait prises, l'homme l'avait remarqué dans le métro, il n'avait aucune raison de se méfier d'un garçon de treize ans.

Un signal sonore retentit et les portes de la cabine s'ouvrirent. C'était un ascenseur vitré offrant une vue spectaculaire sur les gratte-ciel et le port de Hong Kong. Bruce céda le passage à l'inconnu et le laissa enfoncer le bouton du dix-neuvième étage. Alors, il tendit la main vers le panneau de commande et lâcha :

— Ah ! tiens, on est voisins.

Bruce scruta le visage de l'homme et acquit la certitude qu'il ne nourrissait aucun soupçon à son égard. Tandis que l'ascenseur prenait de la vitesse, ses deux occupants se tournèrent vers les baies vitrées. Un gigantesque paquebot au pont illuminé avançait lentement vers le terminal portuaire.

— Pas mal, cette petite barque, plaisanta l'Australien.

Bruce, qui ne s'attendait pas à devoir adresser la parole à sa cible, se sentit déstabilisé.

— Ouais, ouais, bredouilla-t-il. Ça doit grouiller de vieux cons friqués, là-dedans.

L'homme éclata de rire.

— C'est certain. Tu as un drôle d'accent, petit. Tu viens de Londres, pas vrai ?

— Je suis né au pays de Galles, mais mon père travaille dans une banque internationale et j'ai vécu un peu partout dans le monde.

Les portes de la cabine s'ouvrirent sur le palier du dix-neuvième étage.

— Eh bien, bonne nuit, mon garçon. Profite bien de ton séjour.

Bruce quitta l'ascenseur et s'immobilisa devant le panneau d'orientation. L'Australien s'engagea dans un couloir tapissé d'une épaisse moquette rouge, puis ouvrit la porte d'une chambre à l'aide d'une carte magnétique.

Bruce glissa une main dans la poche arrière de son jean et en sortit un morceau de papier.

— Eh, monsieur ! s'exclama-t-il. Je crois que vous avez laissé tomber ça.

L'homme afficha un air stupéfait et recula de deux pas.

Bruce se dirigea dans sa direction à grandes enjambées. Il plongea sa main libre dans la poche de sa veste et la referma sur un coup-de-poing américain en laiton.

L'Australien n'avait pas l'air d'un tendre, et il ne voulait prendre aucun risque.

6. Le plus petit tueur de la planète

Bruce jeta un œil dans la chambre d'hôtel de l'Australien. Les lumières étaient éteintes. Il était seul, sans aucun doute.

— Ce truc n'est pas à moi, petit.

L'expression de l'homme trahissait plus de curiosité que d'inquiétude. À ses yeux, ce garçon filiforme aux cheveux ébouriffés n'était qu'un gamin solitaire désireux de poursuivre la conversation entamée dans l'ascenseur.

— J'ai des trucs urgents à régler. Il faut que je te laisse.

Bruce lui assena un violent crochet à la tempe sans qu'il puisse esquisser le moindre geste défensif. Il tituba en arrière à l'intérieur de la chambre, la joue en sang, mais le choc n'avait pas suffi à lui faire perdre connaissance.

Bruce franchit la porte, la referma derrière lui, puis adressa à son adversaire un *mawashi geri* dans l'estomac. Il s'avança, résolu à finir le travail, mais l'inconnu, bien que chancelant, parvint à lui porter un coup de pied maladroit qui l'envoya valser contre les portes d'une penderie.

L'Australien s'essuya la joue d'un revers de manche puis, le regard sombre, adopta une posture de combat.

— Eh, tu te débrouilles pas mal, dit-il. Tu es qui ? Le plus petit tueur de la planète ?

— Ouais, quelque chose comme ça, dit Bruce en s'efforçant de dissimuler l'inquiétude que lui inspirait le physique impressionnant de son ennemi.

Il n'avait pas su profiter de l'effet de surprise. Il craignait à présent d'être surclassé par ce colosse qui semblait s'y entendre en arts martiaux.

— Si tu sors de cette chambre immédiatement, je te jure que je n'appellerai pas les flics, dit l'Australien. Je ne veux pas d'embrouilles, tu comprends ?

Le cœur battant à tout rompre, Bruce considéra la proposition. À l'évidence, l'homme qu'il était chargé de neutraliser savait se battre. Les instructeurs de CHERUB le répétaient quotidiennement : en matière de combat, une mauvaise estimation des forces de l'adversaire pouvait entraîner des conséquences dramatiques.

— OK, match nul, dit Bruce en reculant lentement vers la porte sans quitter l'inconnu des yeux.

Brusquement, ce dernier se plia en deux et vomit sur la moquette. Réalisant que le coup à la tempe avait bel et bien ébranlé son ennemi, Bruce fonça sur lui tête baissée et lui assena un puissant coup de pied à la face.

La mâchoire disloquée, l'homme bascula en arrière, s'effondra sur le sol avant d'encaisser un dernier direct qui l'étendit pour de bon.

Bruce considéra avec dégoût sa manche de veste souillée de vomissure et tourna précipitamment le verrou de la porte d'entrée. Il se débarrassa du coup-de-poing américain, enfila une paire de gants jetables, et balança le couvre-lit sur la partie souillée de la moquette. Il débrancha la lampe de chevet, coupa le fil électrique en deux parties égales à l'aide d'un outil multi-usages, puis lia les chevilles et les poignets de l'Australien.

Constatant que sa victime éprouvait des difficultés à respirer, il lui ouvrit la bouche et introduisit deux doigts dans sa gorge afin d'en ôter un éventuel corps étranger. Un flot de liquide fétide macula son T-shirt.

Lorsqu'il eut acquis la conviction que l'homme ne risquait plus de suffoquer, Bruce l'installa en position latérale de sécurité. Il ôta ses gants souillés, enfila une paire neuve, puis décrocha son téléphone mobile.

— John, c'est moi.

— Bruce, où es-tu ?

En posant les yeux sur le corps inanimé du colosse, il mesura soudainement l'exploit qu'il venait d'accomplir. Il était convaincu que cette performance lui vaudrait le T-shirt bleu marine.

— Je suis à l'hôtel *Crowne*, chambre 19-11. Le type est étendu à mes pieds. Je l'ai ligoté, au cas où. Sa mâchoire est fracturée, il perd un peu de sang mais il s'en remettra.

— Excellent travail, dit John. Il était armé ?

— Non, mais il s'est bien défendu.

— Rien de cassé ?

— Ce con a gerbé sur ma veste, mais à part ça, je suis en pleine forme.

— Tu crois qu'il a des complices ?

— Je n'ai pas encore eu le temps d'examiner la chambre, mais vu les fringues qui traînent près du lit, je suis quasiment certain qu'il est seul. Je fais quoi, maintenant ?

— C'est quoi comme genre d'hôtel ?

— Cinq étoiles. La grande classe.

— Il doit y avoir des caméras de sécurité un peu partout. On peut également imaginer que notre homme soit en cheville avec la direction. Il a vu ton visage avant que tu le neutralises ?

— Oui, et assez longtemps pour pouvoir me reconnaître. On a même discuté dans l'ascenseur.

— Je veux que tu prennes des photos et que tu piques tout ce qui a de la valeur. Il faut que ça ait l'air d'un cambriolage. Mets le butin dans un sac et sors de l'hôtel par la porte principale. Prends un taxi, mais ne rentre pas directement à l'appartement. Demande au chauffeur de te déposer au *Great Northern*. Je t'attendrai devant et je te conduirai à mon hôtel. Rappelle-moi quand tu seras en chemin pour me dire ce que tu as trouvé.

Bruce s'accroupit au chevet de l'Australien, glissa une main dans la poche de sa veste de costume et y trouva un portefeuille. Il déchiffra le nom figurant sur la carte de crédit : Barry M. Cox.

.:.

Aux alentours de vingt-deux heures, le taxi s'immobilisa devant la réception du *Great Northern*. John ouvrit le coffre et s'empara d'un élégant sac de cuir, pendant que son agent réglait le chauffeur.

— Gardez la monnaie, lança Bruce avant de s'extirper du véhicule.

— Mon hôtel se trouve à quelques centaines de mètres, dit le contrôleur de mission. On va y aller à pied.

— Je suis claqué. On peut s'arrêter pour boire un Coca ?

— On n'a pas le temps. Tu n'auras qu'à te servir dans le minibar de ma chambre. Chloé doit transmettre au MI5 les éléments que tu as trouvés chez Barry Cox. Tu as eu le temps d'inspecter le contenu du PDA, dans le taxi ?

— Oui, mais il est protégé par un mot de passe.

— Le contraire m'aurait étonné. Je t'ai réservé une place en classe affaires sur le vol British Airways de une heure du matin. Il faut que tu te présentes au comptoir d'enregistrement avant minuit. Ça te laisse deux heures pour prendre une douche, te changer, avaler quelque chose et te rendre à l'aéroport. Chloé a apporté ton passeport et des vêtements. Tu seras à Londres à sept heures du matin, heure locale.

— Pourquoi est-ce que vous m'exfiltrez tout de suite ?

— *Sauvez la Terre* utilise des systèmes de cryptage extrêmement sophistiqués. Pour récupérer les données du PDA, nous allons avoir besoin d'une puissance de calcul considérable. Je veux que cet ordinateur soit confié aux techniciens du MI5 aussi vite que possible. Tu le remettras à l'officier des services secrets qui t'accueillera à ton arrivée. De plus, il est préférable que tu ne t'attardes pas à Hong Kong. Si les policiers visionnent les images captées par les caméras de surveillance, ils te verront entrer dans l'hôtel les mains dans les poches et en ressortir avec un sac de voyage. Les autorités de ce pays ne rigolent pas avec les affaires criminelles impliquant des touristes. Ton signalement sera communiqué aux postes de police en quelques minutes.

— Tu n'imagines quand même pas que Cox va porter plainte ?

— Non, mais lorsque la femme de chambre le découvrira ligoté, la direction de l'hôtel signalera l'agression et le cambriolage.

— Je portais des gants pendant la perquisition, mais j'ai forcément laissé traîner quelques traces d'ADN.

— On s'en occupera, dit John. Hong Kong est restée colonie britannique pendant cent cinquante ans, et le MI5 a toujours quelques contacts dans la police. Dès que les choses se seront calmées, on fera disparaître toutes les preuves matérielles.

— Tu crois que je pourrais être arrêté à l'aéroport ?

— Pas de panique. Ils ne vont pas mettre tous les flics en état d'alerte pour un vol commis par un gamin dans un hôtel.

— Et vous, qu'est-ce que vous allez faire, maintenant ?

— On a plusieurs options. J'ai adressé un rapport détaillé au campus. Avec un peu de chance, on recevra des infos solides dans les heures à venir, et on pourra prendre une décision.

7. Game over

Kerry fut réveillée par un coup de sonnette à six heures quarante-cinq. Vêtue d'une culotte et d'un T-shirt, elle se traîna en bâillant jusqu'à la cuisine et constata que Chloé l'y avait précédée. Un coursier se tenait sur le palier. L'assistante de mission saisit la large enveloppe matelassée qu'il lui tendait, signa le reçu puis referma la porte.

— La vache, qu'est-ce que t'as l'air crevée, lança Kerry.

— Merci pour le compliment.

— Je suis désolée, je ne voulais pas te blesser.

— Oh, je sais. J'imagine de quoi je peux avoir l'air. John et moi, on n'a pas dormi de la nuit.

— Pourquoi ?

Chloé ouvrit un tiroir, saisit un couteau à steak et trancha le rabat de l'enveloppe.

— Les détonateurs, lâcha-t-elle sur un ton énigmatique.

Kerry se versa un verre de jus d'orange et se laissa tomber sur une chaise.

Chloé glissa une main à l'intérieur du paquet et en tira quatre pains de plastic identiques à ceux que Kerry avait découverts la veille dans la chambre de Clyde.

— À deux heures du matin, les analystes du campus nous ont communiqué un rapport basé sur les photos des explosifs. Les détonateurs sont d'un modèle spécial fabriqué en toute petite quantité pour la CIA. À notre connaissance, c'est la première fois qu'un groupe terroriste parvient à s'en procurer. Ils sont conçus pour se déclencher lorsque la pression atmosphérique descend sous un seuil prédéterminé.

— Et ça sert à quoi ? demanda Kerry.

— Comme tu le sais, la pression baisse à mesure qu'on gagne de l'altitude.

— En gros, si j'ai l'intention de faire exploser un alpiniste, tu me conseilles de glisser l'un de ces détonateurs dans son sac à dos…

— Ou un avion, dit Chloé.

— Oh, je vois. Je me demandais ce que la CIA pouvait bien avoir contre les alpinistes…

— On s'est renseignés sur *Viennese*. C'est une petite société italienne de prospection pétrolière qui vient de toucher le gros lot en découvrant un immense gisement en mer de Chine. Seulement, ils ont besoin de partenaires financiers et techniques pour passer à la phase d'exploitation. Le directeur se nomme Vincent Pielle. C'est à lui qu'appartient le sac dans lequel Clyde est chargé de placer les explosifs. Il a passé les deux derniers jours en compagnie des PDG de deux importantes sociétés de forage. Il a loué un jet privé pour emmener ses nouveaux amis et leurs collaborateurs passer du bon temps dans une résidence pour milliardaires en Thaïlande.

— Mais la bombe dissimulée dans le sac est censée exploser lorsque l'avion atteindra son altitude de croisière.

— T'as tout compris.

Kerry considéra les pains de C4 posés au centre de la table.

— Je suppose que ce ne sont pas des vrais et qu'ils vont servir à remplacer ceux qui se trouvent dans la commode de Clyde.

— Exact, dit Chloé en hochant la tête.

— À première vue, ils sont strictement identiques.

— Mais ceux-là sont périmés. Grâce à un composant chimique ajouté lors de la fabrication, le C4 devient inoffensif au bout de deux ans.

— Pour quelle raison ?

— Pour empêcher les terroristes de se constituer un stock. L'armée conserve en permanence une petite quantité d'explosifs neutralisés pour réaliser des exercices d'entraînement. Comme le temps nous manquait pour en faire venir d'Angleterre, on a demandé aux autorités américaines de nous dépanner. Ce C4 est arrivé par valise diplomatique depuis une base militaire aux Philippines.

— On ne pourrait pas se contenter d'informer la police de Hong Kong qu'une bombe se trouve dans l'avion de Pielle quelques heures avant son décollage ?

— Remplacer les explosifs dans la chambre de Clyde

pendant les heures de bureau ne devrait pas être difficile. Nous préférons que les dirigeants de *Sauvez la Terre* pensent que leur attentat a échoué à cause d'un lot de plastic défectueux. Si la police intervient, ils sauront que quelqu'un enquêtait sur leurs activités.

— Et l'agression de Barry Cox à l'hôtel une demi-heure après sa rencontre avec Clyde, ils ne vont pas trouver ça louche ?

Chloé hocha la tête.

— Ils vont avoir des soupçons, mais pas de certitudes. Le plus important, c'est que nous soyons parvenus à identifier un membre important de *Sauvez la Terre*. Avec un peu de chance, nous obtiendrons d'autres informations en analysant les objets saisis par Bruce à l'hôtel *Crowne*. Le MI5 va pouvoir mener une enquête approfondie sur le passé de Barry Cox et tâcher de remonter jusqu'à ses complices.

Kerry hocha la tête, puis jeta un œil à la pendule murale.

— Il faut que je file sous la douche si je ne veux pas être en retard au collège.

Chloé secoua la tête.

— Tu n'y retourneras pas. On remplace les explosifs, on fait nos bagages et on rentre à la maison. John nous a réservé des places sur le vol 33 à destination de Manchester.

∴

À huit heures, Kerry se présenta à la porte de l'appartement des Xu. Rebecca, déjà vêtue de son uniforme du collège, eut la surprise de trouver sa camarade en larmes.

— Kerry, qu'est-ce qui t'arrive ?

— C'est mon père, dit-elle d'une voix étranglée par les sanglots. Il a eu un accident de voiture, à Londres, en rentrant du travail. Il est gravement blessé.

— Oh, c'est pas vrai…

La mère de Rebecca, qui avait surpris la conversation, accourut de la cuisine et prit Kerry dans ses bras.

— Ma chérie, je suis tellement désolée.

— On rentre en Angleterre dès ce soir.

— Quand serez-vous de retour ? demanda Rebecca.

— Aucune idée. On a déménagé parce que mon père avait trouvé un job à Hong Kong. Je crois que tous nos projets sont à l'eau, maintenant.

À ces mots, Rebecca et Mrs Xu fondirent en larmes. Intrigué par les sons venant de l'entrée, Clyde passa la tête par la porte entrebâillée de sa chambre, observa la scène d'un œil froid, puis retourna à sa solitude.

∴

Quarante minutes plus tard, les membres de l'équipe de CHERUB alignèrent valises et sacs à dos sur le palier. Kerry visita une dernière fois le petit appartement, inspectant placards et penderies pour s'assurer qu'elle n'oubliait rien derrière elle.

Au sortir de la salle de bains, elle rejoignit Chloé et Kyle qui, assis à la table de la cuisine, surveillaient les images retransmises par les caméras dissimulées dans l'appartement des Xu.

— Parfait, dit Chloé. Ils sont tous partis au boulot. Kyle et moi allons nous charger de remplacer les explosifs et de faire le ménage. Garde un œil sur la caméra du palier et joins-nous par radio en cas d'urgence.

Kerry avala une pastille à la menthe et s'assit devant l'ordinateur portable. Elle vit les deux agents pénétrer dans l'appartement des Xu grâce à une copie de la clé de Rebecca. Chloé se dirigea droit vers la chambre de Clyde, substitua les deux pains de C4 neutralisés aux explosifs cachés dans le tiroir de la commode, puis aida Kyle à démonter les sept caméras et micros dissimulés dans les plafonniers. Kerry vit les cinq fenêtres ouvertes sur l'écran de l'ordinateur passer au noir l'une après l'autre.

Avant de regagner l'appartement vide, Chloé dévissa la caméra placée à l'intérieur du boîtier de la sonnette, un dispositif destiné à surveiller le palier.

Kerry débrancha les deux petites antennes satellites installées sur le balcon.

— Mets-les là-dedans, dit Chloé en désignant le sac contenant le matériel électronique et les explosifs. Je dois le remettre à John, à l'aéroport. Il possède un passeport diplomatique, et les douaniers n'ont pas le droit de fouiller ses bagages.

— Et l'ordinateur ?

— Dans mon sac à dos. Je le garderai avec moi en cabine.

Kyle consulta sa montre.

— On décolle à midi. En comptant la durée du vol, le temps de récupérer les bagages et de prendre le train, on sera au campus dans une vingtaine d'heures.

— Allez, on lève le camp, dit Chloé.

Kerry lança un dernier regard à l'appartement et claqua la porte. Elle était triste à l'idée de ne jamais revoir Rebecca, mais impatiente de retrouver ses amies et d'apprendre ce qui s'était passé au campus depuis son départ, un mois et demi plus tôt.

8. Sauce mexicaine

HUIT JOURS PLUS TARD

James Adams, vêtu d'un caleçon, d'une veste tachée de boue, d'un bonnet d'Arsenal et d'une unique chaussette, gravit d'un pas hésitant l'escalier menant au huitième étage du bâtiment principal, puis frappa comme un sourd à la porte de la chambre de sa sœur.

— Lauren, laisse-moi entrer, dit-il d'une voix pâteuse.

La jeune fille entrouvrit la porte. Son visage exprimait un mélange de surprise et d'indignation. James considéra sa chemise de nuit *Scooby Doo* et esquissa un sourire moqueur.

— À quoi tu joues ? demanda-t-elle. Il est deux heures du matin.

— Habille-toi. On va faire la fête.

— James, je n'ai aucune envie de faire la fête. Tu pues l'alcool à dix mètres. Va te coucher, d'accord ? Si un agent de l'équipe de nuit te trouve dans cet état, tu vas te faire massacrer.

— J'ai pas envie de dormir. On est vendredi soir. On est allés en ville pour célébrer mon certificat de combat avancé. On s'est éclatés à la salle de jeux vidéo, on a dévalisé le magasin d'alcool et on a foutu le bordel au ciné.

— Et tes copains, ils sont passés où ?

— C'est qu'une bande de lopettes. Ils sont tous allés dormir.

— James, vu comme tu es parti, tu vas encore t'attirer des ennuis et je n'ai aucune envie de t'écouter encore une fois te plaindre pendant une semaine. Descends dans ta chambre et mets-toi au lit.

— Laisse-moi entrer une minute, bredouilla le garçon. Je trouve qu'on passe pas assez de temps ensemble. Je voulais te dire que je t'aime.

Il se pencha en avant et essaya de prendre sa sœur dans ses bras. Cette dernière fit un pas de côté, et il tituba à l'intérieur de la chambre.

— Je trouve qu'on se dit pas assez qu'on s'aime, dit-il. Des fois, j'ai l'impression que tu préfères cette grosse vache de Bethany.

— On ne se dit *jamais* qu'on s'aime. Ça n'est tout simplement pas notre truc.

Sur ces mots, elle actionna l'interrupteur du plafonnier. Alors, James découvrit Bethany qui, assise en tailleur sur le lit, le fixait d'un œil noir.

Trois autres filles étaient allongées dans des sacs de couchage sur la moquette. Des canettes de Coca vides et des assiettes contenant les restes d'une pizza traînaient un peu partout.

— Comme tu vois, j'ai organisé une soirée pyjama, expliqua Lauren.

— Super. Je peux rester avec vous ?

— Certainement pas.

James salua Bethany d'un vague geste de la main.

— Salut, ça va ?

— Va te faire foutre, pauvre mec.

Le garçon émit un étrange gloussement.

— Eh, tu pourrais être un peu plus sympa avec moi.

— Peut-être, le jour où tu arrêteras de me traiter de grosse vache.

Les trois autres filles qui assistaient à la scène hochèrent la tête avec consternation. Lauren était morte de honte.

— Va te coucher, James, répéta-t-elle avant de pousser son frère dans le couloir.

— OK, OK... Je peux quand même utiliser tes toilettes ? Je ne peux plus me retenir.

— Vas-y alors, mais magne-toi. Et n'oublie pas de relever la lunette, pour une fois.

James tituba entre les assiettes en carton et pénétra dans la salle de bains. Lauren serra les poings, articula une bordée d'injures muettes, puis se tourna vers ses amies.

— Les frères, il faudrait les noyer à la naissance, chuchota-t-elle. Je suis absolument désolée.

— Ne m'en parle pas, lâcha Bethany.

— Il est marrant, son bonnet, gloussa l'une des filles.

Lauren n'était pas d'humeur à plaisanter.

Au sortir des toilettes, James posa le pied dans un plat de nachos et projeta miettes, crème fraîche et guacamole sur la moquette.

— Oooh merde, gémit-il avant de s'accroupir pour nettoyer son forfait à mains nues.

— James ! tu en étales partout ! hurla Lauren. Je vais m'en occuper. Tire-toi ! Pour l'amour de Dieu, tire-toi !

— Excuse-moi, balbutia James en se traînant vers la sortie. Bonne nuit quand même.

Lauren claqua la porte d'un coup de pied.

— Quel pauvre type !

— Calme-toi, dit Bethany. Tu n'es pas responsable.

Armées de Kleenex, leurs camarades commencèrent à ramasser les miettes et à éponger la sauce répandue sur la moquette.

— Cette fois, annonça Lauren, j'étais à deux doigts de lui en coller une.

•:•

— Debout là-dedans ! s'exclama joyeusement Meryl Spencer en s'asseyant sur le lit de James.

Meryl était une sprinteuse jamaïcaine à la retraite devenue responsable de formation de CHERUB.

— Miss Takada m'a transmis un rapport élogieux à ton sujet, alors j'ai collé un *Post-it* sur mon bureau, hier soir, pour ne pas oublier de venir te féliciter. Bravo, mon vieux. Tu as bien mérité ton certificat.

Le garçon avait la vague impression qu'un éléphant était assis sur sa tête.

— Mmmh, vu l'odeur que tu dégages, ajouta Meryl, je parie que tu as arrosé ça plus que de raison. Je me trompe ?

James comprenait à peine ce que lui disait la jeune femme. Des souvenirs de la soirée de la veille lui revenaient par bribes : une lourde chute dans l'escalier, au cinéma ; une bataille de pop-corn épique ; de vaines tentatives de drague sur la personne de Gabrielle ; pire que tout, une lamentable incursion dans la chambre de Lauren, à deux heures du matin. Elle devait être furieuse.

— Eh, assieds-toi quand je te parle, dit fermement Meryl. Je te signale que tu as loupé la première heure de cours. Tu n'as même pas entendu ton réveil.

Lorsque James essaya de se relever, il sentit que son corps tout entier était couvert d'une substance tiède et gluante.

— Meryl, je crois que... que j'ai été malade pendant la nuit, balbutia-t-il, en état de choc.

— Ce n'est pas très surprenant, vu la quantité d'alcool que tu as avalée.

— Je veux dire *vraiment* très malade. Je crois que j'ai vomi dans mon lit.

Meryl se dressa d'un bond. James rejeta la couette et contempla les dégâts. Une forte odeur de vinaigre assaillit ses narines. Il baignait littéralement dans une flaque de sauce mexicaine.

— Oh ! non, gémit-il en sautant du lit, maculé des pieds à la poitrine de purée de tomate et de morceaux d'oignon.

Meryl ne put réprimer un sourire.

— On dirait que quelqu'un t'a fait une blague.

James savait à qui il devait cette mésaventure, mais il se refusait à dénoncer Lauren et ses amies. Meryl alla chercher une serviette dans la salle de bains et la lui lança.

— Essuie-toi. Tu vas tacher la moquette. Ensuite, prends une douche et dépose tes draps à la laverie.

James obéit sans dire un mot.

— Maintenant, parlons un peu de la nuit dernière, dit la responsable de formation. Tu sais qu'on est plutôt cool sur la discipline. On sait parfaitement que certains d'entre vous fument et picolent, dans les grandes occasions. On est disposés à fermer les yeux, pourvu que vous restiez dans les limites du raisonnable.

James hocha la tête avec humilité.

— Selon mes critères, rentrer au campus à une heure du matin, pisser dans la fontaine, participer à une bataille d'oreillers avec Dana et Gabrielle, courir dans les escaliers en braillant des chansons de supporters d'Arsenal, puis réveiller sa sœur et la moitié des occupants du huitième étage n'a rien de raisonnable. Tu es d'accord avec moi ?

— Oui, Meryl.

— Bon, comme je suis de bonne humeur, je vais

tenir compte du rapport de Miss Takada et du fait que tu avais un événement important à célébrer. Je me contenterai d'un avertissement, mais je ne veux plus entendre parler de toi pendant six mois. Est-ce que je me fais bien comprendre ?

James était surpris de s'en tirer à si bon compte. En théorie, sa conduite aurait dû lui coûter une importante retenue sur son argent de poche et des tours de stade à n'en plus finir.

— Oui, Meryl, répéta-t-il.

— Tu n'as pas trop la migraine ? demanda la jeune femme.

— Franchement, si, et cette odeur de vinaigre me donne envie de vomir.

— Je te dispense de cours pour la matinée.

— Euh... tu te sens bien ? demanda James, qui trouvait l'attitude conciliante de sa responsable pour le moins suspecte.

— Oui, pourquoi ?

— Tu es tellement sympa avec moi, tout à coup.

La jeune femme éclata de rire.

— Je crois que je me ramollis avec l'âge. Si ça te dérange, je peux t'envoyer faire cinquante tours de stade sous la pluie. Il n'y a rien de mieux contre la gueule de bois.

— Non, non, c'est bon, dit James en lui adressant un sourire complice.

— Quand tu auras nettoyé tout ce foutoir et changé tes draps, je t'autorise à te reposer jusqu'à l'heure du déjeuner. Je veux que tu sois en pleine forme pour ton rendez-vous avec John Jones, cet après-midi.

— Je pars en mission ?

— On ne m'a pas communiqué les détails de l'opération, mais je peux te dire que c'est du lourd. Quelque chose en rapport avec *Sauvez la Terre.*

9. Un placement à mille pour cent

James se traîna lamentablement jusqu'au centre de contrôle des missions et se présenta au bureau de John Jones avec quelques minutes de retard. Tout dans la pièce était minutieusement organisé. Les dossiers et les piles de documents étaient disposés à l'équerre. Même la tasse du contrôleur de mission était ornée d'une étiquette imprimée sur ordinateur. Mais le maître des lieux, lui, n'était pas à son poste.

James eut la surprise de trouver Lauren et Dana confortablement installées dans les fauteuils de cuir réservés aux visiteurs. Cette dernière, fidèle à sa réputation de garçon manqué, était vêtue d'un T-shirt gris réglementaire deux fois trop grand pour elle, d'un pantalon de treillis baissé jusqu'aux hanches et de rangers ni lacées ni cirées. Dana se moquait éperdument de sa tenue vestimentaire. Lorsqu'elle était en civil, elle portait un jean baggy et des chaussures de skateboard si usées qu'elles laissaient apparaître ses orteils.

— Ah ! d'accord, lâcha sobrement James en prenant place à côté de ses coéquipières.

— Ça va ? demanda Dana. Pas trop la casquette ? Tu t'es vraiment mis minable, hier soir.

— J'ai pris plusieurs cachets d'aspirine, mais j'ai toujours l'impression qu'un CD de drum & bass tourne en boucle sous mon crâne.

— Et le réveil n'était pas trop difficile ? lâcha Lauren avec un sourire narquois.

— Ah ! oui, merci beaucoup. Quand je me suis réveillé, j'ai cru que j'avais dégueulé en dormant. J'ai retourné le matelas et changé les draps, mais je n'arrive pas à me débarrasser de cette saloperie d'odeur de vinaigre.

— De quoi vous parlez ?

— Ce matin, Bethany et moi, on a renversé le contenu d'une énorme boîte de sauce mexicaine dans son lit. Il était tellement défoncé qu'il ne s'est même pas réveillé.

— Ça va un peu loin, votre truc.

— Il l'a bien mérité. Il s'est pointé dans ma chambre à deux heures du matin. Il s'est couvert de ridicule devant mes copines. Je ne me suis jamais sentie aussi gênée de ma vie.

James, conscient qu'il s'était conduit comme un idiot, décida d'enterrer la hache de guerre.

— C'est vrai, j'ai déconné, et je le reconnais. Vous avez eu raison de vous venger. On en reste là, d'accord ? Apparemment, on va faire équipe, et je ne veux pas qu'il y ait une tension entre nous.

— De quelle tension tu parles ? demanda John en entrant dans la pièce, accompagné d'une inconnue aux cheveux roux et au visage constellé de taches de rousseur.

— Rien, rien, répondirent en chœur James et Lauren.

— Les enfants, je vous présente Abigail Sanders.

Les agents se levèrent et serrèrent la main de la femme.

— Je suis ravie de rencontrer enfin mon fils et mes deux filles, plaisanta Abigail. Tu avais raison, John, ils ont vraiment la tête de l'emploi.

Le contrôleur de mission s'installa derrière son bureau.

— Les agents de CHERUB ont le droit d'écarter les missions qui leur sont présentées, dit-il, et James, Lauren et Dana n'ont même pas encore été briefés. Cela dit, dans les faits, ils sont toujours partants. Je travaille ici depuis dix-huit mois et je n'ai jamais essuyé un refus.

Il se tourna vers les agents.

— Abigail est un officier de l'ASIS[1], les services secrets australiens. Vous avez été sélectionnés pour participer à une importante mission d'infiltration en Australie.

James et Lauren lâchèrent une exclamation enthousiaste. D'un naturel peu expansif, Dana fixa la pointe de ses rangers. Parmi ses camarades de CHERUB, on

1. Australian Secret Intelligence Service.

prétendait qu'elle aurait pu assister à une explosion atomique sans manifester la moindre émotion.

— Les ordres de mission ont déjà été rédigés ? demanda Lauren.

John se leva et composa la combinaison d'un grand coffre-fort mural. Il tira la lourde porte, saisit une enveloppe et distribua à chacun de ses agents un exemplaire de l'ordre de mission.

**** CONFIDENTIEL ****

ORDRE DE MISSION
DE JAMES ADAMS, LAUREN ADAMS ET DANA SMITH

CE DOCUMENT EST ÉQUIPÉ D'UN SYSTÈME ANTIVOL INVISIBLE.
TOUTE TENTATIVE DE SORTIE HORS DU CENTRE DE CONTRÔLE
ALERTERA IMMÉDIATEMENT L'ÉQUIPE DE SÉCURITÉ.

NE PAS PHOTOCOPIER – NE PAS PRENDRE DE NOTES

Retour sur l'opération Hong Kong 2005

Fin 2005, le réseau de surveillance Echelon intercepte un message électronique relatif à une attaque de Sauvez la

Terre *devant se dérouler à Hong Kong. Contactés par la CIA, les services de renseignement britanniques mènent l'enquête grâce aux contacts maintenus parmi les membres des forces de sécurité de son ancienne colonie.*

L'auteur du message, un jeune activiste nommé Clyde Xu, est rapidement identifié. Le MI5 charge trois agents de CHERUB d'approcher la famille de ce dernier dans l'espoir de découvrir l'identité de son contact, soupçonné d'être un haut dirigeant de Sauvez la Terre.

Au bout de six semaines, la mission porte ses fruits. L'équipe de CHERUB déjoue un attentat visant quinze dirigeants de compagnies pétrolières. En outre, l'un des agents parvient à saisir le passeport, le portefeuille, le PDA et le carnet de notes du complice de Clyde Xu, un sujet australien nommé Barry Cox.

Implication de la société Lomborg Financial

L'analyse du PDA – qui ne contient guère que les sauvegardes d'un jeu d'échecs – constitue une lourde déception pour les spécialistes du MI5. Le passeport, le carnet de notes et les facturettes trouvées dans le portefeuille permettent de reconstituer les déplacements et les dépenses du terroriste mais ne révèlent aucune information probante sur Sauvez la Terre. *En outre, la comparaison des échantillons ADN et des empreintes digitales avec les profils de criminels figurant dans la base de données de la police australienne ne donne aucun résultat.*

Le MI5 s'apprête à mettre un terme à ses investigations lorsqu'un enquêteur remarque que l'un des reçus trouvés dans le portefeuille ne correspond à aucune des cartes bancaires de Barry Cox.

La facturette a été émise six jours plus tôt au nom de Lomborg Financial, *une société australienne, en règlement d'un déjeuner dans un restaurant de Brisbane. Les services secrets australiens sont chargés d'enquêter sur ce rendez-vous.*

Sur la bande de vidéosurveillance de l'établissement, les agents de l'ASIS découvrent Barry Cox en compagnie d'Arnos Lomborg, directeur de la banque d'affaires Lomborg Financial. *À l'issue du repas, le banquier règle avec sa carte de crédit. Cox laisse un pourboire et empoche le ticket par mégarde.*

Les activités de Lomborg Financial *sont aussitôt placées sous surveillance. L'entreprise familiale, qui n'emploie qu'une trentaine de personnes, gère le portefeuille d'une douzaine de clients. La majeure partie de ses bénéfices est réalisée pour le compte d'un culte religieux connu sous le nom de* Survivants.

Bientôt, les analystes réalisent que Lomborg Financial *achète des actions de capitalisation et des contrats à terme auprès d'agents de change indépendants, de façon à dissimuler la nature réelle de ses échanges financiers.*

Le portefeuille des Survivants a réalisé un bénéfice de mille pour cent en quatre ans : des profits extraordinaires qui démontrent que la secte se livre à quelque forme d'activité illégale.

L'analyse des comptes démontre que la stratégie d'investissement des Survivants coïncide avec les attaques de

Sauvez la Terre. *Par exemple, le 27 octobre 2004, les Survivants achètent des contrats à terme concernant quatre millions de barils de pétrole brut vénézuélien. Trois jours plus tard, un pipeline reliant le Venezuela et le Brésil est détruit par une action terroriste. Le prix du pétrole vénézuélien bondit de six pour cent et les Survivants réalisent au passage un bénéfice de 10 millions de dollars pour un investissement de 1 million de dollars.*

Constatant que les Survivants ont placé 300 millions de dollars sur des comptes dans des paradis fiscaux, les enquêteurs concluent que le culte est le principal financier de Sauvez la Terre.

Les services de renseignement disposent désormais de preuves suffisantes pour poursuivre les dirigeants de Lomborg Financial *pour fraude et blanchiment d'argent. Cependant, l'ASIS et le MI5 considèrent que toute action précipitée compromettrait leurs chances de démanteler le réseau* Sauvez la Terre.

Soucieux d'établir une stratégie à long terme, l'ASIS estime que seuls des membres de CHERUB agissant sous couvert de liens familiaux seraient en mesure de mener une opération au sein de la secte.

Les Survivants

En 1961, Joel Regan abandonne une modeste carrière de représentant en distributeurs automatiques de snacks et boissons fraîches. Il fait l'acquisition d'une église désaffectée dans la périphérie de Brisbane, en Australie, et commence à diffuser sa propre lecture des Évangiles.

Regan prétend avoir reçu un message divin l'informant que la guerre nucléaire est imminente et qu'il a été choisi pour bâtir une Arche dans l'Outback, la région la plus désertique d'Australie. Selon ses prophéties, seuls ses adeptes survivront à l'holocauste pour établir un nouveau paradis terrestre.

Nul ne miserait alors un dollar sur le succès de cette nouvelle religion, mélange de valeurs chrétiennes et de prédictions apocalyptiques édictées par un marginal de trente-huit ans, mais Regan dispose de deux atouts majeurs : de réels talents de vendeur et une expérience d'agent de renseignement dans l'armée australienne.

Les curieux venus assister aux premiers prêches du gourou se retrouvent harcelés par des représentants du sexe opposé qui les implorent de renouveler l'expérience. Ils sont nombreux à mordre à l'hameçon. Regan concentre ses efforts sur des individus isolés, mères célibataires ou divorcées, veuves de guerre et, plus généralement, toute personne en proie aux difficultés de l'existence. Au cours de ses offices religieux, ils trouvent une atmosphère chaleureuse, cet élan communautaire que Regan baptise océan d'amour.

Ce n'est qu'une fois le nouvel adepte convaincu que se manifestent les aspects les plus sinistres du culte des Survivants. Le gourou met en œuvre les techniques de contrôle de la pensée acquises au cours de sa carrière dans les services de renseignement. Il organise en particulier des séances de thérapie de groupe au cours desquelles les adeptes sont invités à revivre publiquement les événements les plus traumatisants de leur existence.

Ces réunions produisent sur leurs participants un effet connu sous le nom de lavage de cerveau. *Elles mettent en valeur un contraste saisissant entre les horreurs du monde extérieur et l'univers amical de la secte. Après trois ou quatre séances intensives, l'adepte, devenu perméable aux techniques de contrôle mental, manifeste un changement radical de personnalité touchant ses pensées et son comportement. Il se défie de ses amis et des membres de sa famille, et finit par ne fréquenter que des membres du culte.*

En parallèle de ses activités de recrutement, Regan développe l'aspect le plus original de sa religion : la construction de l'Arche dans l'Outback australien. Ce complexe, capable de fonctionner en autarcie, doit être en mesure de résister aux effets secondaires d'une guerre nucléaire et d'abriter une importante communauté d'adeptes pendant sept années.

La construction de l'Arche exigeant des sommes astronomiques, Regan invite ses fidèles à rompre tout lien avec leur existence passée, à s'installer dans des bâtiments situés à proximité de son église et à faire don de leurs biens pour réaliser son projet.

Les Survivants se livrent à diverses activités : si une minorité d'entre eux prêche et anime les séances de thérapie de groupe, les autres sont agents d'entretien, ouvriers agricoles, employés du bâtiment ou travaillent dans les entreprises de vente de distributeurs automatiques rachetées par Regan. Bien entendu, ils reversent l'intégralité de leur salaire à la secte.

Le culte aujourd'hui

L'Arche, sans doute la construction la plus extravagante de la planète, est située à deux heures de vol de Brisbane, au beau milieu de l'Outback australien, la région la plus aride du pays.

Quarante-quatre ans après sa fondation, le coût de ce complexe spectaculaire, qui dispose de son propre aéroport, est estimé à environ 5 milliards de dollars. Derrière un haut mur d'enceinte sont rassemblés des bâtiments d'habitation, des immeubles de bureaux, un temple dont le sommet culmine à cent cinquante mètres et un palais de soixante pièces réservé à Joel Regan. Aujourd'hui âgé de quatre-vingt-deux ans, c'est sans doute l'homme le plus riche et le plus controversé d'Australie.

La secte compte plus de treize mille cinq cents membres vivant dans vingt-trois communautés établies sur tous les continents. Dix-sept mille sympathisants assistent régulièrement aux offices et fréquentent les groupes de soutien. Une seconde Arche est en construction dans le Nevada. Un projet d'implantation au Japon est à l'étude.

Le culte manifeste un intérêt particulier pour l'agriculture biologique, les médecines parallèles et les technologies de l'information. En outre, il contrôle la plus grande entreprise mondiale de vente et de maintenance de distributeurs automatiques de snacks et boissons réfrigérées. S'il était constitué en société commerciale, et non en fondation à caractère religieux, il figurerait au dixième rang des entreprises australiennes.

La mission CHERUB-ASIS

Les membres de l'équipe ont pour objectif d'être admis à l'intérieur de l'Arche et de découvrir des preuves concrètes permettant d'établir la nature exacte des liens entre les Survivants et Sauvez la Terre. *L'opération durera entre deux et six mois et comprendra quatre phases :*

(1) recrutement

Abigail Sanders, jeune divorcée, et trois membres de CHERUB, ses enfants, emménageront dans une banlieue aisée de Brisbane connue pour être le terrain de chasse des recruteurs de la secte. Ils s'efforceront de se joindre au culte. Compte tenu du profil attribué à l'équipe, cette phase ne devrait pas poser de difficulté particulière.

(2) intégration

Les quatre agents, devenus membres à part entière des Survivants, s'installeront dans la communauté de Brisbane. Ayant reçu au préalable une formation concernant les méthodes de contrôle de la pensée, ils seront en mesure de résister aux manœuvres de manipulation des cadres de la secte.

(3) infiltration

Si l'Arche des Survivants est théoriquement un abri capable de résister à une guerre nucléaire, il fait aujourd'hui fonction de centre administratif et de lieu de formation. À l'exception des hauts dirigeants de la secte et des employés administratifs, les adultes n'y sont admis que

pour de courts séminaires ou des cérémonies importantes, comme les mariages et les baptêmes.
Seuls les plus jeunes adeptes peuvent espérer devenir résidents permanents de l'Arche. En effet, dix pour cent d'entre eux, sélectionnées sur des critères scolaires, sont rassemblés dans un internat consacré à la formation de l'élite des Survivants que Joel Regan destine à diriger le monde post-nucléaire.
La plupart de ces élèves, promis à une rapide promotion, sont nommés à des postes de responsabilité dès l'âge de vingt ans.
Le niveau scolaire des agents de CHERUB devrait amplement leur permettre d'accéder à cette école.

(4) investigation

L'ASIS ignore la nature exacte des relations entre les Survivants et Sauvez la Terre. *Malgré ses efforts, elle s'est montrée incapable de déterminer s'il s'agit d'un simple soutien financier ou si le groupe terroriste est le bras armé de la secte.*
Selon les déclarations d'anciens membres du culte ayant vécu dans l'Arche, un millier de Survivants fréquentent le complexe. Cependant, seuls Joel Regan, quelques membres de sa famille, cent vingt cadres et employés, et les cent cinquante élèves de l'internat y résident en permanence. Ils forment une communauté fermée sur elle-même et tiraillée par la jalousie et l'ambition.
Bien que l'ASIS et CHERUB aient disposé de moins d'une semaine pour établir les détails de cette opération, tout

porte à croire que les agents seront en mesure de faire bon usage de leurs compétences en matière de renseignement. S'ils parviennent à intégrer l'Arche, il est probable qu'ils pourront recueillir des informations capitales sur le lien unissant les Survivants et Sauvez la Terre.

LE COMITÉ D'ÉTHIQUE DE CHERUB APPROUVE À L'UNANIMITÉ L'ORDRE DE MISSION MAIS ATTIRE L'ATTENTION DES AGENTS SÉLECTIONNÉES SUR LES RISQUES SUIVANTS :

(1) Cette mission a été classée RISQUE ÉLEVÉ. Parvenus à la phase 4, les agents opéreront dans un univers clos et isolé où ils ne pourront pas compter sur l'intervention de leur contrôleur de mission.

(2) Les Survivants privilégient des valeurs dites traditionnelles incluant l'usage des châtiments corporels.

(3) Compte tenu de l'isolement géographique de l'Arche, les agents pourraient éprouver des difficultés à se retirer de la mission si nécessaire.

10. Pleins aux as

À l'annonce du départ de James et Lauren en mission de longue durée, Kyle, Bruce, Kerry, Callum, Connor et Bethany prirent la décision de les accompagner à l'aéroport d'Heathrow.

Née en Australie et recrutée dans un orphelinat du Queensland, Dana, qui avait effectué l'interminable trajet vers le campus en 1998, savait parfaitement à quoi s'attendre : treize heures de vol jusqu'à Singapour, six heures d'escale, puis une ultime étape de huit heures pour rejoindre Brisbane.

Un dimanche matin, John Jones, son assistante Chloé, Abigail Sanders, les agents et leurs amis prirent place à bord d'un minibus. Dana enfonça les écouteurs de son iPod dans ses oreilles et ouvrit un exemplaire écorné du *Seigneur des Anneaux*. Personne ne l'avait accompagnée. James avait de la peine pour sa coéquipière, mais elle semblait s'en moquer éperdument.

Par chance, le voyage s'annonçait moins pénible que prévu. N'ayant pu trouver de places disponibles en classe économique, John avait réservé six sièges en classe affaires.

Les formalités d'enregistrement accomplies, les agents rejoignirent les autres membres de CHERUB à la cafétéria.

James commanda un petit déjeuner complet puis, constatant que Kerry se trouvait seule à une table, s'assit à ses côtés.

Eh bien, pourquoi tu restes dans ton coin ?

Kerry fixa le fond de son mug de thé.

— J'ai pensé à toi sans arrêt quand j'étais à Hong Kong. Je voulais te parler quand je suis rentrée, mais je n'ai jamais trouvé le bon moment.

James, vaguement inquiet, lui adressa un sourire timide.

— Me parler de quoi ?

— Tu sais, on a flirté deux ou trois fois depuis qu'on s'est séparés, en septembre. Et on est restés célibataires tous les deux...

— Dans mon cas, c'est pas faute d'avoir essayé.

— Oui, c'est ce que m'a dit Gabrielle, dit la jeune fille avec un air entendu.

— Oh, tu sais, elle ne me plaît pas vraiment. J'ai essayé de lui sauter dessus parce que j'étais complètement déchiré.

— Ah ! d'accord... Je devrais peut-être lui expliquer. Les choses seraient plus claires.

— Non, pitié, elle m'arracherait la tête.

— En tout cas... quand tu reviendras de mission, j'aimerais bien qu'on essaye de se remettre ensemble.

Le visage de James s'illumina. Il rêvait d'entendre ces mots depuis cinq mois, mais il regrettait que Kerry se décide à lui parler au plus mauvais moment.

— Si ça se trouve, dit James, tu seras partie en opération à mon retour.

— Je sais, dit la jeune fille en sirotant tristement son verre de jus d'orange. Et je ne vais pas refuser une mission pour tes beaux yeux.

— Je te comprends. Finalement, ça passe à toute vitesse, une carrière d'agent. Tu sais que Kyle a seize ans ? Dans un an, un an et demi à tout casser, il quittera le campus.

— Kyle est une crevette. Il met des Kleenex dans les poches arrière de son pantalon pour faire croire qu'il a des fesses. On dirait qu'il a le même âge que toi.

James surprit une expression familière sur le visage de son amie. « Oh ! mon Dieu, elle veut que je l'embrasse », pensa-t-il. Il jeta un œil aux agents rassemblés à la table voisine. Il aurait aimé jouir d'un peu plus d'intimité, mais la perspective d'être séparé de Kerry pendant six mois l'incita à passer à l'action.

Ils échangèrent un baiser passionné. James saisit la tête de sa petite amie à pleines mains. Son T-shirt trempa dans son assiette souillée de jaune d'œuf.

Pris sous un feu nourri de morceaux de pain et de portions de beurre, ils finirent par se séparer.

— Trouvez-vous une chambre ! cria Kyle.

Lauren se lança dans une imitation improbable de la voix de James.

— *Arrête de dire que je craque pour Kerry. Il n'y a plus rien entre nous. On est restés amis, c'est tout.* Bla, bla, bla.

Les amoureux adressèrent à leurs amis un sourire embarrassé puis se regardèrent droit dans les yeux.

— J'essaierai de te donner des nouvelles, murmura James.

∴

Les six semaines de stage de combat avancé et la cuite mémorable qui avait couronné l'obtention de son certificat avaient laissé James sur les rotules. Profitant du confort exceptionnel offert par la classe affaires, il inclina son siège, demanda au steward de lui procurer un oreiller et une couverture, et passa la majeure partie du vol pour Singapour à rattraper le sommeil en retard.

Lors de ses rares moments d'éveil, il joua à la PSP, dévora des barres chocolatées, discuta du mode de vie australien avec Abigail et feuilleta des ouvrages concernant les sectes et les techniques de manipulation mentale. Malgré leur épaisseur et leur complexité, James fut littéralement fasciné par leur contenu.

Jusqu'alors, il avait toujours considéré que seuls des individus mentalement instables étaient vulnérables aux méthodes de recrutement sectaires.

Il découvrit que la plupart des adeptes étaient en réalité des personnes comme les autres, en proie aux difficultés de l'existence : divorcés, veufs, chômeurs et étudiants victimes de l'éloignement familial.

Les sept mille organisations sectaires répertoriées dans le monde comptaient plus de cent millions de fidèles. Le mot « secte » recouvrait des réalités bien différentes, du culte de marginaux regroupant quelques dizaines de membres logés dans des camps de fortune à la multinationale de la foi possédant chaîne de télévision et société de distribution de produits dérivés.

James et Lauren, assis côte à côte, lurent à haute voix les passages les plus croustillants de leur documentation.

— Tiens, écoute un peu ça, dit la jeune fille. « *Plus de soixante-dix cas de suicides collectifs marquent l'histoire des mouvements sectaires. Le plus dramatique d'entre eux reste sans doute celui du Temple du Peuple, communauté établie à Guyana, dont le leader Jim Jones a ordonné à ses adeptes de mettre fin à leurs jours. Les parents sont allés jusqu'à administrer à leurs enfants en bas âge des biberons contenant du poison. Plus de neuf cents personnes ont perdu la vie au cours de ce massacre.* » Et la ligne suivante nous concerne directement : « *Les sectes qui développent un discours basé sur l'imminence de l'Apocalypse sont les plus destructrices.* »

James esquissa un sourire crispé.

— Eh bien, voilà qui est rassurant.

∴

En Australie, le mois de février est le plus chaud de l'année. Le thermomètre affichait 38 °C et l'air était saturé d'humidité.

L'équipe quitta l'aéroport sous une pluie diluvienne. John et Chloé rejoignirent leur hôtel à bord d'une voiture de location. Un taxi emporta Abigail et ses agents jusqu'à une banlieue résidentielle située à dix kilomètres du centre de Brisbane.

Le déluge ayant cessé, James put contempler les luxueuses maisons, les pelouses méticuleusement entretenues, les jeunes arbres parfaitement alignés de part et d'autre d'une chaussée fraîchement goudronnée. Il avait l'impression de s'être égaré dans un gigantesque assemblage de *Lego*.

Le véhicule s'arrêta devant une imposante villa. Ses passagers déposèrent leurs bagages dans l'entrée, une pièce immense au dôme orné d'un lustre de cristal.

— Nom d'un chien ! s'exclama James. Mais on est pleins aux as !

— Évidemment, dit Abigail. Les agents recruteurs des Survivants vont adorer. Je suis la proie idéale : Abigail Prince, récemment divorcée d'un mari millionnaire, de retour dans son Queensland natal.

— Et ses trois délicieux enfants, ajouta Lauren.

— Je dois avouer qu'ils ont mis le paquet. Je ne m'attendais pas à un truc pareil. Tout a été arrangé pendant mon séjour en Angleterre. Vos chambres sont à l'étage. Je vous laisse visiter.

Dana, gagnée par un enthousiasme inhabituel, précéda ses coéquipiers dans l'escalier à double volée. Ils découvrirent quatre chambres immenses équipées en fonction des besoins de chaque membre de l'équipe.

Celle de James disposait de tiroirs et de placards remplis de vêtements à sa taille, légèrement vieillis grâce un procédé chimique. Rien ne manquait à cette chambre d'adolescent, ni les fournitures de bureau, ni la planche de surf, ni l'ordinateur, ni même les jeux de société aux boîtes usées et les jouets enfantins dont il était censé s'être lassé depuis des années.

James actionna l'interrupteur de l'air conditionné et explora une penderie pour choisir la tenue qu'il enfilerait à la sortie de la douche.

11. Ce que disent les démons

Trente-cinq heures de voyage combinées à dix heures de décalage horaire avaient bouleversé l'horloge interne de James. Il passa une partie de la nuit à se tortiller dans son lit puis, convaincu qu'il ne parviendrait pas à trouver le sommeil, joua à la PSP jusqu'au lever du soleil. Victime d'une effroyable migraine, il mit un maillot de bain et effectua quelques longueurs dans la piscine.

Les membres de l'équipe passèrent la matinée à mettre en ordre leur nouvelle demeure. James tondit la pelouse à l'aide d'un motoculteur. Dana passa des heures au téléphone avant de dénicher une société de maintenance pour la piscine et un plombier capable de réparer le robinet de l'une des salles de bains privatives. Abigail et Lauren s'occupèrent du ravitaillement dans un supermarché *Big Fresh*.

Après le déjeuner, ils visitèrent leur collège, un établissement situé à trois kilomètres de la ville, au beau milieu d'une prairie, constitué d'une allée couverte circulaire desservant quatre bâtiments de plain-pied. Après un bref entretien avec le directeur adjoint, ils se rendirent à la boutique où Abigail dépensa cinq cents dollars en uniformes.

Sur le chemin du retour, ils firent halte dans un grand magasin *Target* afin d'acheter un vélo pour Lauren – un détail omis par ASIS.

Le soir venu, ils dînèrent au bord de l'eau, dans la salle privée d'un restaurant chic, en compagnie de John, de Chloé et de Miriam Longford, un professeur de psychologie de l'université de Brisbane dont James avait feuilleté les ouvrages au cours du vol.

Longford avait soutenu et conseillé des centaines d'ex-Survivants au cours de sa carrière. La secte l'avait assignée en justice à plusieurs reprises afin de faire interdire des publications la concernant. Quelques heures plus tôt, en dépit de sa collaboration de longue date avec l'ASIS et la police du Queensland, la jeune femme avait dû signer un engagement de confidentialité avant que l'existence de CHERUB ne lui soit révélée. Cette information l'avait sidérée. À ses yeux, l'implication d'enfants dans des opérations d'infiltration soulevait de nombreuses questions sur le plan des répercussions psychologiques.

À la fin du repas, elle répondit aux questions des agents concernant les techniques de manipulation employées par la secte, puis les interrogea à son tour sur leurs activités.

Enfin, l'équipe ne tarda pas à regagner la villa, à bord

de l'élégante Mercedes classe E mise à sa disposition par l'ASIS. Les agents devaient se lever aux aurores pour leur premier jour de collège, et Abigail tenait à ce qu'ils se couchent tôt.

∴

James revêtit l'uniforme de North Pike – un polo orné d'un écusson brodé et un bermuda bleu marine auquel les élèves pouvaient associer les baskets et les chaussettes de leur choix.

Abigail servit à ses agents un délicieux petit déjeuner complet, puis glissa dans leur sac déjeuner d'appétissants petits pains, une salade de fruits frais et des pâtisseries achetées dans une boulangerie bio proche du supermarché.

Peu avant neuf heures, les trois agents garèrent leurs bicyclettes dans le parking à vélos couvert du collège.

— À plus tard, dit James à Lauren et Dana, avant de se diriger vers la salle de classe indiquée la veille par le directeur adjoint.

Il marcha d'un pas tranquille, la tête baissée, soucieux de ne pas se faire remarquer par ses nouveaux camarades. Au cours des missions accomplies depuis son recrutement par CHERUB, il avait toujours reçu pour objectif d'approcher des garçons qui lui ressemblaient, des élèves à l'attitude indisciplinée qui se moquaient ouvertement du travail scolaire.

Cette fois, il lui fallait modifier son comportement

naturel, s'efforcer de passer pour un gamin effacé et mal dans sa peau, ébranlé par la guerre que se menaient ses parents et par un déménagement forcé loin de la ville où il avait passé son enfance.

Tous les Survivants, y compris les plus jeunes, étaient chargés de détecter de nouvelles recrues potentielles. Soixante-dix enfants de la communauté de Brisbane fréquentaient North Pike. James espérait attirer leur attention, mais l'ASIS, qui n'avait disposé que de quelques jours pour planifier l'opération, n'avait pas été en mesure d'établir une liste précise de la répartition par classe de ces adeptes.

James pénétra dans la salle de classe et s'assit sur une chaise du dernier rang, de façon à pouvoir étudier ses camarades. Tous les élèves portaient le même uniforme, mais les Survivants étaient connus pour leur rejet de la société de consommation. Il scruta l'assistance et élimina mentalement tous ceux qui portaient des Nike, des sacs à dos de marque, des montres et des bijoux clinquants.

Son regard se posa sur deux élèves assis au premier rang, là où siégeaient généralement les meilleurs éléments : une fille bien roulée au chignon sévère, qui portait un uniforme aux couleurs fanées, des tennis en tissu et des chaussettes rose clair ; un garçon boutonneux, un peu gras, au polo taché de sueur et aux cheveux ras, aux baskets dépourvues de logo.

La prof d'histoire était une jeune femme à la mâchoire carrée et aux épaules larges. Quelques minutes après le début du cours, il apparut évident qu'elle était incapable de maintenir la discipline. Une bande de garçons discutaient à haute voix d'une bagarre qui avait eu lieu sur la plage, le vendredi soir. Lorsque deux d'entre eux se levèrent pour mimer les principales phases de l'affrontement, l'enseignante perdit son calme.

— Asseyez-vous immédiatement ! cria-t-elle.

Les perturbateurs échangèrent un sourire narquois et se laissèrent lourdement tomber sur leur chaise.

Cinq minutes plus tard, l'un d'eux, profitant que la prof leur tournait le dos, lança une boulette de papier mâché sur le tableau noir.

— Cette fois, ça suffit ! gronda la jeune femme. Qui a fait ça ?

La fille assise à la droite de James leva la main, visiblement ravie par le tour que prenaient les événements.

— Je crois qu'il a sauté par la fenêtre, madame.

— Tu te crois maligne ?

Un éclat de rire secoua le fond de la classe. James mourait d'envie de se joindre à eux. Il aurait voulu en savoir davantage sur la bagarre, draguer la fille au sourire ironique et aux jambes interminables assise derrière lui. Il dut faire appel à toute sa volonté pour rester James Prince, le garçon triste et solitaire. C'était un supplice, un peu comme vivre dans un magasin de bonbons et être condamné à ne manger que des choux de Bruxelles jusqu'à la fin de ses jours.

Il garda le regard braqué sur le Survivant au polo taché saturé de sueur. À la fin du cours, il lui adressa poliment la parole.

— Excuse-moi...

À sa grande surprise, ce fut la fille qui répondit.

— On peut faire quelque chose pour t'aider ? dit-elle, un sourire un peu forcé sur le visage.

Son attitude avait quelque chose d'adulte, de maternel, et il était difficile de croire qu'elle n'avait que quatorze ans.

— Eh bien... je vois sur mon emploi du temps que le cours suivant se tiendra en salle O-16. J'avoue que je suis un peu perdu.

— Le O correspond au bâtiment ouest, expliqua-t-elle. Il suffit de suivre l'allée circulaire. On peut t'accompagner, si tu veux.

James sourit à son tour. James Adams, ravi d'avoir ferré sa proie, prenait le pas sur James Prince.

— Je m'appelle Ruth et voici mon frère Adam, dit la jeune fille. D'où viens-tu ?

— Je suis né à Sydney, mais j'ai vécu à Londres ces deux dernières années.

— Oh ! ça devait être fantastique. Tu as gardé l'accent de là-bas, en tout cas.

— Ça explique aussi pourquoi il est si pâle, bredouilla Adam.

James avait mauvaise mine, comparé aux élèves qui avaient grandi sous le soleil d'Australie.

Soudain, l'un des garçons qui avaient semé le

désordre lors du cours d'histoire posa la main sur son épaule.

— Eh ! le nouveau, pourquoi tu traînes avec ces tarés ? lança-t-il.

— Tarééés, lâcha le camarade qui l'accompagnait.

Les deux fauteurs de trouble s'éloignèrent en poussant des cris perçants, l'air très satisfaits de leur démonstration.

— Qu'est-ce qu'ils racontent ? demanda James innocemment.

— Ils se moquent de nos convictions religieuses, répondit Ruth, droite comme un I. Mais nous nous fichons bien de ce que peuvent dire les démons.

12. Une escalade inacceptable

Les autorités étaient tiraillées entre leur désir de voir la mission porter ses fruits avant que *Sauvez la Terre* ne frappe à nouveau et la nécessité d'agir avec précaution. Toute action précipitée était susceptible d'éveiller les soupçons des Survivants, de compromettre les étapes suivantes de la mission, voire d'entraîner la destruction de preuves capitales.

Deux jours durant, James se contenta de manifester discrètement sa sympathie à l'égard de Ruth et Adam. La jeune fille répondit de bonne grâce à ses questions concernant la communauté où elle vivait et lui remit une brochure de présentation intitulée *Les Survivants : mythes et réalités*. James la consulta lors d'un interclasse, mais se garda de faire le moindre commentaire.

.:.

James était un garçon de taille normale pour son âge, mais l'entraînement reçu à CHERUB avait fait de lui un athlète à la silhouette massive et musculeuse. Il avait beau adopter le comportement d'un élève solitaire et fragile, aucun de ses camarades, pas même les plus turbulents, ne vint lui chercher querelle.

Dana remit sèchement à leur place les quelques soupirants qui se mirent en tête de la courtiser.

Lauren, elle, éprouva davantage de difficultés. Suite à un malentendu survenu lors des échanges d'informations entre CHERUB et l'ASIS, sa date de naissance avait été reculée d'une année. L'erreur ayant été détectée tardivement, ses faux papiers d'identité n'avaient pu être réédités, et elle avait atterri en classe de cinquième, en compagnie d'élèves âgés de douze à treize ans.

Son niveau scolaire lui permettait largement de suivre les cours, mais sa peau pâle, son accent anglais prononcé et sa petite taille firent d'elle la cible d'incessantes attaques verbales et lui valurent le surnom de *Rosbif*.

Le vendredi matin, tandis qu'elle attachait son vélo, Mélanie et Chrissie, deux filles de treize ans à la poitrine et au fessier surdéveloppés, la bousculèrent violemment.

— Foutez-moi la paix ! dit Lauren, hors d'elle.

— *Foutez-moi la paix*, répétèrent les filles d'une voix aiguë.

Les deux persécutrices la harcelèrent jusqu'à la salle de classe, puis s'assirent à la table située derrière elle. Le professeur de mathématiques distribua une feuille d'exercices. Lauren sortit sa trousse et son manuel, puis avala un bonbon à la menthe.

— Je peux en avoir un ? demanda Mélanie d'une voix mielleuse.

Lauren, qui souhaitait éviter les ennuis, lui tendit à contrecœur le sachet de friandises. La jeune fille se servit puis le remit à Chrissie.

— Eh ! protesta Lauren.

— Qu'est-ce que tu comptes faire, minus ? répliqua Chrissie en passant le paquet à un groupe de garçons.

— Rosbif paye sa tournée générale ! s'exclama-t-elle.

Les bonbons furent liquidés en quelques secondes. Le prof se tourna vers les élèves.

— Qu'est-ce que vous mâchez, vous tous ?

— Ils sont à Lauren, monsieur, dit Mélanie.

L'enseignant fronça les sourcils.

— Lauren, je sais que tu es nouvelle, mais si tu avais lu le règlement intérieur, tu saurais qu'il est interdit de manger en classe.

Dès que l'homme se fut tourné vers le tableau, Mélanie adressa un doigt d'honneur à son souffre-douleur.

— Salope, répliqua Lauren.

— Tu ne vas quand même pas te mettre à pleurer, Rosbif ?

— Ferme-la, ou je te claque la gueule.

Mélanie éclata de rire.

— Arrête, tu ne m'arrives même pas aux nichons.

Lauren était ivre de rage. Tenir le rôle d'une jeune

fille calme et effacée dans ces circonstances exigeait une force de caractère hors du commun.

Elle se raccrocha à des pensées positives. Elle devait garder à l'esprit que cette mission de grande ampleur pouvait faire d'elle l'un des plus jeunes T-shirts noirs de l'histoire de CHERUB. Dans quelques mois, elle rirait de ces mésaventures en compagnie de Bethany.

— Allô, Lauren, ici la Terre ! brailla le professeur. Arrête de regarder dans le vide et recopie le schéma au tableau, s'il te plaît.

Elle saisit son stylo et sa règle, puis commença à tracer une droite sur une page vierge de son cahier d'exercices. Soudain, elle ressentit une violente douleur au coude. Elle leva le bras et vit une goutte de sang couler le long de son avant-bras. Elle comprit que Mélanie l'avait piquée avec la pointe de son compas.

Elle était sous le choc. Jusqu'alors, ses persécutrices s'étaient contentées de provocations verbales et de bousculades sans réelles conséquences. Cette agression physique constituait une escalade inacceptable. Elle parvint à contenir son désir de riposter et épongea le sang avec un Kleenex.

— Alors, qu'est-ce que tu vas faire, Rosbif ?

Lauren resta muette. Malgré la vive douleur que lui causait la blessure, elle se mordit la lèvre et se pencha sur son cahier d'exercices.

Elle devait se concentrer sur la mission.

— Rosbiiiiif, chuchota Mélanie en brandissant son compas, prête à la piquer de nouveau.

Cette fois, Lauren se tenait sur ses gardes. Elle poussa sa chaise en arrière, se leva d'un bond, saisit d'une main le poignet qui tenait l'arme, puis frappa Mélanie au visage avec une telle violence que sa victime bascula sur le côté, retombant mollement sur les cuisses de sa voisine Chrissie.

— Voilà ! Ça te suffit ou tu en veux encore ? gronda Lauren, les poings serrés, en la défiant du regard

À la vue du flot de sang qui jaillissait de la lèvre fendue de Mélanie, les élèves poussèrent des jurons et des murmures épouvantés.

Lorsque la jeune fille se mit à hurler, le professeur, qui n'avait pas assisté à la scène, se précipita à son chevet.

— Nom de Dieu, mais qu'est-ce qui s'est passé ?

— Cette malade me maltraite depuis mon arrivée au collège ! cria Lauren. Je n'en peux plus, je n'en peux plus…

Sur ses mots, elle se laissa tomber sur sa chaise et fondit en larmes. Elle n'eut guère à forcer ses talents de comédienne. Si Lauren Prince pouvait à juste titre être bouleversée par une semaine de mauvais traitements, Lauren Adams, elle, était épouvantée à l'idée d'avoir mis en péril la mission.

∴

Le directeur adjoint du collège observait Lauren d'un air incrédule.

— Ainsi, tu affirmes que Mélanie t'a harcelée pendant des jours avant de te planter ce compas dans le bras. Pourquoi n'en as-tu pas parlé à ton professeur ? Ta réaction violente était totalement inappropriée.

— J'en ai conscience.

— Mélanie a reçu trois points de suture à la lèvre. Dans des circonstances normales, ce comportement t'aurait valu une exclusion immédiate et définitive. Cela dit, je ne peux nier que tu as subi une agression sérieuse, et je ne te cache pas que Mélanie et Chrissie n'en sont pas à leur coup d'essai. En outre, je sais que ta famille traverse une période difficile. J'ai décidé de ne pas te sanctionner mais, en échange, je compte sur toi pour rencontrer l'un de nos conseillers scolaires. Cela te convient-il ?

Lauren hocha la tête.

— Parfait, dit l'homme. Oublions cette première semaine difficile et repartons du bon pied dès lundi.

— Merci, monsieur.

— Au fait, par simple curiosité, où as-tu appris à te battre ?

— Mon père était champion de karaté, à l'université. Il nous a montré quelques enchaînements quand on était petits, à mon frère, ma sœur et moi.

13. Petit tigre

Lauren passa le reste de la matinée assise sur une chaise dans le couloir menant à la salle des professeurs. Elle s'inquiétait de la réaction de John et d'Abigail mais, après réflexion, estimait que son coup de sang n'avait pas remis en cause le succès de la mission.

À l'heure du déjeuner, elle reçut l'autorisation de retrouver James et Dana. En chemin vers le point de rendez-vous habituel, elle croisa une dizaine de ses camarades de classe. À son grand étonnement, ils semblaient avoir basculé de son côté.

— Cette grosse conne l'a bien mérité, Lauren, dit l'un.

— Tu te bats comme une championne, dit un autre. Tu pourrais m'apprendre deux ou trois trucs ?

Lauren leur adressa un sourire forcé. En réalité, leur comportement l'écœurait. Avant sa démonstration de force, pas un seul d'entre eux n'était intervenu pour la tirer des griffes de Chrissie et Mélanie.

— Un vrai petit tigre ! lança un troisième garçon.

— Eh ! t'as pas mangé l'un de mes bonbons, toi, tout à l'heure ?

Son interlocuteur baissa la tête en signe de soumission.

— C'était pour rigoler... Tu sais... j'avais pas réalisé ce que ces deux salopes te faisaient subir.

— Je vais te dire un truc, machin, dit Lauren en forçant son accent londonien. Si tu m'amènes un paquet de bonbons lundi, je suis prête à passer l'éponge. C'est d'accord ?

— Bien entendu, c'est parfaitement normal. Ne te fais pas de souci, tu les auras.

— C'est con, dit l'un de ses amis sur un ton moqueur, j'aurais tellement aimé voir cette petite nana te mettre une raclée.

Lauren retrouva James et Dana sur la pelouse où ils avaient pris l'habitude de s'asseoir pour déguster les délicieux sandwiches d'Abigail.

— Salut, terreur, ironisa James. On m'a raconté ce qui s'est passé. C'est bizarre, je croyais que c'était moi, l'élément instable de la famille.

— Ferme-la, James. Je ne suis pas d'humeur.

— T'as récolté quoi, comme punition ?

— Rien. Je dois juste rédiger quelques pages pour expliquer mon geste et présenter mes excuses, puis discuter avec un conseiller, dans une salle de classe, après les cours.

.:.

Le conseiller en question était une conseillère. Elle avait seize ans, des cheveux blonds tombant jusqu'aux épaules et des traits d'une banalité affligeante. Sa courte expérience de la faune de North Park permit à Lauren de reconnaître une Survivante au premier coup d'œil.

Les indices étaient nombreux. Outre leur uniforme élimé et leurs chaussures sans marque, les membres de la secte avaient en commun une démarche un peu raide et une expression de sérénité inaltérable.

— Bonjour, dit la jeune fille en serrant la main de Lauren. Je m'appelle Mary.

— Je ne m'attendais pas à rencontrer quelqu'un d'aussi jeune, avoua Lauren.

— En fait, je suis mieux placée qu'un adulte pour comprendre ce que tu vis. Je suis là pour discuter avec toi des problèmes que tu pourrais rencontrer au collège ou à la maison. Tu peux me parler en toute confiance.

— *En toute confiance*, ça veut dire que tu n'en parleras pas aux profs ?

— Absolument, dit Mary.

— Et si je te disais que j'ai tué quelqu'un ?

Mary éclata de rire.

— Je le répète, cette discussion est confidentielle. Alors, tu as tué quelqu'un ?

Lauren esquissa un sourire.

— Pas que je me souvienne.

— Je suis rassurée. Tu veux un Sprite ou un Pepsi ?

— Un Sprite, s'il te plaît.

La jeune fille tira deux canettes et un paquet de biscuits de son sac à dos.

— Tiens. Je te préviens, il doit être un peu tiède. OK, je crois qu'on peut commencer. Alors, comment as-tu atterri à North Park ?

∴

De retour à la villa, Lauren trouva James et Dana, vêtus de peignoirs et les cheveux humides, étendus sur la moquette du salon. L'écran de télévision diffusait des images, transmises par hélicoptère, d'un supertanker de 170 000 tonnes brisé en deux dans l'océan Indien.

— Qu'est-ce qui se passe ? demanda Lauren, que les trois kilomètres à vélo sous un soleil de plomb avaient laissée à bout de souffle.

— Un pétrolier japonais tout neuf a été coulé par un hors-bord radiocommandé bourré d'explosifs, expliqua James.

— Il n'y avait pas de pétrole à bord, précisa Dana. Tout l'équipage a pu embarquer sur des canots de survie.

— C'est un coup de *Sauvez la Terre* ? demanda Lauren.

— L'attaque n'a pas été revendiquée, mais ça ne fait pratiquement aucun doute, répondit James.

— Il faut que je voie Abigail immédiatement, dit Lauren en quittant l'écran des yeux.

— Je lui ai déjà parlé de ce qui s'est passé à l'école. Elle dit qu'il est normal que tu ne te laisses pas martyriser, tant que tu ne prends pas l'habitude de boxer tous ceux dont la tête ne te revient pas.

— Ce n'est pas de ça que je veux lui parler. Ma conseillère, c'est une Survivante.

Dana n'en revenait pas.

— Eh ! mais c'est scandaleux. Pourquoi la direction du collège laisse-t-elle cette bande de fanatiques s'occuper des problèmes des élèves ?

— Abigail ! cria James. Viens écouter ça.

La jeune femme, vêtue d'un tablier maculé de farine, jaillit de la cuisine.

— J'espère que vous aimez les boulettes de veau, dit-elle, tout sourire.

James se frotta le ventre avec un air entendu.

— Abigail, tu sais qu'on est censés surveiller notre poids ? fit observer Dana.

— Pourquoi m'avez-vous appelée ?

— La conseillère que j'ai rencontrée, c'est une Survivante de seize ans, dit Lauren.

— Ça ne m'étonne pas. J'ai lu un article là-dessus, dans un journal. Dans tout l'État du Queensland, ce sont les élèves les plus grands qui sont chargés de soutenir les enfants victimes de harcèlement, de racket ou de problèmes familiaux.

— C'est la même chose dans certaines écoles anglaises, mais pourquoi laisser les Survivants entrer en contact avec les élèves les plus fragiles ?

— Les autorités n'ont pas vraiment le choix. Si elles écartaient les membres de la secte, elles seraient immédiatement traînées en justice pour discrimination religieuse.

James se tourna vers Lauren.

— Est-ce que Mary a essayé de te recruter ?

— Pas directement, mais elle m'a posé un tas de questions sur ma famille, en particulier sur le divorce de mes parents et notre déménagement en Australie. Elle m'a demandé si j'avais des amis, et j'ai répondu que je me sentais un peu seule. Elle m'a immédiatement parlé d'un groupe de rencontre qui se réunit tous les samedis soir dans sa communauté. J'ai joué la fille moyennement intéressée et elle a précisé que ce serait une occasion de rencontrer des camarades, de m'amuser, de participer à des jeux et de chanter des chansons. Elle a présenté ça comme une soirée scoute, un truc dans le genre.

— Tu as accepté ? demanda Abigail.

— Non. Je me suis demandé si ce n'était pas trop tôt à ton goût. Je lui ai dit que j'allais réfléchir. Elle m'a noté l'adresse et le numéro de téléphone. Oh ! j'oubliais, vous êtes tous invités.

— Qu'est-ce qu'on fait, Abigail ? lança James. On y va ?

La jeune femme se gratta le menton quelques secondes.

— Je ne m'attendais pas à ce que nous soyons approchés aussi rapidement. C'est une opportunité inespérée de passer à la deuxième phase de l'opération. Je vais appeler John pour lui demander son avis, mais quelque chose me dit que nous ne laisserons pas passer cette chance.

14. Un océan d'amour

L'église et les bâtiments annexes des premiers jours de la secte avaient depuis longtemps été reconvertis en musée à la gloire de Joel Regan. Les membres de la communauté de Brisbane vivaient désormais dans une galerie marchande transformée en centre d'activités et locaux d'habitation. Les enseignes lumineuses avaient été démontées et remplacées par des croix de bois et des panneaux où étaient imprimés des slogans religieux.

À peine une centaine de voitures étaient garées sur le parking prévu pour en accueillir un millier. Seuls Abigail, James et Lauren avaient pris place à bord de la Mercedes. Craignant qu'un enthousiasme excessif de l'ensemble des membres de la famille Prince n'éveille les soupçons des cadres de la secte, John avait ordonné à Dana de demeurer à la villa.

— Aujourd'hui, promotion sur la vie éternelle, $12.99 seulement, ironisa James en descendant du véhicule.

Lauren gloussa, mais Abigail leur fit signe de se taire.

— James, essaye de rentrer dans ton personnage et n'oublie pas de m'appeler maman.

— Ça roule, maman.

Ruth et Mary, accompagnées d'un homme d'une quarantaine d'années portant des lunettes rectangulaires et une veste en velours côtelé, franchirent les portes du centre commercial et vinrent à leur rencontre.

— Bonjour, madame Prince, dit l'inconnu avec un sourire radieux. Je m'appelle Elliot Moss. Je suis si heureux que vous ayez pu vous libérer.

— Eh bien, à vrai dire, bredouilla Abigail, je suis juste passée déposer les enfants.

— Oh, soupira tristement Elliot. Ne pouvez-vous vraiment pas rester un moment ? Entrez au moins prendre un café. Comment le préférez-vous ?

— Noir, dit Abigail.

— Alors vous allez adorer le nôtre. Il vient du Nicaragua. Nous le distribuons dans les épiceries fines du monde entier et faisons en sorte que les exploitants agricoles soient décemment payés.

Abigail consulta sa montre, puis actionna le *biper* commandant le verrouillage de la Mercedes.

— Juste un café, alors.

— Formidable ! s'exclama Elliot, rayonnant, avant de l'accompagner jusqu'à la galerie marchande.

Les enfants marchèrent deux par deux, Mary en compagnie de Lauren, Ruth à côté de James. Avant de pénétrer dans le bâtiment, James leva les yeux vers la pancarte fixée au-dessus de la porte automatique :

« *Toute âme pure est la bienvenue dans notre maison.* »

Ils s'engagèrent dans un couloir décrépi dont la décoration n'avait pas changé depuis les années 1970 : un carrelage orange, des murs lambrissés de bois sombre et des vitres teintées multicolores. Il flottait dans l'air une odeur étrange, comme si le système d'air conditionné hors d'âge ne parvenait plus à dissiper les effluves de détergent industriel.

Elliot fit entrer le petit groupe dans un ancien magasin où avaient été installés un guichet d'accueil et une exposition multimédia. Sur des panneaux, des extraits de la Bible et des prédictions apocalyptiques côtoyaient des photos de l'Arche.

Une télévision diffusait un documentaire retraçant l'existence de Joel Regan, l'histoire d'un humble garçon de ferme devenu leader religieux. James observa avec étonnement les images d'archives montrant le gourou en compagnie de Bill Clinton, d'Elvis Presley et du pape Jean-Paul II. D'autres clichés apparurent à l'écran : des femmes africaines souriantes portant des sacs de riz frappés du logo des Survivants ; un atelier de réparation de distributeurs automatiques où travaillaient des centaines de personnes handicapées.

« *Chaque année, les Survivants investissent plus de deux cents millions de dollars dans des actions en faveur des plus nécessiteux...* »

Mary tendit à James et à Lauren une série de formulaires puis les prit en photo à l'aide d'un vieil appareil argentique.

— C'est juste une formalité, précisa-t-elle. Au cas où vous auriez un accident au cours d'une activité dans notre centre.

Les agents remplirent leur questionnaire : nom, prénom, date de naissance, numéro de téléphone et adresse. Selon la documentation que James avait étudiée lors de la préparation de la mission, l'installation d'un climat amical et la collecte d'informations personnelles constituaient le premier pas de l'embrigadement sectaire.

Elliot remit à Abigail un formulaire plus détaillé.

— C'est quoi, ce truc ? demanda-t-elle en feuilletant les six pages du document.

— La première partie concerne vos enfants. En cas d'urgence, vous comprenez... La seconde est une sorte de sondage. Nous réalisons une enquête afin de mieux connaître les personnes qui fréquentent notre centre. Vous n'êtes pas obligée de la remplir, bien entendu.

— Eh bien...

— Prenez votre temps, Abigail. Je vais aller vous chercher une bonne tasse de café et une part de gâteau.

— C'est très gentil à vous, Elliot.

Avant de sortir de la pièce, l'homme s'empara des formulaires de James et Lauren puis se tourna vers Ruth.

— Pourrais-tu accompagner tes camarades jusqu'à la salle commune ?

La jeune fille et les agents quittèrent le hall d'exposition puis parcoururent une longue galerie bordée de magasins désaffectés reconvertis en bureaux et en entrepôts. Ils franchirent une double porte et débouchèrent dans une vaste salle de jeux au sol recouvert d'un revêtement vert et souple. Des équipements de sport étaient répartis un peu partout, cages de handball, panneaux de basket, piquets de cricket... Une immense bannière peinte à la main était suspendue à un mur : « *BIENVENUE DANS L'OCÉAN D'AMOUR.* »

En se basant sur des critères vestimentaires, James constata que les trois quarts des cinquante enfants présents étaient des Survivants. Malgré l'absence d'adultes, un match de football et une partie de volley se déroulaient dans une atmosphère étrangement disciplinée. Les plus jeunes jouaient à saute-mouton sous la surveillance de deux adolescents.

Tandis que Lauren se dirigeait vers un trampoline en compagnie de Mary, James remarqua un garçon au visage renfrogné assis dans un coin, la tête dans les genoux.

— Eh ! ce type est dans notre classe, dit-il à Ruth. C'est Terry, n'est-ce pas ? Je ne savais pas qu'il appartenait à votre communauté.

— Son père suit l'une de nos thérapies de groupe.

— Il n'a pas l'air ravi d'être ici.

— C'est un démon, lâcha la jeune fille sans cesser de sourire.

James sursauta.

— Tu ne crois pas que tu y vas un peu fort ?

— Nous, les Survivants, pensons que l'humanité se

divise en deux camps : nous, les Survivants, sommes des anges ; les autres sont des démons.

— Alors, je suis un démon.

— Non, car tu as encore le pouvoir de devenir un ange.

James haussa les épaules.

— Pour être honnête, je ne crois même pas en Dieu.

— En ce cas, j'ai de la peine pour toi, répondit sèchement Ruth.

— Est-ce que ça fait de moi un démon ?

Elle secoua lentement la tête. Elle avait quatorze ans, comme James, mais elle s'exprimait avec l'autorité et la précision d'une femme adulte.

— James, si nos croyances t'intéressent, je te confierai un livre sur le sujet. Tu pourrais peut-être rencontrer l'un de nos guides, si ta mère est d'accord. Mais pour le moment, amusons-nous, tu veux bien ? Nous n'avons qu'une règle, lors des rencontres du samedi soir : tout le monde doit participer.

— Et Terry ?

— À mes yeux, les démons n'existent pas. Alors, à quoi veux-tu jouer ?

James jeta un regard circulaire à la salle et s'attarda sur le groupe de jeunes Survivantes, pour la plupart très à son goût, qui disputaient une partie de volley.

— C'est une excellente idée, dit Ruth sans même lui laisser le temps de répondre.

Elle se dirigea vers ses amies et lança :

— Les filles, je vous présente James. C'est sa première visite à la communauté.

Les joueuses s'immobilisèrent puis, l'une après l'autre, le même sourire rayonnant sur le visage, serrèrent la main du garçon.

— Tu as déjà joué au volley, James ? demanda une adorable petite rousse prénommée Ève.

— Oui, deux ou trois fois. Mais je ne suis pas très doué.

— Ne t'inquiète pas. Nous ne prenons pas ce jeu au sérieux. D'ailleurs, tu dois savoir que les paroles négatives sont interdites entre nous.

— Pardon ?

— Tiens, c'est à toi de servir.

James boxa maladroitement la balle qui s'écrasa mollement dans le filet.

— Et merde ! s'exclama-t-il.

Aussitôt, les filles des deux équipes se rassemblèrent autour de lui, un sourire figé sur les lèvres.

— James, dit Ève, as-tu déjà oublié ce que je t'ai dit à propos des paroles négatives ?

— Elles renforcent le pouvoir des démons, ajouta l'une de ses camarades.

— Vous êtes bizarres comme filles, dit James, mais je vous trouve plutôt sympas.

Ève éclata de rire puis le prit dans ses bras.

— Je suis tellement heureuse que tu te sentes bien parmi nous…

∴

Pendant deux heures, James joua au football et au volley, puis fit des bonds sur le trampoline en compagnie de ses nouvelles amies. À neuf heures, deux Survivants adultes firent leur apparition. L'un d'eux actionna un interrupteur, plongeant la salle dans la pénombre.

Les participants formèrent deux cercles concentriques, les plus anciens entourant les plus jeunes. Mary, guitare à la main, se plaça au milieu du groupe.

James pouvait difficilement imaginer activité plus assommante que de s'asseoir en rond pour écouter des chansons à caractère religieux, mais les filles s'étaient montrées si gaies, ouvertes et affectueuses qu'il se surprit à sourire comme un simple d'esprit. Il se sentait merveilleusement bien.

Ève était assise si près de lui que leurs genoux se frôlaient. Elle lui prit la main.

Mary gratta un accord puis, contre toute attente, n'entonna pas un psaume, mais une chanson plutôt amusante aux paroles inintelligibles.

— *Boogie, woogie, woogie, woo !*

— *Boogie, woogie, woogie, woo !* répéta l'assistance.

— *La di la di la di la !*

Dix minutes durant, James et ses amies scandèrent joyeusement des onomatopées. Lauren, assise à quelques mètres de là, semblait partager l'enthousiasme général.

— Est-ce que vous êtes des anges ? lança Mary.

Les enfants qui composaient le cercle intérieur se dressèrent d'un bond en criant :

— Oui, nous sommes des anges !

— Alors… au lit, mes petits anges !

À ces mots, quelques gamins rejoignirent leurs parents qui s'étaient regroupés dans un coin de la salle à la faveur de l'obscurité. Les autres se ruèrent en piaillant gaiement vers l'Escalator menant aux quartiers d'habitation.

Le cercle d'adolescents se rompit à son tour. James et Lauren, malgré l'épuisement causé par deux heures d'exercice physique, rayonnaient de bonheur.

— Vous vous êtes bien amusés ? leur demanda Mary.

— Oui, répondit le garçon, on s'est éclatés.

Abigail et Elliot vinrent à leur rencontre.

— Salut, maman, dit James. Où t'étais passée ?

— Nous avons eu une longue discussion. J'envisage de m'inscrire à un groupe de parole pour parents isolés.

— Quelle bonne nouvelle ! s'exclama Mary. Je suis impatiente de vous revoir.

Elliot remit un sac en plastique à Abigail.

— Ce sont les livres et les CD dont je vous ai parlé, dit-il. J'ai ajouté un paquet de café et quelques parts de gâteau pour les enfants.

— Je vous dois quelque chose ?

— Ah, je vous en prie, pas de ça entre nous… Promettez-moi simplement de m'appeler si vous avez besoin de parler.

Abigail et ses agents furent raccompagnés jusqu'au parking par Elliot, Ève, Ruth, Mary et deux filles plus jeunes avec lesquelles Lauren avait passé la soirée.

— Tu reviendras nous voir, n'est-ce pas, James ? demanda Ève.

— Bien sûr, répondit le garçon avec enthousiasme. On se voit samedi prochain.

— Votre mère sera des nôtres mercredi soir, pour sa première séance, dit Elliot. Pourquoi ne pas l'accompagner ?

— Oh, ça me ferait tellement plaisir ! s'exclama Lauren. J'espère que ma grande sœur Dana pourra venir, cette fois.

Les Survivants regagnèrent la galerie marchande à pas lents, sans cesser de leur adresser des signes de la main. Abigail et les enfants prirent place à bord de la Mercedes et bouclèrent leur ceinture.

— C'était sympa, dit Lauren.

— Oui, je crois que la mission a fait un grand bond en avant, ajouta Abigail.

James réalisa brutalement qu'il avait passé deux heures à faire du sport et à chanter avec des jolies filles sans penser une seule seconde à l'opération.

Il se tourna anxieusement vers sa sœur.

— Tu crois pas qu'on s'est quand même *un peu trop* amusés ?

— Qu'est-ce que tu racontes ? lança la jeune fille en épongeant son front humide avec la manche de son T-shirt. Moi, ça me dirait bien de revenir.

— Ça ne te paraît pas étrange, à toi, tous ces sourires, ces caresses et ces attentions ?

Lauren revint brutalement à la réalité.

— Bon sang, je vois ce que tu veux dire… On a lu je ne sais combien de bouquins sur les méthodes de recrutement des sectes et on est quand même tombés dans le panneau…

Abigail se tourna vers la banquette arrière.

— Mais qu'est-ce que vous racontez ? Vous êtes en train de me dire que vous avez complètement perdu les pédales, là ?

— Tu ne peux pas comprendre, bredouilla James, un peu honteux. C'est comme si on avait été hypnotisés…

15. Effet de groupe

Abigail était anxieuse. Elle n'avait pas envisagé une seule seconde que ses agents pourraient perdre toute objectivité dès leur premier contact avec les Survivants. Mais il y avait pire : elle avait trouvé Elliot charmant et avait passé une agréable soirée.

Dès le dimanche matin, elle téléphona à John pour lui faire part de ses inquiétudes. Ce dernier contacta aussitôt la psychologue Miriam Longford et la supplia de rencontrer une nouvelle fois les membres de l'équipe. La jeune femme, qui avait prévu de recevoir sa famille pour un déjeuner dominical, accepta pourvu qu'Abigail et ses agents se déplacent jusqu'à sa maison située près du campus de l'université, de l'autre côté de la ville.

Dès leur descente de la voiture, ils furent accueillis par un setter irlandais exubérant. Les innombrables nièces et neveux de Miriam Longford couraient en tous sens dans le jardin ou chahutaient dans la piscine. Par souci de discrétion, la psychologue conduisit les membres de l'équipe jusqu'à une baraque de jardin où régnait une chaleur étouffante et les invita à s'asseoir dans des chaises de camping.

Abigail décrivit en détail les événements qui s'étaient déroulés au cours des dernières quarante-huit heures : le coup de sang de Lauren, sa rencontre avec Mary et la soirée passée en compagnie des Survivants.

— Tout d'abord, dit Miriam, je tiens à vous rassurer. Hier soir, les Survivants vous ont noyé sous un flot d'attentions positives. Cette expérience était bénéfique, car vous savez désormais ce qui vous attend si vous baissez votre garde. Vous avez été victimes d'un effet d'entraînement. L'un de vous a-t-il entendu parler de l'expérience de l'ascenseur ?

Les quatre membres de l'équipe secouèrent la tête.

— En règle générale, une personne qui emprunte un ascenseur se tient toujours face à la porte. Mais savez-vous ce qui se passe si un individu entre dans une cabine et découvre tous les autres passagers tournés vers la paroi opposée ?

— Oh, maintenant que vous le dites, j'ai entendu parler de cette démonstration, dit Abigail. Dans ce cas de figure, le nouveau venu adopte la même position que les autres.

— Exactement. Cela démontre que chacun de nous pense jouir de son libre arbitre, alors qu'il calque instinctivement son comportement sur celui des personnes qui l'entourent.

— Ça, c'est comme pour les marques à la mode, au collège, fit remarquer Lauren.

— C'est un excellent exemple, dit Miriam. On peut aussi citer le phénomène d'entraînement collectif qui pousse les adolescents à fumer. J'ai eu l'occasion de visiter la salle de la communauté où se déroulent les soirées du samedi soir. Vous vous souvenez de la banderole suspendue au mur ?

— « Bienvenue dans l'océan d'amour », dit James.

— Oui, celle-là. Je crains que Lauren et toi n'ayez accidentellement trempé un orteil dans cet océan. J'imagine que les Survivants ont déjà programmé votre prochaine visite ?

— Oui, on y retourne dès mercredi, confirma Abigail.

— J'en étais sûre. Ça leur permet de préparer un comité d'accueil. Dès votre arrivée, chacun de vous sera accueilli par le Survivant avec lequel il s'est senti le plus proche, lors de la soirée d'hier. Vous serez conduits à l'intérieur de la communauté, séparés les uns des autres et traités de façon extrêmement chaleureuse. Vous pratiquerez diverses activités sportives dont le but est de vous épuiser physiquement, mais vous serez constamment complimentés et cajolés de façon à établir un état de bien-être émotionnel.

— Hier, on nous a interdit de prononcer des paroles négatives, dit James.

— Cela fait partie d'une technique appelée *inhibition de la pensée*. À long terme, si vous évacuez de votre esprit toute pensée dérangeante, vous finirez inévitablement par vous sentir totalement épanouis. De même, si vous évoluez dans un groupe où toute pensée négative est bannie, vous ressentirez de la culpabilité et adopterez le mode de réflexion de ceux qui vous entourent. En ajoutant à ça les caresses, les contacts affectueux et les embrassades, vous terminerez vidés, heureux et totalement désinhibés. Finalement, c'est une sorte de technique de vente sophistiquée, et j'imagine qu'on pourrait tout aussi bien s'en servir pour vendre des voitures d'occasion.

— Tout ça paraît clair, quand vous en parlez comme ça, dit James, mais sur le moment, je n'ai rien vu venir.

— C'est normal. Les gens pensent généralement que pratiquer le lavage de cerveau ou le contrôle mental consiste à enfermer un individu dans une pièce sans fenêtre, puis à lui placer un revolver sur la tempe ou le forcer à regarder un écran de télé en lui maintenant les paupières ouvertes. En vérité, de telles méthodes ne font que provoquer la peur et le ressentiment chez la victime. Les techniques utilisées par les sectes sont infiniment plus subtiles et plus efficaces.

Les explications de la psychologue ne semblaient pas avoir apaisé les inquiétudes d'Abigail.

— Mais est-il raisonnable de demander à des enfants d'infiltrer un tel environnement ? James et Lauren ont lu des centaines de pages concernant les méthodes de manipulation des Survivants, ils se sont entretenus avec vous à leur arrivée à Brisbane, mais ça ne les a pas empêchés de sortir du centre transformés en zombies souriants.

Miriam, les sourcils froncés, s'accorda quelques secondes de réflexion.

— L'expérience montre que toutes les personnes qui comprennent ces techniques cessent d'y être réceptives.

— Mais on les comprend, fit observer James.

— Non, dit Miriam. Tu as lu des livres et tu m'as écoutée, mais tu n'as pas intégré ces connaissances. Tu es entré dans la communauté sans te méfier et tu t'es laissé séduire par des filles qui te couvraient de compliments.

James baissa humblement les yeux et fixa la pointe de ses Nike.

— On est désolés, bredouilla Lauren. On n'avait pas l'intention de tout foutre en l'air.

— Ne dis pas de bêtises, voyons. Des gens plus mûrs et plus expérimentés que toi se sont crus à l'abri de l'emprise des sectes. L'important, c'est que vous tiriez une leçon de votre mésaventure. Immergez-vous lentement dans la vie des Survivants et ne cessez jamais de vous interroger sur les motivations réelles des actes et des propos des adeptes que vous côtoyez. Passez me voir à l'université, demain, après les cours. Je vous montrerai quelques trucs qui vous rendront invulnérables.

.:.

Le lundi, Abigail reçut un appel téléphonique d'Elliot. Elle lui parla de ses supposés problèmes de couple pendant plus d'une heure.

Le mardi, elle le rappela pour lui confirmer qu'elle participerait à la réunion de groupe du lendemain, et qu'elle se présenterait accompagnée de ses trois enfants.

Le mercredi soir, la jeune femme et les agents furent accueillis par Elliot, Mary, Ève et une jeune fille prénommée Natasha avec laquelle Lauren s'était liée d'amitié lors de la soirée du samedi.

Ève prit James dans ses bras et l'embrassa chaleureusement. Cette fois, il garda à l'esprit que cette attitude n'était qu'une manœuvre pour l'encourager à rejoindre le culte.

Les membres de l'équipe, serrés de près par leur chaperon respectif, furent aussitôt séparés. Constatant que la salle commune était occupée par un groupe de femmes qui participaient à une séance d'expression corporelle, Ève conduisit James jusqu'à une bijouterie reconvertie en lieu de détente, où une vingtaine d'adolescents se prélassaient sur des poufs et des blocs de mousse. Un écran de télévision diffusait un documentaire sur la construction de la seconde Arche, dans le Nevada.

— Vous avez même votre propre chaîne de télé ? s'étonna James.

— Oui, répondit sa camarade, des films, des talk-shows, des documentaires et des magazines d'info produits par les Survivants. De nouveaux DVD arrivent chaque semaine.

— Ça n'a pas l'air génial. On peut changer de chaîne ?

— C'est hors de question, protesta la jeune fille, profondément offensée. Nous ne laissons pas les démons nous abreuver de leurs pensées négatives. De toute façon, la télé s'éteindra dans moins d'un quart d'heure, à l'heure de l'office.

Les jeunes adeptes adressèrent à James des sourires radieux et d'interminables poignées de main. Il se laissa tomber dans un amoncellement de coussins.

Quelques minutes plus tard, une femme d'une quarantaine d'années vêtue d'une robe blanche fit son apparition dans la pièce.

— Je m'appelle Lydia, James, lança-t-elle avant de prendre place sur un tabouret. Je te souhaite la bienvenue parmi nous.

Les adolescents applaudirent à tout rompre. Aux yeux de James, cet enthousiasme était extrêmement suspect. C'était comme si ces gens n'avaient vécu jusqu'alors que dans l'attente de le rencontrer.

Lydia le regarda droit dans les yeux, le visage éclairé d'un sourire épanoui.

— Alors, James, t'es-tu bien amusé la dernière fois que tu es venu nous voir ?

— Ouais, c'était cool.

— Tu as eu le temps de visiter l'exposition, au rez-de-chaussée ? As-tu vu le film concernant notre action en faveur de l'environnement et des pauvres du monde entier ?

Il hocha la tête.

— Seulement, murmura la femme, quelqu'un m'a dit que tu ne croyais pas en Dieu.

James n'en croyait pas ses oreilles. Il ne s'était pas

imaginé une seule seconde que Ruth irait rapporter un propos aussi anodin. Il se repassa mentalement le film de la soirée du samedi en se demandant quelle autre information elle avait pu divulguer.

— Eh bien… hésita-t-il.

— Ce n'est pas grave, sourit Lydia. Qui sait ? Peut-être un jour changeras-tu d'avis. Tout ce que nous pouvons dire à ton sujet, c'est que tu es une personne sensible et attentionnée. Nous savons que tu as déménagé récemment et que tu n'as pas encore eu le temps de te faire des amis. C'est une chance que tu nous aies rencontrés, tu ne trouves pas ?

— Oui, tout le monde a été très gentil avec moi.

James n'en pensait pas un mot. Il était parfaitement conscient que Lydia essayait de le manipuler. À dire vrai, l'attitude de la femme lui donnait froid dans le dos. S'il n'avait pas été un agent infiltré informé des techniques de contrôle qu'elle mettait en œuvre, il aurait plongé dans le piège tendu par la secte, et cette idée était profondément dérangeante.

— Je ne sais pas ce que vous en pensez, dit-elle en se tournant vers les adolescents présents dans la pièce, mais je crois que James a tout pour devenir un ange.

— Oui ! s'exclamèrent les jeunes adeptes, avant de pousser des cris de joie et de frapper frénétiquement dans leurs mains.

Craignant d'être gagné par l'euphorie générale, James mit en œuvre l'une des techniques enseignées par Miriam afin de bloquer toute sensation positive :

penser à quelque chose de répugnant. Il visualisa un sandwich à la mayonnaise et au fromage rance, souvenir d'une mission accomplie en Arizona dix mois plus tôt. Cette simple pensée suffit à le faire hoqueter de dégoût.

— James, voudrais-tu en savoir davantage sur nos actions en faveur de l'environnement ? demanda Lydia. Nous aimerions beaucoup que tu apprennes à nous connaître et deviennes plus proche de nous. Nous ne voulons pas te forcer la main, bien entendu, mais nous souhaitons t'offrir ceci en gage de notre amitié.

Lydia tira d'une bourse accrochée à sa hanche une simple lanière de cuir.

— James Prince, acceptes-tu ce collier, symbole de notre affection ?

— Oui, dit James en faisant tout son possible pour paraître ému et flatté.

Il se mit à genoux. Lydia passa le collier autour de son cou puis, d'un signe, l'invita à se redresser. Elle le prit dans ses bras et l'embrassa. Les fidèles, applaudissant à tout rompre, se levèrent à leur tour, puis lui donnèrent un à un l'accolade.

Chacun d'eux lui murmura la même phrase à l'oreille :

— Bienvenue dans l'océan d'amour.

Le rituel achevé, James fut entouré de garçons et de filles au visage extatique qui ne parlaient que de fêtes, de cérémonies et d'opérations à but caritatif.

Puis, l'ambiance étant retombée et les adeptes ayant quitté la salle, James se retrouva seul en compagnie d'Ève.

— C'était fantastique, n'est-ce pas ? s'exclama-t-elle. Je suis tellement contente que tu aies accepté le collier. Ce n'est qu'un premier pas, mais je suis certaine que tu seras bientôt un ange.

— Je ne sais pas. Je reconnais que vous êtes tous sympas... Ne le prends pas mal, mais je vous trouve quand même très bizarres.

Ève ignora délibérément la remarque.

— Je m'occupe de personnes âgées tous les jours, après les cours. Ça te dirait de m'accompagner ?

— Pour quoi faire ?

Ève pencha la tête et le gratifia d'un énième sourire forcé.

— Tu n'es pas obligé de venir, mais j'aimerais beaucoup te faire découvrir ce que nous faisons pour rendre le monde meilleur.

16. Une saleté de boy-scout

Lauren reçut son collier le même jour, au cours d'une cérémonie identique, devant une assistance composée d'enfants de son âge.

Par souci de réalisme, John Jones avait ordonné à Dana d'adopter une attitude sceptique. Elle passa la soirée en compagnie d'un guide de dix-sept ans qu'elle mit sur le gril sans ménagement, le harcelant de questions embarrassantes concernant les croyances de la secte, les aspects négatifs de la vie en communauté et le comportement paradoxal de Joel Regan qui, sans cesser de prêcher une morale extrêmement rigide, avait épousé une quinzaine de jeunes femmes et conçu une ribambelle d'héritiers. Dana prit un malin plaisir à pousser le jeune homme dans ses derniers retranchements.

Abigail et Elliot sortirent de la salle de réunion bras dessus, bras dessous. La jeune femme tenait à la main le coffret orange à 229 dollars australiens, contenant une batterie de CD et de DVD, intitulé *Survivez à la vie :*

illuminez votre existence grâce aux enseignements de Joel Regan et de son océan d'amour.

La famille Prince ayant regagné son domicile aux alentours de minuit, James passa la journée suivante à bâiller à s'en décrocher la mâchoire. À la fin des cours, il détacha son vélo, puis retrouva Ève au point de rendez-vous convenu, derrière le terrain de football.

Ils parcoururent cinq kilomètres sous un soleil de plomb, avant de franchir un portail surmonté d'une enseigne où figuraient les mots : MAISON DE RETRAITE DE NORTH PARK. Ils s'arrêtèrent sur le parking qui jouxtait un bâtiment moderne dépourvu de tout charme. Assis au volant d'une camionnette blanche, Elliot les attendait.

— James, dit l'homme en descendant du véhicule. Je suis heureux que tu sois venu.

Il écarta le col de polo trempé du garçon pour s'assurer qu'il portait le collier de cuir reçu la veille. Satisfait, il fit deux pas en arrière, glissa une main dans la poche de short et en sortit une perle de bois colorée.

— Chaque perle symbolise une étape de ton cheminement dans la communauté, expliqua Elliot. Celle-ci récompense ce que tu vas accomplir aujourd'hui en notre nom en faveur des plus faibles.

— Je pensais qu'Ève voulait juste me faire visiter un centre pour personnes âgées, fit observer James, estimant que la situation justifiait un soupçon de méfiance.

— C'est une expérience très enrichissante, dit l'homme, ignorant délibérément le commentaire du garçon.

Ève défit le collier de son camarade pour y glisser la perle. Elliot conduisit James jusqu'au hayon de la camionnette. De nombreux plateaux en plastique étaient empilés à l'arrière du véhicule. Ils contenaient un assortiment identique de journaux, de confiseries, de cigarettes, de bouquets de fleurs, de boissons et de billets de loterie.

— Qu'est-ce que c'est ? demanda James.

Elliot déploya deux chariots pliants et posa un plateau sur chacun d'eux.

— Ève va t'expliquer. Je dois me rendre dans six autres maisons de retraite.

Lorsque la camionnette eut quitté le parking, James se tourna vers sa camarade.

— C'est quoi, cette histoire de plateaux ? demanda-t-il. Je n'étais pas censé t'aider à faire ton boulot.

— Oh, je crois que j'ai fait une erreur de jugement, dit Ève, visiblement blessée. J'ai dit à Elliot que tu voulais nous aider dans notre travail de charité. Il va être furieux contre moi.

— Furieux ? s'étonna James, l'air faussement embarrassé. Pour un simple malentendu ?

— On dit plein de choses injustes sur les Survivants. Que nous forçons les gens à travailler contre leur gré. C'est faux, bien sûr, mais Elliot est très attentif à l'image que nous donnons. S'il pense que je t'ai forcé à venir ici, je vais en prendre pour mon grade.

James réalisa qu'il était victime d'une manœuvre de chantage affectif parfaitement rodée. Elliot et sa complice avaient tout mis en scène pour qu'il se sente coupable.

— Il faut que je lui téléphone, poursuivit Ève, bouleversée. Oh ! mon Dieu, je vais me prendre un de ces savons...

James prononça les mots que la jeune fille voulait entendre.

— D'accord, je vais te filer un coup de main... J'étais juste un peu étonné, voilà tout.

Ève poussa un petit cri perçant et se jeta dans ses bras.

— Oh ! merci, s'exclama-t-elle. C'est tellement gentil.

James frissonna en sentant la poitrine de la jeune fille pressée contre son torse.

— Alors, qu'est-ce qu'on est censés faire ? demanda-t-il.

— Ça n'a rien de compliqué. On rend visite à chaque résident et on lui vend ce dont il a besoin.

Ils se présentèrent à la porte vitrée du bâtiment, une construction de plain-pied comprenant une centaine de studios équipés d'une terrasse et d'une salle de bains privée. Le réceptionniste déverrouilla la porte, et ils s'engagèrent dans le couloir qui traversait la maison de retraite de part en part. Les semelles de leurs tennis crissaient sur le linoléum bleu ciel. Aux yeux de James, ce lieu silencieux et aseptisé ressemblait davantage à un hôpital qu'à une résidence hôtelière.

Il admira le savoir-faire de sa camarade. Elle ne

passait jamais plus de trois minutes en compagnie de chaque résident. Parvenus au stade ultime de leur existence, ils étaient pour la plupart alités ou, dans le meilleur des cas, se déplaçaient en fauteuil roulant. La jeune fille leur servait des banalités concernant sa vie au collège et dans la communauté. En retour, les vieillards lui faisaient toutes sortes de confidences. Sa stratégie de vente et de recueil d'informations était d'une efficacité redoutable.

Presque tous les pensionnaires achetaient un article ou réceptionnaient un objet commandé par l'intermédiaire d'Elliot, du magazine sur la pêche au papier toilette de marque spécifique remplaçant avantageusement le papier de verre fourni par la direction du centre.

S'étant assurée que James avait correctement assimilé ses méthodes, Ève lui demanda de s'occuper seul des résidents de l'aile opposée. Pendant près d'une heure, il passa de chambre en chambre, échangeant quelques phrases convenues avec leur occupant avant de lui céder un article pour une somme deux fois supérieure à celle qu'il aurait déboursée dans le commerce.

James déchiffra l'étiquette fixée à l'avant-dernière porte du couloir : *Emily Wildman*. Lorsqu'il poussa la porte, il découvrit une vieille femme au visage épouvanté qui se tenait recroquevillée sur son lit. Ses joues étaient maculées de traînées grisâtres. Elle avait pleuré toutes les larmes de son corps.

Les rideaux étaient tirés. Les cartons de déménagement alignés sur le sol n'avaient même pas été ouverts.

— Bonjour, dit James en poussant son chariot à l'intérieur de la pièce.

— T'es qui, toi ? gronda la femme. Une saleté de boy-scout ?

James lui servit le baratin habituel : il s'était porté volontaire pour rendre service aux pensionnaires de la résidence ; son organisation ne réalisait aucun profit ; toutes les sommes collectées étaient investies dans des projets de développement du tiers-monde. Ève était toujours restée floue sur la nature exacte de ces activités, mais le livre de Miriam Longford consacré aux Survivants affirmait que la quasi-totalité des fonds recueillis atterrissaient sur les comptes en banque de la secte.

— Tu as encore ta maman, petit ? demanda Emily.

Au souvenir de sa mère disparue, James sentit ses tripes se nouer. Il visualisa le visage d'Abigail et hocha la tête.

— Quand elle sera vieille et qu'elle commencera à perdre la boule, est-ce que tu la colleras dans un trou comme celui-là pour récupérer l'argent de la vente de sa maison ?

James, se comportant en authentique Survivant, négligea la question.

— Les terrasses sont jolies, et les résidents que j'ai rencontrés sont très sympathiques.

— Ça sent le vieux et la pisse, répliqua la vieille dame.

James éclata de rire.

— Allons, ça ne sent pas si mauvais que ça.

— Cet endroit est un mouroir.

Il considéra la silhouette émaciée : Emily Wildman semblait à peine capable de se tenir debout, mais elle dégageait une force peu commune. Intimidé, il poussa son chariot vers la porte.

— Eh bien, j'espère que vous vous plairez ici, avec le temps.

— Attends une minute. Donne-moi une barre au chocolat. Je n'ai pas beaucoup d'appétit ces temps-ci, mais je grignoterais bien quelque chose de sucré.

— Ça fera trois dollars.

Emily, consciente du prix exorbitant de l'article, tira trois pièces de son porte-monnaie en faisant la moue.

— Finalement, je préfère les donner aux Africains qu'à mon salaud de fils.

James empocha la monnaie, adressa un ultime sourire à la vieille femme puis quitta la chambre.

Il s'adossa au mur du couloir et respira profondément. Cet endroit lui donnait la nausée. Tout éveillait en lui la conscience aiguë qu'il était promis, lui aussi, à la vieillesse et à la mort.

17. Un sacré tissu de conneries

Dix jours s'étaient écoulés depuis la première réunion à la galerie marchande. Les agents passaient désormais le plus clair de leur temps en compagnie des Survivants.

Abigail suivait ce que les membres de la secte appelaient « un cheminement personnel dans l'océan d'amour ». Dans la journée, elle étudiait le message de Joel Regan grâce aux DVD et aux CD fournis par Elliot. Elle se rendait quotidiennement à la communauté pour rencontrer son groupe de parole ou parler en privé avec son guide. Les rares soirées où elle demeurait à la villa, il s'entretenait avec elle pendant des heures au téléphone ou se présentait sans prévenir pour éclaircir les problèmes soulevés lors des réunions.

Dana continua à jouer la recrue difficile. Son guide de dix-sept ans fut remplacé par une quadragénaire plus expérimentée qui la soumit à un programme intensif facturé sept cent quatre-vingts dollars, un traitement censé la débarrasser de « ses problèmes émotionnels et de son comportement hostile ».

Le scepticisme affiché de la jeune fille n'était qu'une stratégie destinée à favoriser l'intégration de la famille Prince. Cette étape ayant été franchie avec succès, elle se montra progressivement plus docile et reçut son collier de cuir une semaine après les autres membres de l'équipe.

Lauren noua des liens avec plusieurs filles de son âge, des apprenties Survivantes qui ne maîtrisaient pas encore les méthodes de manipulation mentale de la secte. Elles la laissaient se promener à sa guise dans la galerie commerçante, pendant qu'Abigail et Dana suivaient des séances d'orientation psychologique.

Admise dans les quartiers d'habitation, elle faisait ses devoirs en compagnie de ses camarades et se mêlait de bon cœur aux chants et aux danses qui rythmaient les séances de prière. Chaque fois qu'elle se sentait gagnée par l'euphorie, elle appliquait attentivement les conseils de Miriam Longford : le simple fait d'imaginer la puanteur du panier à linge sale de son frère suffisait à doucher son enthousiasme.

James, qui avait accepté docilement de se fondre dans le moule, fut dispensé de participer aux réunions. Cependant, Ève et Ruth le gardaient sous surveillance permanente. Elles se tenaient à ses côtés lors des offices et des conférences, et allaient jusqu'à l'attendre à la porte des toilettes. Chaque soir, il effectuait sa tournée à la maison de retraite, puis raccompagnait Ève à la communauté.

.:.

John Jones et Chloé Blake avaient établi leur quartier général dans un hôtel du centre de Brisbane. À ce stade de l'opération, dans l'attente d'une intégration définitive d'Abigail et des agents parmi les Survivants, ils se contentaient de mener des investigations. Informés par James des activités des adeptes au sein de la maison de retraite de North Park, ils ne tardèrent pas à découvrir que l'établissement faisait partie du patrimoine immobilier de la secte.

James finit par s'habituer à la fréquentation quotidienne des résidents. Il lisait le courrier de ceux dont la vue était défaillante, les écoutait patiemment se plaindre de leur état de santé, de l'incurie du personnel, des prestations facturées abusivement, de la plomberie et de l'air conditionné défectueux. Il doutait que ces protestations soient toutes justifiées. Ces vieillards, livrés à l'oisiveté, n'avaient rien d'autre à faire que regarder la télévision et chercher des motifs de mécontentement.

Ses visites semblaient embellir leur existence morose. Ils lui demandaient son avis sur divers sujets d'actualité, lui faisaient admirer leurs médailles de guerre ou leur album de photos. Ces clichés lui inspiraient un profond malaise. Ils lui rappelaient douloureusement que ces hommes et ces femmes à peine capables de se tenir debout avaient été, comme lui, des adolescents pleins de gaieté et d'énergie.

James passait plus de temps en compagnie d'Emily Wildman qu'avec les autres résidents. Elle lui rappelait sa grand-mère. Elle était vive mais souffrait d'un sérieux penchant pour la boisson. Elle vidait d'interminables verres de lait additionné de vodka en balançant des anecdotes hilarantes sur son fils, qu'elle qualifiait tantôt de *crétin*, tantôt de *tête de nœud*.

Ronnie Wildman avait dilapidé une grande partie de la fortune familiale dans la fondation d'une compagnie aérienne low-cost et d'une chaîne de supermarchés spécialisés dans les articles de bricolage qui avaient déposé le bilan après quelques mois d'activité. Un jour, au cours d'une démonstration, il s'était accidentellement cloué la main sur une planche de contreplaqué, provoquant l'hilarité de ses clients. Humilié, il s'était jeté sur l'un d'eux, qui se trouvait par malheur être le champion d'Australie de boxe, catégorie poids mouche.

Le vendredi, treize jours après sa première visite à la communauté, James trouva Emily plongée dans l'écoute d'un CD de Joel Regan glissé dans une minichaîne flambant neuve.

— C'est Elliot qui me l'a offerte, expliqua la vieille femme. Ne le prends pas pour toi, petit, mais de mon point de vue, ce que raconte ce Regan, c'est un sacré tissu de conneries.

∴

James regagna la maison à dix-huit heures. Il prit une douche et retrouva les autres membres de l'équipe à la table de la salle à manger. Abigail posa devant eux un plat de cannellonis surgelés trop cuits.

— Eh ben, dit James, c'est plus ce que c'était, la bouffe, dans cette baraque.

La jeune femme esquissa un sourire.

— Je n'ai pas eu une minute à moi, aujourd'hui. J'ai discuté avec Elliot toute la matinée et j'ai passé le reste de la journée à glisser des coupons promotionnels dans des enveloppes.

— Ah, t'as trouvé du boulot ? s'étonna James.

— Tu parles. C'est encore un travail bénévole pour les Survivants. L'organisation sous-traite des activités de marketing direct pour d'importantes sociétés. C'est même l'une de leurs principales sources de revenus. Elliot a dit qu'ils manquaient de main-d'œuvre. Il m'a suppliée de lui donner un coup de main.

— Je peux plus l'encadrer, ce type, lâcha Lauren. Il est tellement mielleux.

— Vous avez remarqué qu'il se trouve toujours à trois endroits différents en même temps ? fit observer Dana.

— Selon Mary, il ne dort que quatre heures par nuit, expliqua Abigail. Apparemment, c'était l'un des cadres les plus importants de la secte, avant d'entrer en conflit avec l'Araignée. Depuis, il essaye de se faire pardonner. Il veut faire de la communauté de Brisbane la plus rentable de l'organisation.

— L'Araignée ? répéta James. De qui vous parlez ?

Dana et Lauren échangèrent un regard consterné.

— De la fille aînée de Regan, expliqua cette dernière.

— Ah ! d'accord.

— Sans blague, tu n'en as jamais entendu parler ? Il paraît qu'elle ressemble à la méchante sorcière de l'Ouest, dans *Le Magicien d'Oz*. Joel Regan a aujourd'hui quatre-vingt-deux ans. Tout le monde dit que c'est l'Araignée qui dirige les Survivants, maintenant.

Abigail s'éclaircit bruyamment la gorge.

— James, combien de fois t'ai-je demandé de ne pas te mettre à table torse nu ?

— Ça va, je suis propre. Je viens de prendre une douche et j'ai mis plein de déodorant.

— Le problème n'est pas là. Ça ne se fait pas, c'est tout. Va mettre un T-shirt.

Aux yeux de James, les exigences d'Abigail étaient totalement déplacées.

— OK, ça va, dit-il en levant les mains. Tu vas pas nous chier une pendule ?

— Parle-moi sur un autre ton, James.

Hors de lui, il repoussa violemment sa chaise puis gravit quatre à quatre les marches menant à l'étage. Trois semaines de cours assommants, de visites à la maison de retraite et de soirées passées en compagnie des Survivants avaient considérablement altéré sa bonne humeur. Il enfila un polo puis s'assit sur le lit, ferma les yeux et respira profondément.

De retour dans la salle à manger, il se laissa tomber sur sa chaise et lança à Abigail un regard assassin.

— Tu es tellement immature, James, lança Lauren.
— Tu sais quoi ? Je me fous totalement de ton avis.
— Surveille ton langage, s'étrangla Abigail.
— Mais vous pouvez pas la boucler ? lança Dana. Je n'en peux plus, de ces disputes permanentes.

Lauren gloussa. James engloutit une cuillerée de cannellonis.

— C'est vrai, dit Abigail. On se prend le bec comme une vraie petite famille.

Les trois agents esquissèrent un sourire.

— Je suis désolé, murmura James. Je crois que je suis un peu sur les nerfs.
— Excuses acceptées, répondit la jeune femme. Mais je crains que les choses n'aillent pas en s'arrangeant. Elliot est passé me voir, ce matin. Il pense que nous avons rendu des services inestimables à l'organisation. Tenez-vous bien, nous sommes invités à nous installer dans la communauté, à l'essai.

James, Lauren et Dana échangèrent un regard fiévreux.

— J'espère que tu as accepté, dit James.
— Avec réticence, précisa Abigail avec une pointe d'ironie. J'ai dit que je pensais qu'il était trop tôt, que nous n'étions pas prêts à prendre un tel engagement, mais j'ai fini par me laisser convaincre.
— Je parie qu'il a visité la maison pour estimer combien il pourra en tirer quand on en aura fait don à l'organisation.
— Oui, et j'ai hâte de voir sa tête quand il apprendra qu'on est locataires.

18. Bonheur brumeux

En dépit du succès éclatant de la première phase de la mission, James n'envisageait pas d'un bon œil son installation dans la communauté. Jusqu'alors, malgré les exigences de la secte, il était parvenu à se ménager un peu de temps libre le soir, après sa tournée à la maison de retraite, pour traîner sous la douche ou jouer à la PSP. L'emménagement dans la galerie marchande le condamnait à devenir un Survivant vingt-quatre heures sur vingt-quatre.

Le samedi matin, deux camionnettes blanches se garèrent devant la villa. Deux adeptes y chargèrent les valises et les cartons préparés la veille. Ils firent également main basse sur l'ordinateur et l'écran plasma dont Abigail avait généreusement fait don à l'organisation, un équipement censé remplacer le matériel hors d'âge de l'espace d'exposition.

Le cortège formé de la Mercedes et des deux véhicules utilitaires rejoignit le centre commercial désaffecté. James eut la surprise de constater qu'Ève ne s'était pas déplacée pour l'accueillir. Il fut pris en charge par Paul, un garçon de treize ans au visage lunaire, à qui il n'avait jamais adressé la parole.

Ce dernier saisit l'un de ses sacs et le conduisit à l'intérieur. Ils empruntèrent les deux Escalators hors service menant au deuxième étage, une partie du centre que James n'avait pas encore visitée, et pénétrèrent dans un dortoir exigu dont les vastes baies vitrées donnaient sur la terrasse qui avait abrité le restaurant de la galerie marchande.

Une trentaine de matelas étaient alignés le long des murs. Une odeur de sueur et de crasse flottait dans les airs. Paul désigna une rangée de placards située derrière un comptoir.

— Mets tes affaires là-dedans.

James ouvrit l'un des compartiments et découvrit des vêtements de garçons empilés pêle-mêle.

— Comment vous vous y retrouvez ? demanda-t-il.

— Chez nous, la propriété privée n'existe pas. Nous partageons tout, à part les chaussures et les brosses à dents, parce que ce ne serait pas très hygiénique.

James était révolté à l'idée de devoir mélanger ses fringues de marque et son uniforme neuf aux loques entassées dans les placards, mais il se réjouissait d'avoir eu la présence d'esprit de ne pas emporter sa montre et sa PSP.

— Tiens, c'est ton cadeau de bienvenue, dit Paul en lui tendant un livre de poche intitulé *Manuel des Survivants*.

Un sachet en plastique contenant une perle blanche était collé à la couverture par un morceau de ruban adhésif.

James lui adressa un sourire factice.

— Merci beaucoup, dit-il.

— Félicitations, ajouta Paul, rayonnant de joie. Tu es un ange, maintenant.

∴

James avait déjà lu intégralement le *Manuel des Survivants*. Cet ouvrage, dont la première édition était parue en 1963, rassemblait les préceptes fondamentaux de la doctrine de Joel Regan. Il avait été révisé une douzaine de fois, la date et les causes de l'Apocalypse se faisant plus imprécises au fil des années.

Le gourou y annonçait que la bataille opposant anges et démons se solderait par l'anéantissement de l'humanité par le feu nucléaire, œuvre de Satan en personne. Dieu avait fait de Regan son prophète, un messie chargé de bâtir l'Arche et de sauver une poignée d'hommes à l'âme pure. Le Diable et ses serviteurs haïssaient les Survivants, ces soldats choisis par le Seigneur pour contrecarrer son grand œuvre de destruction.

Selon le Manuel, les Survivants devaient se regrouper en communautés et y vivre sous le regard inquisiteur de Dieu, à l'écart du monde moderne et du poison distillé par les médias, en se défiant de l'oisiveté et des pensées négatives. Quiconque quittait le culte ou entrait en contact avec un ancien adepte était promis à une éternité de souffrance dans les flammes de l'Enfer.

Dans son livre sur les Survivants, Miriam Longford affirmait que les préceptes de Joel Regan avaient pour principal objectif de maintenir les fidèles dans un état de terreur. Leur emploi du temps ne leur laissait ni le temps de méditer leur condition, ni de reconsidérer leur fidélité à la secte. Privés de sommeil et soumis à un régime alimentaire à haute teneur énergétique, ils vivaient plongés dans ce qu'un ancien adepte qualifiait de « bonheur brumeux ». Hélas, ces conditions de vie pouvaient à long terme entraîner des conséquences désastreuses. La plupart des dissidents de la secte justifiaient leur désertion par un état d'épuisement absolu.

∴

Comme prévu, James se vit remettre un emploi du temps précis réglant les moindres détails de son existence.

SAMEDI
6 h 45 Réveil
7 h 00 Activités sportives
7 h 45 Douche et soins personnels
8 h 10 Petit déjeuner
8 h 35 Office du matin
9 h 00 Préparation des colis

13 h 00 Déjeuner
13 h 30 Office de l'après-midi
14 h 00 Collecte de fonds
17 h 40 Dîner
18 h 20 Office du soir
18 h 50 Activités sportives
20 h 30 Douche et soins personnels
20 h 50 Office de la nuit
21 h 15 Rassemblement dans les dortoirs
23 h 00 Extinction des feux

Paul conduisit James jusqu'à une salle aménagée en lieu de culte où était réuni un groupe exclusivement composé d'hommes et de garçons. Ils se joignirent au cercle extérieur, puis les participants se donnèrent la main pour former une double barrière de protection contre le Diable. Une femme aux cheveux gris était assise sur un tabouret au centre de l'assemblée, une paire de bongos entre les jambes.

— C'est Ween, chuchota Paul à l'oreille de James.

D'un signe, elle invita les fidèles au silence, puis commença à frapper énergiquement sur son instrument.

— Merci, Seigneur, d'avoir fait de nous tes élus, de nous avoir offert un abri où nous demeurerons à l'abri des démons et des feux de l'Enfer.

La maîtresse de cérémonie tendit l'index vers l'un des adeptes.

— Merci, Seigneur, d'avoir offert ton fils en sacrifice, dit ce dernier.

— Merci, Seigneur, répétèrent en chœur les disciples.

Ween frappa sur ses tambours.

— Merci, Seigneur, de m'avoir donné mes enfants, s'exclama le voisin de l'homme qui venait de parler.

L'un après l'autre, chaque participant rendit grâce à Dieu. Lorsque vint son tour, James lança d'une voix vibrante :

— Merci, Seigneur, d'avoir fait de moi un ange.

— Merci, Seigneur, scandèrent les fidèles, enthousiasmés par la ferveur du nouveau venu.

Lorsque chacun se fut exprimé, Ween posa son instrument.

— Respirez rapidement et profondément, dit-elle. Relâchez vos muscles. Laissez l'amour de Dieu réchauffer votre cœur.

Selon la documentation étudiée lors de la préparation de l'opération, ces exercices étaient systématiquement employés au cours des cérémonies religieuses de la secte. Ces respirations forcées augmentaient le taux d'oxygène dans le sang et produisaient une sensation d'euphorie. Cette technique étant inoffensive à court terme, James décida d'en mesurer les effets.

Il inspira et expira pendant trois minutes.

— À présent, dit la femme, prenez votre voisin dans vos bras.

James se tourna vers Paul. Les deux garçons s'enlacèrent.

— Tu es un merveilleux être humain, dit Paul avec une sincérité désarmante. Dieu t'aime.

James eut les pires difficultés à ne pas éclater de rire.

— Tu n'es pas mal non plus, mon pote. Je suis sûr que Dieu t'aime aussi.

La cérémonie achevée, les adeptes quittèrent la salle. James se sentait merveilleusement bien. Il éprouvait un sentiment comparable à celui que lui procurait l'écoute d'un bon morceau de rock ou le passage d'un niveau difficile sur PlayStation.

Puis, tandis qu'il marchait en compagnie de son camarade dans un couloir de la galerie marchande, il réalisa à quel point il avait été facile pour Ween de se faire obéir de ses disciples et de manipuler leurs émotions.

— Tu aimes les offices ? demanda-t-il à Paul.

— Oh ! oui. Ils me permettent de me sentir réellement en vie.

James consulta son emploi du temps.

— Ça consiste en quoi, « préparation des colis » ?

Le regard du garçon s'assombrit.

— C'est un travail difficile, mais c'est grâce aux efforts de chacun que nous parviendrons à réunir l'argent nécessaire à la construction de la nouvelle Arche, en Amérique.

19. Charabia mystique

Les deux garçons traversèrent la route qui longeait le centre commercial, pénétrèrent dans un vaste entrepôt industriel et se présentèrent au chef de service à la chemise noire de sueur qui se tenait derrière un comptoir en contreplaqué.

— Salut, Joe, lança Paul. Je te présente James. J'ai besoin de deux postes de travail situés l'un à côté de l'autre. Je dois lui expliquer le boulot.

L'homme lui remit deux disques de plastique numérotés semblables aux contremarques remises à l'entrée des cabines d'essayage dans certaines boutiques de prêt-à-porter.

— Prends de l'eau, James, dit Paul en désignant une palette où étaient alignées des centaines de bouteilles en plastique. Je te garantis qu'on va en avoir besoin.

Ils franchirent une double porte et découvrirent un immense labyrinthe de hauts rayonnages où étaient entreposés des cassettes vidéo, des CD, des DVD et des livres. Vingt stations de travail étaient alignées le long d'une paroi métallique. Ils s'installèrent aux postes dix-huit et dix-neuf.

— Les commandes sortent de l'imprimante, expliqua Paul. Le premier feuillet est destiné au client, le second à la comptabilité. Tu vas chercher l'article demandé au rayon correspondant à la référence, puis tu le mets dans un emballage adapté. Ensuite, tu prends le gros tuyau et tu appuies sur la pédale jusqu'à ce que la commande soit bien calée par les particules de polystyrène. Pour finir, tu fermes le paquet avec du ruban adhésif, tu colles l'étiquette où est inscrite l'adresse et tu glisses la facture dans la pochette plastique.

James regarda son camarade réaliser la manœuvre à deux reprises, puis s'installa à son poste. Un ordinateur comptabilisait chaque envoi. Une fenêtre d'alerte rouge vif s'affichait chaque fois que le système estimait son rendement insuffisant.

Pendant quatre heures, il parcourut l'entrepôt surchauffé au pas de course pour collecter les divers produits vendus par les Survivants. La secte distribuait une large gamme d'articles, du CD de discours de Joel Regan à dix-neuf dollars au livre d'art grand format, consacré à la construction de l'Arche, à quatre-vingt-dix-neuf dollars. Chaque exemplaire de ce pavé était accompagné d'un sachet de terre sainte de l'Outback bénite par le gourou en personne.

Le produit vedette était un ensemble de manuels, de dossiers et de DVD de motivation du personnel édité par une société écran. Selon l'argumentaire figurant au dos du livret destiné au formateur, cette méthode était employée par « des centaines de grandes sociétés aux États-Unis ». Chaque fois que l'imprimante crachait une feuille comportant cette référence, James, accablé par la perspective de devoir rassembler une foule d'articles répartis aux quatre coins de l'entrepôt, réprimait un juron.

.:.

Lorsque le contremaître les informa que leur service était terminé, James et Paul regagnèrent la galerie marchande. Ils prirent une douche dans la salle de bains commune puis coururent jusqu'au dortoir, une serviette nouée autour de la taille.

En examinant le contenu du placard collectif, James constata que ses vêtements avaient déjà disparu. Il explora les piles de fringues minables à la recherche d'une tenue décente et à sa taille. Il finit par dénicher un T-shirt moulant, un caleçon propre, des chaussettes de sport grises et un short taillé dans un jean usé et déchiré qui lui donnait un look sauvage.

Une fois changés, les garçons se rendirent au réfectoire. Au premier coup d'œil, James comprit que les menus étaient établis avec un souci d'économie. Les plats présentés au self-service lui rappelaient les cantines des foyers et des écoles qu'il avait fréquentés avant son entrée à CHERUB. Ce triste repas achevé, il déposa son plateau dans un chariot placé à l'entrée des cuisines. Derrière un comptoir en inox, Abigail et Dana, vêtues de tabliers et coiffées de filets, remplissaient un lave-vaisselle. Elles lui jetèrent un regard accablé.

James et Paul se présentèrent à l'office de l'après-midi avec quelques minutes de retard et trouvèrent les cercles déjà formés. Mary, qui dirigeait la cérémonie, posa sa guitare et les invita à se mêler aux adeptes. Les garçons, épuisés par le travail accompli durant la matinée, se laissèrent bercer par les chants, les battements de mains et les slogans religieux.

Dès la fin de la cérémonie, ils se précipitèrent vers le parking et s'entassèrent dans un minibus blanc en compagnie de Lauren, Ève et de huit autres jeunes de la secte. Elliot verrouilla la porte latérale, prit place derrière le volant, puis s'engagea sur la voie express.

— Alors, comment va notre nouvelle recrue ? demanda-t-il en jetant un bref coup d'œil à James par-dessus son épaule.

— Pas trop mal. Enfin, j'en ai bavé à l'entrepôt. Il faisait une de ces chaleurs…

Les occupants du minibus observèrent alors un silence absolu. Paul lui donna un coup de coude dans les côtes.

— Quoi ? s'étonna James. Qu'est-ce que j'ai dit ?

— Tu viens de tenir des propos extrêmement négatifs, lui fit observer Elliot. Paul t'a appris à te servir de la station de travail ?

— Oui, ça n'a rien de sorcier.

— Combien de colis as-tu préparés ?
— Une centaine.
— Cent vingt-six, précisa Paul. À peine moins que moi.
— Tu as fait du beau travail, James, dit Elliot. L'entrepôt est très important pour notre organisation. Chaque produit nous permet de réunir les fonds nécessaires à la construction de la seconde Arche. Tu comprends ?
— Oui.
— Parfait. En ce cas, la prochaine fois que tu effectueras ce travail, tu garderas à l'esprit que chaque colis est une brique de l'Arche. Et tu tâcheras de préparer cent cinquante envois. Certains Survivants parviennent à réaliser cinquante colis par heure.

James ne supportait plus l'enthousiasme factice d'Elliot, mais il devait se fondre dans le moule de la secte et adopter son charabia mystique.

— Je suis heureux d'être un ange, dit-il. À l'avenir, j'essaierai de ne plus me montrer négatif.
— J'en suis ravi, lança Elliot, tout sourire. Voilà les mots que j'aime entendre.

∴

Elliot conduisit les jeunes adeptes jusqu'à South Bank, un parc de loisirs situé sur les rives de la rivière Brisbane, un complexe qui regroupait des galeries d'art, un marché, des restaurants, des terrains de jeux et une plage artificielle. Il leur distribua des récipients cylindriques en plastique au couvercle percé d'une fente.

— Bonne chance à tous ! s'exclama-t-il. Il y a une foule de promeneurs, ici, le samedi. Je suis sûr que vous êtes capables de récolter au moins mille dollars dans l'après-midi. Je viendrai vous chercher ici à six heures moins le quart. Ne soyez pas en retard. J'ai un planning très chargé.

James s'approcha discrètement d'Ève.

— J'espérais te voir, ce matin, murmura-t-il.

— Je suis heureuse que tu sois devenu un ange, répondit la jeune fille d'une voix monocorde.

Elle fit un pas en arrière et s'adressa à ses camarades.

— Nous allons former quatre équipes de trois et nous répartir les différentes zones du parc.

— Je peux rester avec James et Paul ? demanda Lauren.

Ève hocha la tête.

— On fait la quête pour quoi, cette fois ? demanda une fille.

— Pour la recherche contre le cancer. C'est un bon moyen de collecter de l'argent, et nous n'y avons pas eu recours depuis longtemps.

Les apprentis Survivants se dispersèrent dans le parc. Paul, visiblement accoutumé à la collecte de fonds, secouait sa tirelire sous le nez de chaque passant.

— Pour la lutte contre le cancer, répétait-il.

Les minutes passant, James estima qu'environ un tiers des passants glissaient une pièce de monnaie dans sa tirelire.

— Je pensais qu'on devait ramasser du fric pour la construction de la nouvelle Arche, s'étonna Lauren, profitant d'un bref instant d'isolement.

— C'est exactement ce qu'on fait, dit Paul. Mais les gens ont plein de préjugés à l'encontre des Survivants. S'ils connaissaient la vérité, on ne recevrait pas un centime, et on se ferait probablement insulter.

Lauren était sous le choc.

— Mais c'est un mensonge…

— Mentir aux démons n'est pas un péché. Ils ne comptent pas réellement, tu comprends ?

Lorsqu'ils eurent parcouru environ un kilomètre, Paul se posta près de l'une des portes du parc, puis ordonna à James et Lauren de se disperser afin de maximiser leurs opportunités de profit.

James secouait sa boîte sans grand enthousiasme.

— Pour la recherche contre le cancer, lança-t-il à l'adresse d'une famille de promeneurs.

Le père tendit une poignée de pièces de un dollar à son plus jeune fils, qui se précipita pour les glisser dans la tirelire.

— Merci beaucoup, dit James en esquissant un sourire forcé.

— C'est carrément dégueulasse, lui chuchota Lauren à l'oreille. C'est même le truc le plus minable que j'aie jamais vu.

— Pour la recherche contre le cancer, répéta James en agitant sa sébile devant un retraité.

Il se tourna vers sa sœur.

— Je sais, petite sœur. Serre les dents et souviens-toi que nous sommes en mission.

— En plus, ces cinglés sont complètement sexistes. Pour eux, les filles ne sont bonnes que pour les travaux domestiques. Tu crois que tu vas me faire pleurer avec ton histoire de colis ? J'ai passé la matinée à nettoyer le lino. Demain, je dois bosser quatre heures à la blanchisserie.

— John nous avait avertis qu'on risquait d'en baver. Ce n'est qu'un mauvais moment à passer. Dis-toi qu'ils nous foutent la paix quelques minutes le soir, et qu'on a cours du lundi au vendredi.

— Je sais, dit Lauren en hochant lentement la tête. Mais je ne sais pas combien de temps je pourrai tenir.

Elle secoua sa tirelire devant un passant.

— Pour la recherche contre le cancer.

L'homme glissa quelques *cents* pour sa peine.

— Quand j'aurai récolté quelques dollars de plus, dit James, soucieux de regonfler le moral de sa sœur, j'ouvrirai cette saloperie de boîte et je nous achèterai des glaces. Ça te dit ?

20. Interrogation surprise

James passa une partie de la soirée à jouer au football avec ses nouveaux camarades, puis assista à l'office du soir. Dès la cérémonie terminée, il gravit les escaliers mécaniques neutralisés jusqu'au deuxième étage. Dans le placard collectif du dortoir, il dénicha deux oreillers et une paire de draps usés pour garnir son matelas.

Vingt-six garçons de huit à dix-huit ans se partageaient la pièce exiguë. Sam et Ed, les plus âgés d'entre eux, étaient chargés de faire régner la discipline. Ce dernier enfonça le bouton d'alimentation d'un poste de télévision hors d'âge et glissa un DVD dans le lecteur. James, qui s'attendait à devoir endurer un énième programme religieux, eut l'heureuse surprise de voir apparaître à l'écran les premières images de *L'Exorciste*. Il avait vu ce film lors d'une soirée cinéma d'épouvante organisée clandestinement à la résidence d'été de CHERUB. À bien y réfléchir, le scénario servait à merveille la vision du monde de Joel Regan. Avant de s'endormir, les petits Survivants allaient devoir assister aux tourments d'une petite fille possédée par le Diable, un moyen efficace de graver dans leur esprit la menace que les démons faisaient peser sur la communauté.

Vingt minutes après le début du film, un petit garçon vint se glisser près de Paul et passa un bras autour de ses épaules.

— C'est mon frère, chuchota ce dernier, dont la couchette était voisine de celle de James. Il s'appelle Rick.

L'enfant parvenait à peine à garder les yeux ouverts. Lorsque sa tête bascula lourdement en avant, Paul lui pinça discrètement l'avant-bras pour le réveiller.

— Ne t'endors pas, murmura-t-il. Tu veux qu'ils te fassent passer le test ?

James ne posa aucune question, mais le regard épouvanté de Rick en disait long sur le traitement qui menaçait les jeunes Survivants récalcitrants.

Lorsque le générique de fin commença à défiler à l'écran, Sam et Ed scrutèrent le dortoir d'un œil inquisiteur et découvrirent deux garçons profondément endormis.

— Occupons-nous de Martin, gronda Sam.

Ils se dirigèrent vers un gamin au corps squelettique qui gisait sur un matelas, la tête enfouie sous son oreiller. L'enfant, vêtu d'un slip rouge, ne devait pas avoir plus de neuf ans.

— Test ! braillèrent en chœur les adolescents avant de le secouer violemment.

Martin, réveillé en sursaut, se débattit pour échapper aux mains qui essayaient de le saisir.

— Non, gémit-il. Par pitié.

— Il est interdit de dormir pendant le film, cracha Ed.

— Maintenant, tu vas devoir passer la nuit dehors, seul face aux démons, ajouta Sam.

— Le moment est venu de prouver que tu es un ange.

— Si ton âme est impure, les serviteurs de Satan s'empareront de toi, et ils te tortureront jusqu'à l'aube.

— Non ! ne me livrez pas aux démons ! hurla Martin, au comble du désespoir.

Sam ouvrit l'une des baies vitrées. Ed tira sa victime sur le sol puis jeta le petit garçon sur la terrasse. Martin se traîna jusqu'à la vitre et les supplia vainement de le laisser entrer.

— Bonne nuit, lancèrent ses bourreaux avant d'éclater de rire.

Désespéré, le petit garçon se laissa tomber sur le gravier, le dos nu plaqué contre la baie vitrée.

Alors, Sam remarqua une traînée luisante sur le sol.

— Ce petit salaud a pissé dans son froc ! s'exclama-t-il.

— T'inquiète pas, gloussa son ami, j'ai trouvé une serpillière.

Sur ces mots, il saisit l'oreiller de Martin et s'en servit pour éponger la flaque jaunâtre.

Les adolescents couchés sur les matelas observaient la scène avec amusement, mais les plus jeunes adeptes étaient terrorisés. Rick s'accrochait au cou de son frère comme si sa vie en dépendait. James aurait volontiers infligé à Sam et à Ed une bonne correction, mais un tel comportement aurait réduit à néant ses chances d'être admis à l'internat de l'Arche.

Le sort réservé à Martin lui donnait la nausée. À l'évidence, le test était un rituel bien établi dont les dirigeants de la secte ne pouvaient ignorer l'existence.

Lorsque les lumières s'éteignirent, Rick rampa en silence jusqu'à sa couchette. James s'allongea sur le dos, tira la couette sur son visage, puis se boucha les oreilles pour ne pas entendre les sanglots du garçon enfermé sur la terrasse.

.:.

À l'aube, Martin fut autorisé à regagner le dortoir. Ses cuisses étaient constellées de marques rouges causées par le gravier, mais le Diable semblait l'avoir épargné.

La journée de James commença par cinq tours de parking au pas de course. Il prit une douche froide puis avala un petit déjeuner composé de céréales soufflées au miel et de jus d'orange, des aliments extrêmement sucrés censés lui apporter l'énergie nécessaire à l'office du matin.

À l'issue d'une cérémonie parfaitement réglée, James réalisa qu'il se sentait épanoui et en pleine forme, malgré la nuit courte et agitée qu'il venait de passer.

Il n'eut pas à faire appel aux techniques de Miriam Longford pour retrouver sa lucidité : la perspective de passer quatre heures à préparer les colis suffisait à calmer son enthousiasme.

— Chaque livre est une brique de l'Arche, murmura-t-il en se dirigeant vers l'entrepôt en compagnie de Paul.

Ce dernier esquissa un sourire.

— Elliot serait fier de toi, dit-il en franchissant la porte du bâtiment.

Le contremaître vint à leur rencontre.

— James Prince ?

— Oui, c'est moi.

— Je viens de recevoir un appel. Tu dois te rendre à l'administration pour passer un test pédagogique.

Ravi d'échapper à sa corvée matinale, James adressa un clin d'œil à son camarade, regagna la galerie marchande et entra dans le bureau de Judith, l'assistante d'Elliot.

— Dépêche-toi, James, dit la jeune femme en lui tendant un formulaire photocopié. Lauren et Dana ont déjà commencé.

Elle le conduisit jusqu'à une petite salle d'examen. Ses coéquipières quittèrent brièvement leur copie du regard pour lui adresser un hochement de tête.

— Assieds-toi, dit Judith. Tu as deux heures.

James s'assit à une table d'écolier où avaient été disposés deux crayons neufs et une gomme, puis il déchiffra l'en-tête du document qui lui avait été remis : *Test d'aptitude/13-15 ans*. Il en parcourut rapidement les pages et découvrit des exercices scolaires classiques suivis d'une batterie de tests psychotechniques. Rien d'insurmontable pour un agent formé par les professeurs exigeants de CHERUB.

21. Cadeau de la maison

Malgré ses efforts pour adopter le comportement irréprochable de James Prince, James Adams, dépassé par son emploi du temps du week-end, n'avait pas eu le temps de rédiger le devoir exigé par le professeur de géographie de North Pike. En dépit de ses protestations, il écopa de trente minutes de retenue.

Après avoir purgé sa punition, il pédala à perdre haleine jusqu'à la maison de retraite, déposa son vélo dans le local prévu à cet effet, enfila un T-shirt propre tiré de son sac à dos, puis rejoignit la réception au pas de course.

— Vous avez vu Ève ? demanda-t-il à l'infirmière postée derrière le comptoir.

— Elle fait sa tournée avec les deux nouveaux.

— Quels nouveaux ?

La jeune femme haussa les épaules.

— Je ne les connais pas.

James s'engagea dans le couloir, impatient de comprendre pourquoi sa camarade l'avait ignoré tout le week-end et de découvrir l'identité des inconnus qui l'accompagnaient.

Il trouva Ève en train de pousser son chariot à l'extrémité du bâtiment en compagnie de Paul et de Terry, le garçon solitaire et morose qu'il avait remarqué dans la salle commune, lors de sa première soirée passée à la communauté.

— Ah, te voilà enfin, dit Ève, un sourire radieux sur le visage. Tu connais Terry, n'est-ce pas ? Il s'est porté volontaire pour participer à nos activités d'aide aux personnes âgées.

— Super, dit James. Mais on ne va pas être trop nombreux à travailler ici ?

— Paul reprend ma tournée à partir de demain, alors je lui présente les résidents dont il va s'occuper. Terry et moi avons été détachés auprès d'une maison de retraite qui vient d'ouvrir ses portes. C'est une formidable opportunité de développer nos activités caritatives.

— Oh, lâcha James, incapable de dissimuler sa déception.

— Quoi, il y a un problème ?

— Non, non, tout va bien.

Ève se tourna vers Paul et Terry.

— Je pense que vous avez compris la façon dont il faut procéder. Pouvez-vous vous occuper seuls du résident suivant pendant que je discute avec James ?

Lorsque les deux garçons eurent pénétré dans la chambre, la jeune fille, le visage fermé, parla avec fermeté.

— Alors, peux-tu me dire ce qui ne va pas ?

James haussa les épaules.

— Je ne sais pas trop... Je pensais que tu viendrais m'accueillir, samedi, quand je suis arrivé à la communauté. L'après-midi, à South Bank, tu as fait comme si je n'existais pas. Et maintenant, j'apprends qu'on ne se verra plus ici dans la semaine. Tu es fâchée contre moi ? J'ai fait quelque chose qui t'a déplu ?

— Qu'est-ce que tu vas imaginer ? s'étonna Ève. Je t'ai aidé à devenir un ange, James. Maintenant, je m'occupe du salut de Terry. Il suit des séances de soutien individuel. Il est sur la bonne voie.

— Et ça t'empêche de venir me dire bonjour ? On ne peut plus se parler, c'est ça ?

— Maintenant que tu es un ange, ce serait inapproprié.

— Pourquoi ?

— Nous avons l'âge de nous sentir attirés l'un par l'autre, mais pas de nous marier.

— Je ne te demande pas en mariage, Ève. J'aimerais juste qu'on continue à discuter, comme avant.

— Chez les Survivants, les garçons et les filles vivent séparés jusqu'à ce qu'ils soient en âge de se marier.

— Mais on a passé des heures à jouer au volley !

— Tu n'étais pas un ange, à ce moment-là. Je t'aidais, tout comme j'aide Terry, aujourd'hui.

James se sentait blessé. Il savait que la jeune fille avait été chargée de l'inciter à rejoindre la secte, mais il s'était imaginé qu'un réel sentiment d'affection pouvait naître entre eux et déboucher sur une relation sentimentale.

— Peut-être devrais-je parler de tout ça à Elliot, dit Ève. Quant à toi, je te conseille de rencontrer un guide qui pourra t'éclairer sur nos convictions concernant la sainteté du mariage.

— Nom d'un chien ! s'étrangla James, hors de lui. Alors comme ça, on ne peut pas avoir une explication sans qu'Elliot soit au courant ?

— Je sais que Lauren et toi avez mangé une glace au parc, samedi après-midi, cracha la jeune fille. Vu la somme ridicule que contenait votre tirelire, je pense que vous vous êtes servis sur l'argent de la collecte. Ruth et moi n'avons rien dit à personne, mais je te garantis que vous auriez de sérieux problèmes si Elliot apprenait ça.

James n'arrivait pas à croire qu'elle les avait espionnés. Son amour-propre était en miettes. Il ressentait une envie folle de la gifler, de faire disparaître à jamais son insupportable sourire.

Terry et Paul rejoignirent le couloir.

— James, essaie d'être gentil avec Terry, dit Ève avec le plus grand calme. Il traverse un moment difficile. Il a besoin de notre amour et de notre soutien.

James ravala sa colère.

— Je suis navré, Ève. Je ne savais plus trop où j'en étais. Je te remercie de m'avoir remis les idées en place. Il me reste beaucoup à apprendre.

— Alors, s'exclama la jeune fille en se tournant vers les deux autres garçons, ça s'est bien passé ?

— Super, dit Terry. La pensionnaire n'a acheté que des pastilles à la menthe, mais elle est très gentille.

Ève prit Terry dans ses bras.

— Tu vas apporter beaucoup de bonheur aux résidents, Terry. Je le sens, et je ne me trompe jamais.

— Bravo pour cette première vente, ajouta Paul.

Du point de vue détaché de James, cette scène sonnait horriblement faux. Terry, qui s'était jusqu'alors montré réticent à l'égard des Survivants, rougit à ces compliments.

Écœuré, James rejoignit la réception et sortit son chariot du local d'entretien. Impatient de retrouver Emily Wildman, il commença sa tournée par l'extrémité du couloir.

James poussa la porte de sa chambre et brandit une bouteille de vodka.

— Salut. Cadeau de la maison, avec les compliments d'Elliot.

— Merci, beau gosse, dit la vieille femme, allongée sur le lit.

Son visage était affreusement pâle.

— Tu peux redresser mon oreiller, s'il te plaît ?

— Vous ne vous sentez pas bien ?

Emily se pencha péniblement en avant. James tapota les coussins pour leur redonner du volume, puis les replaça derrière son dos.

— Mes problèmes d'estomac habituels. J'ai passé la journée à faire des allers-retours aux toilettes. Je sais que ça va te paraître idiot, mais à mon âge, c'est épuisant.

James posa la bouteille de vodka sur la table de nuit et remarqua des fascicules et des CD des Survivants.

— Je peux faire quelque chose pour vous ? Vous voulez que j'en parle à l'infirmière ?

— C'est inutile. Les médicaments ne font aucun effet. Tu peux préparer mon cocktail ? J'ai les mains qui tremblent.

James dévissa le bouchon métallique de la bouteille et commença à en verser le contenu dans un pichet en plastique.

— Dites-moi stop.

Emily ne s'étant pas manifestée, James redressa le goulot de la bouteille lorsque le liquide atteignit la moitié du récipient.

— Je t'ai dit d'arrêter ? gronda Emily.

James, qui était habitué aux manières un peu rudes de la vieille dame, n'en prit pas ombrage.

— Vous êtes sûre de vouloir boire un truc aussi fort, dans votre état ?

— Tu ne sais pas de quoi tu parles, beau gosse. Il n'y a rien de mieux que la vodka contre les maux d'estomac.

— C'est démontré scientifiquement ? plaisanta James en ajoutant quelques gouttes dans le récipient.

Il sortit du réfrigérateur un bac de glaçons, les démoula au-dessus du pichet, puis ajouta du lait et du sucre roux. Il mélangea la mixture à l'aide d'une longue cuillère en plastique et la versa dans un gobelet.

— Tu es le meilleur barman que j'aie jamais connu,

dit Emily, avant d'engloutir les deux tiers du cocktail en une seule gorgée. Ah ! ça donne un bon coup de fouet.

James remplit de nouveau le gobelet. Les glaçons s'entrechoquèrent dans le récipient.

— Il faut que j'y aille, Emily, dit-il en reculant vers le chariot.

— Je peux te poser une question, mon garçon ?

James consulta sa montre.

— D'accord, mais il ne faut pas que je tarde.

— Ce matin, j'ai reçu la visite d'Elliot.

— Il vient souvent ici.

Emily lâcha un ricanement étrange.

— Il n'en veut qu'à mon argent.

James avait compris depuis longtemps que le chef de la communauté s'intéressait davantage à l'héritage des pensionnaires qu'à leur bien-être.

— Ne le prends pas mal, beau gosse. Je sais que tu es un Survivant, mais je n'ai rien d'autre à faire que d'écouter les CD de ce Joel Regan, et je ne gobe pas une seconde ses théories sur les anges et les démons.

James, désormais conscient que le moindre de ses propos pouvait revenir aux oreilles d'Elliot, ne fit aucun commentaire.

— Je ne suis pas aussi riche qu'autrefois, cependant il me reste largement plus de dollars que je ne pourrai jamais en dépenser. Mais cet argent réveille ce qu'il y a de pire chez mon fils. J'aimerais qu'il aille à une bonne cause, quand je mourrai.

— Vous n'avez pas de petits-enfants ?

Emily secoua la tête tristement.

— De toute façon, mon Ronnie n'aurait pas fait un très bon père. Il a un foutu caractère.

— Quel dommage.

— Alors j'ai pensé aux œuvres caritatives des Survivants. Je ne veux pas que mon héritage serve à la construction de cette Arche à la noix, mais Elliot m'a parlé de la Fondation des Survivants pour le développement. Selon lui, cette organisation aide les pauvres dans les pays du tiers-monde. J'envisage de modifier mon testament pour lui léguer ma fortune. Tu penses que c'est une bonne idée ?

James aurait aimé pouvoir lui expliquer qu'il existait des associations plus honnêtes et plus efficaces, mais la réussite de la mission dépendait de sa capacité à jouer pleinement le rôle d'un adepte.

— Nous réalisons un travail formidable en faveur des plus nécessiteux. Cet argent pourrait améliorer l'existence de centaines, voire de milliers de malheureux. Mais il est un peu tôt pour parler de tout cela, Emily. Vous nous enterrerez tous.

— Allons ! tu connais mon âge. Tu sais très bien que je n'en ai plus pour très longtemps.

Elle prit la main de James et sourit.

— C'est un beau parleur, cet Elliot, mais j'ai de la bouteille, et je peux flairer un escroc à dix kilomètres. C'est pour cela que je voulais te demander ton avis. Je sais que je peux te faire confiance.

— Qu'est-ce qui vous fait dire ça ?

— Tu es un bon garçon. Ton visage respire l'honnêteté et l'intelligence.

— Il faut que j'y aille… bredouilla James en poussant son chariot vers la sortie. Je viendrai vous voir demain. J'espère que vous vous sentirez mieux. Essayez quand même d'y aller doucement sur la vodka.

James regagna le couloir et referma la porte derrière lui. Il s'adossa au mur et serra le poing, incapable de contenir la rage qu'il éprouvait. Il se sentait piégé.

Il n'avait jamais prétendu être parfait. Il était impulsif, parfois violent, mais ces défauts n'étaient rien en comparaison de ceux d'Elliot, un scélérat capable de dépouiller sans le moindre état d'âme une vieille dame fragile et désemparée.

22. Ronnie Wildman

QUATRE SEMAINES PLUS TARD

De : John Jones <johnjones@cherubcampus.com>
Date : 23 mars 2006 08 : 51
À : Dr Terence McAfferty
Cc : Zara Asker, Dennis King
Objet : Opération Survivants

Bonjour à tous,
En réponse à vos derniers e-mails, je vous informe des maigres progrès réalisés par nos agents dans leur tentative d'infiltrer l'Arche des Survivants. James, Dana et Lauren ont passé le test d'aptitude il y a plus d'un mois. À ce jour, rien ne laisse supposer que les cadres de la secte aient l'intention de leur faire intégrer l'internat réservé à l'élite des jeunes adeptes. Les règles de la communauté prohibant la propriété individuelle, nous éprouvons des difficultés à entrer en contact avec les membres de l'équipe. L'utilisation de téléphones mobiles étant exclue, les équipes techniques de

l'ASIS travaillent actuellement à la mise au point de radios miniaturisées pouvant être dissimulées sous la semelle intérieure d'une chaussure. Nous espérons être en mesure de les remettre à nos agents dans les jours à venir.
J'ai eu l'occasion de m'entretenir brièvement avec James Adams dans la maison de retraite où il travaille après les cours durant la semaine. Malgré sa volonté de faire bonne figure, tout porte à croire qu'il est déprimé et à bout de forces. Au cours de nos échanges, j'ai pu noter qu'il ne manifestait plus d'enthousiasme pour la mission et qu'il éprouvait des difficultés à se concentrer.
Le comportement d'Abigail Sanders, que j'ai rencontrée à plusieurs reprises, est en tous points comparable. Si les quatre agents sont manifestement parvenus à résister aux techniques de contrôle mental de la secte, les activités intensives et la privation de sommeil ont fortement ébranlé leur équilibre psychologique.
Hier, Chloé et moi avons rencontré plusieurs responsables de l'ASIS. À cette occasion, Miriam Longford nous a transmis des informations importantes concernant les modalités d'admission à l'internat de l'Arche, des détails obtenus auprès d'ex-Survivants qu'elle a soutenus après leur rupture avec la secte.
En règle générale, l'intégration des élèves a lieu une à deux semaines après le passage des tests d'admission. Cette procédure rapide a pour objectif d'isoler les jeunes adeptes les plus brillants afin d'exercer un contrôle absolu sur leur esprit, d'annihiler leur libre arbitre et de dompter leur tendance naturelle à la rébellion.

Malheureusement, pour des raisons encore inexplicables, James, Lauren et Dana n'ont pas été admis à l'Arche. En accord avec l'équipe de l'ASIS, nous avons décidé d'exfiltrer nos agents dans deux semaines si, comme c'est désormais probable, l'opération n'a pas connu de progrès significatifs. Les autorités australiennes envisagent à présent la possibilité de lancer un raid conjoint de la police et de l'armée sur le quartier général des Survivants.
Bien à vous,

John Jones

PS : Zara, je te remercie de t'être occupée du cadeau d'anniversaire de ma fille.

*** CE MESSAGE ÉLECTRONIQUE CONTIENT DES DONNÉES SENSIBLES. NE PAS JOINDRE, NE PAS FAIRE SUIVRE SANS CRYPTAGE ALÉATOIRE ***

.:.

Comme tous les jeudis, au collège, James participa au cours d'éducation physique. Deux heures durant, il sua sang et eau sous un soleil de plomb, une épreuve qui venait s'ajouter aux pénibles conditions de vie de la communauté. En outre, North Pike ne disposait pas de douches, et il fut contraint de rejoindre la maison de retraite dans un état de saleté repoussant.

Il parvint à persuader un infirmier de le laisser utiliser

la salle de bains d'un studio inoccupé. S'étant déshabillé, il surprit son reflet dans le miroir. Le Survivant qui lui avait coupé les cheveux avait accompli un véritable massacre. Sa peau était constellée de boutons. Trois énormes bubons blanchâtres avaient poussé sur sa nuque.

Après s'être lavé, il s'assit sur le sommier nu pour enfiler ses chaussettes. Elliot entra dans la pièce sans même prendre la peine de frapper.

— Salut, dit-il. Qu'est-ce que tu fabriques ici ?

— J'avais sport, cet après-midi. Je ne pouvais pas me présenter devant les résidents dans cet état.

— C'est bien. Tu as fait preuve d'initiative.

En vérité, Elliot n'en pensait pas un mot. Il détestait que les Survivants ne respectent pas scrupuleusement les plans qu'il leur imposait. Il prenait tout écart pour une menace à son autorité.

— Mais la prochaine fois, ajouta-t-il, demande-moi la permission, d'accord ?

James hocha la tête.

— Je crois que nous avons un problème, poursuivit l'homme.

— Qu'est-ce qui se passe ?

— J'ai eu un appel de Ronnie Wildman, le fils d'Emily. Il a découvert que sa mère avait modifié son testament en notre faveur. Il est ici, et il refuse de partir tant qu'il n'aura pas pu s'entretenir avec moi.

— Il est en colère ? demanda James, secrètement ravi que la fortune de la vieille dame puisse échapper aux griffes des Survivants.

— J'imagine qu'il n'a pas sauté de joie en apprenant que deux millions de dollars allaient lui passer sous le nez. Je vais lui parler, mais je veux que tu m'accompagnes. Emily t'adore, et votre complicité à elle seule pourrait expliquer la modification de son testament. Et puis, les gens se comportent de façon plus raisonnable devant des enfants.

James passa un T-shirt propre par dessus sa tête puis appliqua un stick déodorant sous ses aisselles.

— Je ferais n'importe quoi pour vous aider.

— Voilà bien les paroles d'un ange, dit l'homme en caressant les cheveux de James tel un maître récompensant son chien.

James et Elliot retrouvèrent Emily et son fils sur la terrasse privée, attablés devant une carafe de cocktail lait-vodka et deux assiettes de *fish and chips*.

— Ronnie Wildman, dit l'homme en serrant la main d'Elliot. Asseyez-vous, je vous en prie.

C'était un individu de petite taille, à la silhouette massive, aux cheveux soigneusement peignés sur le côté. Il se tourna vers James.

— Salut, gamin. Je ne sais pas ce que tu as fait à ma mère, mais elle est dingue de toi.

— Je suis enchanté de faire votre connaissance, dit Elliot. Vous souhaitiez me rencontrer ?

Une lueur sauvage brilla dans les yeux de Ronnie. Il sortit une feuille pliée en quatre d'un agenda à couverture de cuir.

— C'est une copie du nouveau testament de ma mère. Apparemment, elle a décidé de léguer quatre-vingt-dix pour cent de sa fortune à une organisation dénommée « Fondation des Survivants pour le Développement ».

— C'est mon argent, fit observer la vieille dame. Tu as déjà gaspillé la part qui te revenait. J'ai vendu la maison pour éponger tes dettes.

L'homme adressa à sa mère un regard assassin.

— Tu crois que papa aurait accepté ça ? Si tu tiens absolument à aider ton prochain, fais un don à la Croix-Rouge, pas à ces tarés de Survivants.

— Monsieur Wildman, dit Elliot avec le plus grand calme, nos activités religieuses et notre travail en faveur des plus déshérités ne sont pas liés. Nous collaborons avec les plus importantes organisations caritatives internationales. L'année dernière, le produit de nos collectes a permis l'ouverture de plus de quatre cents lits d'hôpital dans…

L'homme frappa du poing sur la table.

— Épargne-moi ton boniment, espèce de fils de…

— Ronnie ! protesta Emily. Peux-tu garder le contrôle de tes nerfs, pour une fois ? Elliot, voulez-vous boire quelque chose ?

— Un café serré, s'il vous plaît.

— James, mon petit, pourrais-tu t'en occuper ? Prends un Coca dans le frigo, si tu veux.

James, soulagé de se soustraire à l'atmosphère tendue qui régnait autour de la table, franchit la baie vitrée menant au studio. Il remplit la bouilloire, puis versa du café en poudre dans une tasse. Sur la terrasse, le ton de la conversation était monté d'un cran. Les deux hommes se tenaient désormais debout, face à face, les yeux dans les yeux.

— Vous allez regretter d'avoir piqué l'argent de ma mère, gronda Ronnie.

— Monsieur Wildman, ne pourrions-nous pas parler de tout ça comme des personnes civilisées ? Je ne doute pas que nous puissions parvenir à un compromis.

— Des personnes civilisées ? Allez vous faire foutre, vous et votre gang d'escrocs fanatisés. Si Joel Regan veut mon fric, il devra marcher sur mon cadavre.

— Ce n'est pas ton argent, Ronnie, lui rappela sa mère.

Craignant que les deux individus n'en viennent aux mains, James préféra observer la scène depuis le coin cuisine.

— Vous savez vous y prendre pour bourrer le crâne des personnes vulnérables ! brailla Ronnie en martelant sa tempe du bout des doigts. Vous savez parfaitement que ma mère n'est plus en état de prendre des décisions aussi importantes.

— Pas plus que vous, semble-t-il, compte tenu des sommes que vous avez dilapidées, répliqua Elliot qui semblait sur le point de perdre son sang-froid.

— Je parie que vous avez toute une équipe d'avocats véreux derrière vous, dit Ronnie.

Elliot lui lança un sourire narquois.

— Si vous avez l'intention de mettre en cause le caractère légal de ce testament, je puis vous assurer que...

Ronnie se raidit, saisit le couteau à poisson posé devant lui et se rua sur Elliot. Ce dernier tenta d'esquiver l'attaque, mais il trébucha contre un pied de sa chaise. La lame plongea dans son abdomen. Il tituba en arrière et s'effondra sur le carrelage de la terrasse. Emily poussa un hurlement.

— À quoi vont te servir ces millions de dollars, maintenant ? cria Ronnie en retirant le couteau du ventre de sa victime.

— Arrête, pour l'amour de Dieu, gémit la vieille femme.

Sourd aux suppliques de sa mère, l'homme frappa une deuxième fois. Par chance, la lame se planta dans l'épaulette de la veste d'Elliot. James posa la tasse de café sur le plan de travail de la cuisine. Ronnie était en proie à une crise de folie meurtrière. L'heure n'était pas aux demi-mesures.

Il saisit la bouilloire électrique, arracha le câble d'alimentation de la prise murale et ôta le couvercle. Constatant que Ronnie s'apprêtait à lancer une troisième attaque, il surgit sur le balcon et lui lança un demi-litre d'eau bouillante au visage.

L'homme poussa une plainte déchirante et recula maladroitement, les mains plaquées sur ses yeux. James serra fermement la poignée de la bouilloire et frappa de toutes ses forces. Le récipient de plastique vola en éclats. Ronnie bascula en arrière. Sa tête heurta le sol du patio avec un son creux.

Emily, les yeux exorbités, rejoignit la chambre à petits pas tremblants et actionna le bouton d'alarme situé près de son lit. James ôta le couteau de la main inerte de sa victime et considéra la tache rouge sur le ventre d'Elliot.

Il s'agenouilla à son chevet et ouvrit sa chemise d'un coup sec. Des boutons volèrent aux quatre vents. La blessure était trop sanglante pour en mesurer la profondeur, mais il devait enrayer l'hémorragie de toute urgence. Il ôta son T-shirt, le plia en quatre et le pressa contre l'estomac d'Elliot.

— Maintenez ce tissu en place aussi fermement que possible, dit-il en posant la main de l'homme sur la compresse improvisée.

— C'était un accident… gémit Elliot. La police doit rester en dehors de tout ça. Appelle Judith immédiatement.

— Il y a plus urgent, fit observer James. Vous êtes en train de vous vider de votre sang.

Une infirmière poussa la porte du studio et se rua sur le balcon.

— Nom de Dieu ! lâcha-t-elle. Qu'est-ce qui s'est passé ?

James saisit le téléphone portable dans la poche de la veste d'Elliot.

— Je vais appeler une ambulance, dit-il.

L'infirmière s'accroupit près de Ronnie et examina la peau boursouflée de son visage.

James composa le numéro des services d'urgence, puis se tourna vers la baie vitrée. Alors, il vit Emily s'effondrer lourdement sur le sol, au pied de son lit.

23. Approche psychologique

James craignait qu'Emily n'ait été terrassée par une attaque cardiaque, mais les urgentistes dépêchés sur les lieux du drame assurèrent qu'elle avait perdu connaissance sous l'effet d'une violente émotion.

Il prit place à l'arrière d'une ambulance en compagnie de la vieille dame. Les deux victimes de l'affrontement furent placées à bord d'un second véhicule. L'hémorragie d'Elliot était spectaculaire, mais il avait conservé toute sa lucidité, et le docteur chargé de l'examiner établit un pronostic optimiste.

Dès leur arrivée sur le parking de l'hôpital, les trois patients furent installés dans des chaises roulantes et pris en charge par l'équipe médicale. James fut conduit jusqu'à une salle d'attente bondée. Il était torse nu. Ses mains étaient souillées de sang séché. À l'exception de quelques brûlures aux avant-bras causées par des projections d'eau bouillante, il était indemne, mais la scène violente et inattendue dont il avait été témoin l'avait sérieusement secoué.

Il contacta Judith grâce au portable d'Elliot. La jeune femme se présenta dix minutes plus tard en compagnie de Ween. Tandis qu'elle s'entretenait avec les médecins, James fut longuement interrogé par la maîtresse de cérémonie de la communauté.

— Tu sais si quelqu'un a appelé la police ? demanda-t-elle.

— Elliot m'a recommandé de rester discret. Quand j'ai appelé les secours, j'ai parlé d'un accident.

— Excellent. Si les flics t'interrogent, dis-leur que tu te trouvais dans la salle de bains et que tu n'as rien vu. Mais nous n'avons pas grand-chose à craindre. C'est nous qui dirigeons cette maison de retraite. Je m'assurerai que les membres du personnel s'en tiennent à notre version : Elliot portait la bouilloire, il a glissé et il est tombé sur le couteau de Ronnie. Je doute que ce dernier aille se plaindre à la police, à moins qu'il ne veuille faire un long séjour en prison.

— Pourquoi on maquille la vérité ?

— Pourquoi ? répéta Ween. Si la presse tombe sur cette histoire, elle s'en donnera à cœur joie. Une affaire d'héritage et de bagarre au couteau chez les Survivants. Tu vois le tableau ? L'incident fera les gros titres des journaux, ternira notre réputation et nous fera perdre des millions de dollars.

— Mais…

— Comprends-moi bien, mon garçon. Si les démons s'attaquent à notre organisation, ils la tailleront en pièces.

— Peut-être devrions-nous prier ? dit James, soucieux de se comporter en authentique Survivant.

— C'est une bonne idée. Quel est le numéro de la chambre d'Emily ?

— Quatre-vingt-six.

Ween composa le numéro de la maison de retraite sur son téléphone portable, puis commença à aboyer des ordres.

— Je veux que la chambre quatre-vingt-six soit nettoyée à l'eau de javel, du sol au plafond. Et n'oubliez pas la terrasse. Remplacez la bouilloire et faites disparaître les éclats de plastique. Non, pas dans une demi-heure. *Immédiatement*. Je vais raccompagner James à la communauté. Si la police ou les médias vous contactent, vous n'avez rien vu, rien entendu, compris ?

∴

Les nouvelles allaient vite dans la communauté. Dès l'heure du dîner, Lauren apprit que *quelque chose* était arrivé à Elliot. Un peu plus tard, Dana, croisée par hasard dans l'allée principale de la galerie marchande, relaya une rumeur affirmant que James était impliqué dans l'incident. Lorsqu'elle regagna son dortoir du premier étage pour faire ses devoirs, elle constata que ses camarades tenaient désormais pour certain que le chef de la communauté avait été conduit à l'hôpital.

Son travail scolaire achevé, elle emprunta un escalier de secours peu fréquenté pour se rendre à la salle commune. Par chance, elle y croisa Paul, le chaperon de son frère.

— Où est James ? demanda-t-elle. Pourquoi n'est-il pas rentré avec toi de la maison de retraite ?

Paul secoua la tête.

— Désolé, Lauren, Ween m'a fait promettre de ne rien dire.

— Je m'en fous. Je veux savoir ce qui lui est arrivé.

— Il n'est pas blessé, si ça peut te rassurer.

— Pas blessé ? Attends, mais qu'est-ce qui s'est passé ?

— N'insiste pas, s'il te plaît. Il y aura probablement une annonce officielle, dans les heures à venir.

Paul fit un pas de côté, mais Lauren lui bloqua la route.

— Laisse-moi passer, gronda le garçon.

Lauren ne pouvait pas se contenter de ces réponses évasives. Elle jeta un bref coup d'œil aux alentours pour s'assurer que personne ne les observait, saisit le poignet de Paul, lui tordit le bras dans le dos puis le plaqua contre le mur. Il avait deux ans de plus qu'elle, mais il se montra incapable de se libérer de son emprise. Elle n'avait pas l'intention de lui faire mal, mais elle estimait que le succès de la mission était en jeu.

— J'ai promis, s'étrangla Paul. Tu peux me torturer aussi longtemps que ça te chante, ça n'est rien en comparaison du châtiment qui m'attend si je trahis mon serment.

Lauren raffermit sa prise. Sa victime hurla de douleur. Elle ne parvenait pas à croire qu'il était prêt à se faire casser le bras plutôt que de dire la vérité.

— S'il te plaît, supplia le garçon. Ne me force pas à commettre un péché.

Se refusant à mettre en œuvre des méthodes plus radicales, elle desserra son étreinte.

— Tu es complètement malade, gémit Paul, profondément humilié. Je t'ai dit qu'il n'avait rien. Je ne peux rien faire de plus.

— Tu as un frère, toi aussi, répliqua Lauren, la voix étranglée par des sanglots fabriqués. Je suis sûre que tu agirais comme moi, si Rick avait disparu.

L'approche psychologique se révéla plus efficace que les méthodes musclées. Lauren se reprocha de ne pas avoir employé d'emblée cette stratégie.

— OK, dit Paul, le front barré d'une ride. Ween m'a fait jurer de ne rien dire sur l'incident de la maison de retraite, mais je suppose que je peux te dire où se trouve James. Mais on ne s'est pas parlé, on est bien d'accord ?

Lauren hocha la tête.

— C'est promis. Que je brûle dans les feux de l'Enfer si je ne respecte pas ce serment.

Ces paroles dignes d'une authentique Survivante dissipèrent les inquiétudes de Paul.

— James se trouve dans le bureau d'Elliot. Ween est avec lui.

— OK, je vais aller le voir.

— Tu ferais mieux de t'abstenir. Si on te trouve en train de fouiner dans les locaux de la direction, tu seras sévèrement punie.

— D'accord, il vaut mieux que je me tienne tranquille,

dit Lauren, souhaitant rassurer son interlocuteur. Je vais attendre qu'ils fassent une annonce. Tu es gentil, Paul. Je m'excuse de t'avoir fait du mal.

— Oh, ce n'était pas grand-chose, mentit le garçon. Mais sache que je te dénoncerai si tu me refais un coup pareil.

∴

Lauren était livrée à elle-même. Elle aurait voulu s'entretenir avec ses coéquipières, mais Abigail et Dana étaient de corvée de vaisselle, et il était inenvisageable de parler librement de l'opération environnées des nombreux adeptes qui s'affairaient dans les cuisines à toute heure de la journée.

Elle réfléchit longuement, puis estima qu'elle ne risquait pas grand-chose à s'aventurer dans les pièces réservées aux cadres de la secte. Au pire, si elle se faisait surprendre, elle prétendrait s'être égarée et s'en tirerait avec une simple remontrance.

Elle rejoignit le rez-de-chaussée et s'engagea dans l'allée principale qui traversait la galerie marchande de part en part. Désireuse de ne pas attirer l'attention des nombreux fidèles qui croisaient sa route, elle marcha du pas vif et résolu propre aux Survivants, traversa le bureau de Judith et s'arrêta devant la porte menant aux quartiers privés des dirigeants de la communauté.

Elle l'entrouvrit, passa la tête par l'interstice et découvrit un couloir désert, sobrement meublé d'un distributeur d'eau minérale et d'une photocopieuse, aux parois vitrées équipées de stores vénitiens. Elle se hissa sur un carton de feuilles pour imprimante et jeta un œil dans la pièce située sur sa gauche. Ween, assise devant un bureau, tenait un combiné téléphonique contre son oreille. Elle affichait une expression grave, comme si cet entretien revêtait à ses yeux une importance particulière. James ne se trouvait pas à ses côtés.

Elle quitta son promontoire et traversa le couloir pour inspecter la pièce opposée. Son frère était étendu sur un canapé, l'arrière de son crâne posé contre la vitre. Lauren fut tentée de frapper quelques coups discrets contre la paroi puis, estimant qu'il était inopportun de le prendre par surprise, elle se ravisa. Elle poussa doucement la porte et pénétra dans le bureau. James avait les cheveux trempés. Il portait ses baskets et son jean déchiré favoris.

— Qu'est-ce qui se passe ? chuchota Lauren.

Le garçon tourna la tête dans sa direction et lui adressa un large sourire. Il retraça brièvement les événements qui s'étaient déroulés à la maison de retraite.

— Il faut absolument que Dana et Abigail soient informées de ce qui se passe. Descends aux cuisines et…

À ce moment précis, Ween fit irruption dans la pièce.

— Qu'est-ce que tu fais ici ? gronda-t-elle.

Lauren adopta une attitude soumise.

— Je pensais que les démons s'étaient emparés de James. Puis on m'a dit qu'il était ici, alors je suis venue m'assurer qu'il allait bien.

Ween poussa un profond soupir.

— Tant mieux. J'allais convoquer votre mère, de toute façon.

— Pourquoi ? demanda James.

— Tu te souviens des tests d'aptitude que tu as passés il y a un mois ?

— Ah oui, maintenant que vous le dites…

— Eh bien, j'ai le plaisir de t'annoncer que tes résultats sont époustouflants. Tes notes te permettent largement d'accéder à notre internat d'élite, situé à l'intérieur de l'Arche. Malheureusement, en raison d'importants travaux d'aménagement, l'école n'accueille plus de nouveaux élèves. Cependant, compte tenu de l'incident auquel tu as assisté cet après-midi, nous pensons qu'il serait sage de t'éloigner de la communauté jusqu'à ce que les choses se tassent. Je viens de parler à Eleanor Regan. Elle a accepté que tu intègres l'internat, à titre exceptionnel.

Le cerveau de James tournait à deux cents à l'heure. Il était satisfait d'accéder à l'école d'élite des Survivants, mais l'opération prévoyait l'infiltration de deux, voire trois agents.

— Génial, lâcha-t-il. J'ai entendu parler de cet internat. C'est un honneur, mais…

Ween fronça les sourcils.

— Mais quoi ?

— Notre père nous a abandonnés. On a déménagé dans une ville inconnue, puis à la communauté. Maintenant, vous voulez que j'aille vivre au milieu de l'Outback, loin de ma famille.

— James, dit la femme d'une voix apaisante, ta famille ne se limite plus à ta mère et à tes sœurs. Ta véritable famille est composée d'une dizaine de milliers d'anges.

— Je sais bien. Je ne dis pas que je ne veux pas vivre dans l'Arche, mais j'avoue que j'ai peur de me sentir un peu seul, là-bas.

Lauren enfonça le clou.

— Et moi, j'ai passé le test ? demanda-t-elle avec enthousiasme. J'adorerais aller là-bas avec James.

Ween ne parvint pas à dissimuler le déplaisir que lui inspirait la perspective d'une nouvelle conversation orageuse avec Eleanor Regan. Cependant, elle était impatiente de soustraire le principal témoin de l'incident aux éventuelles investigations de la police. Elle pesa le pour et le contre pendant quelques secondes, puis déclara :

— James, si je parviens à persuader les dirigeants de l'Arche d'accueillir ta sœur, est-ce que tu accepteras cette promotion ?

— Et pour Dana ? demanda Lauren.

— Il n'en est pas question, gronda la femme. Nous avons d'autres projets pour votre sœur.

James et Lauren échangèrent un regard complice.

— Très bien, j'accepte, dit le garçon. Si notre mère est d'accord, bien entendu.

24. L'Arche

Abigail se comporta comme toute mère de famille confrontée à la perspective de voir ses enfants partir pour un internat situé à sept cents kilomètres de son lieu d'habitation. Elle manifesta une opposition de principe, puis laissa Ween égrener une longue série d'arguments positifs avant de signer la décharge permettant à James et à Lauren de quitter la communauté.

Elle reçut l'autorisation de conduire ses enfants à l'aérodrome situé à une vingtaine de kilomètres de Brisbane. Ils devaient y embarquer dans l'avion qui, chaque jour, transportait courrier, vivres et membres du personnel de la secte jusqu'à l'Arche. Ween avait mis en avant sa position hiérarchique pour persuader deux voyageurs de céder leur place à ses protégés.

Dana s'installa à côté de James sur la banquette arrière de la Mercedes. Lauren, une carte déployée sur les genoux, occupait la place du passager avant. Abigail n'avait pas fait don de son véhicule à la secte, mais elle avait permis à ses membres de l'emprunter. L'habitacle était jonché d'emballages et de pelures de fruits. Une désagréable odeur de lait caillé flottait dans les airs. Le cuir des fauteuils présentait des accrocs et des traces de brûlure.

À l'exception de leurs vêtements, de leur brosse à dents et de leur stick déodorant, James et Lauren n'avaient pu emporter ni argent ni effet personnel. Cette procédure systématique privait les adeptes de toute possibilité de fuguer à l'occasion d'un déplacement. Entièrement dépendants des cadres du culte, il leur était impossible de reprendre le cours d'une vie normale.

Tandis que le véhicule quittait le parking, James jeta un dernier regard à la galerie marchande. Lors de ses précédentes missions, même lorsqu'il avait effectué un séjour dans une prison de haute sécurité, il avait dû quitter à regret une ou plusieurs personnes. Cette fois, il partait sans amertume. Aucun Survivant n'avait su gagner son affection. À ses yeux, ils formaient une bande de zombies dévoués à la vie religieuse et obnubilés par la menace que faisaient peser sur eux les agissements malfaisants des démons. Il était impossible d'établir une véritable relation humaine avec des individus qui passaient leur existence à sourire sur commande.

Dana, le visage fermé, regardait défiler le paysage.

— Tout va bien ? lui demanda James.

— Tu parles, soupira la jeune fille. Une fois de plus, je passe à côté d'une mission. Si ça continue comme ça, je quitterai CHERUB avec un T-shirt gris dans ma valise.

— Ne sois pas si négative, dit Abigail. Nous faisons tous partie d'une seule et même équipe, c'est ça qui est important.

— Oh ! toi, lâche-moi avec ta condescendance, cracha Dana.

— Je te promets qu'on a insisté pour que tu viennes avec nous, James et moi, expliqua Lauren, mais Ween n'a rien voulu savoir. Elle a dit qu'elle avait d'autres projets te concernant, ou quelque chose comme ça.

— Mais oui, bien sûr. Je suis promise à une grande carrière dans le récurage de casseroles.

— Tu n'en sais rien, objecta James. Tu as forcément obtenu d'excellents résultats au test. Je suis certain qu'ils ne vont pas te laisser moisir en cuisine.

— Tu peux la fermer, par pitié ?

James tourna la tête et observa le soleil couchant par la fenêtre du véhicule.

À cinq kilomètres de l'aérodrome, Abigail se gara sur le parking d'un fast-food *Hungry Jack* et appela John depuis un téléphone public. Informé des récents développements de la mission, il exigea de s'entretenir avec James.

— Tu es nerveux ? demanda-t-il.

— Un peu. Ces Survivants sont complètement fêlés. On va se retrouver isolés, une fois à l'intérieur de l'Arche.

— J'en ai conscience. Rappelle-toi que ta sécurité reste notre priorité numéro un. En cas de danger, grimpe dans la première bagnole venue et tire-toi.

Chloé et moi, nous allons établir un nouveau centre de contrôle dans l'Outback, aussi proche que possible de votre position. On partira demain à l'aube, en voiture. On devrait être sur place dans la soirée.

— Mais comment allons-nous pouvoir communiquer ? demanda James.

— J'y viens. Les techniciens de l'ASIS ont terminé la mise au point des radios miniaturisées. Selon eux, elles sont assez fines pour être glissées sous la semelle intérieure d'une chaussure et suffisamment solides pour résister à l'humidité et aux chocs. Elles sont actuellement dans un avion qui s'apprête à décoller de l'aéroport de Melbourne.

— Tu as un moyen de nous les faire passer ?

— L'Arche est fermée hermétiquement, mais les élèves de l'internat font leur jogging matinal à l'extérieur du mur d'enceinte. Essayez de rester en queue de peloton. Ouvrez les yeux et les oreilles. On vous enverra un signal.

— Quel genre de signal ?

— On n'y a pas encore réfléchi.

— C'est pas très rassurant, John.

— Je sais, je suis désolé. Cette mission a été planifiée au dernier moment, et de nombreux détails n'ont pas encore pu être réglés. Ah ! autre chose… N'utilisez pas les téléphones installés à l'intérieur de l'Arche. Selon les ex-Survivants dont Miriam a recueilli le témoignage, toutes les conversations sont enregistrées. Ils disent aussi que les bureaux et les chambres sont truffés de micros espions et de caméras miniatures. Si vous devez parler de la mission, exprimez-vous à voix basse, de préférence à l'extérieur, ou dans un endroit bruyant.

— C'est compris. Je passerai l'information à Lauren.

— Bonne chance à vous deux.

— Merci, John. J'ai l'impression qu'on va en avoir besoin.

∴

L'avion, un bimoteur à hélices pouvant abriter six passagers, décolla de la piste en terre battue aux alentours de vingt-deux heures. James et Lauren s'assirent au dernier rang, le dos au filet de séparation délimitant la partie du fuselage destinée au fret. Par le hublot, ils n'aperçurent bientôt plus qu'une étendue sombre d'où émergeaient çà et là des formations rocheuses aux contours soulignés par les rayons de la lune.

James éprouvait une vertigineuse sensation d'isolement. Il aurait voulu se confier à sa sœur à cœur ouvert, entretenir pour la première fois depuis des semaines une conversation sincère, mais quatre Survivants occupaient les places situées devant eux.

Incapable de dormir dans son siège étroit, il feuilleta le magazine de bord, un catalogue répertoriant tous les produits commercialisés par la secte. Il examina longuement la photo de Joel Regan figurant en couverture.

Il sentit la tête de Lauren se poser sur son épaule, puis son avant-bras glisser de l'accoudoir et retomber inerte sur son genou. Il posa sa main sur la sienne. Leurs doigts s'entrelacèrent.

Après environ deux heures trente de vol, une lueur orange apparut à l'horizon. James se pencha vers le hublot pour observer le phénomène. Bientôt, au beau milieu du désert, dans la lumière de centaines de projecteurs, il vit apparaître un dôme immense encadré de trois hautes flèches dorées, puis un mur d'enceinte hexagonal dont les six tourelles étaient surmontées de croix destinées à repousser les démons.

James avait examiné de nombreuses photographies de l'Arche, mais aucune de ces représentations en deux dimensions n'avait pu en restituer l'échelle. La construction tenait à la fois de la forteresse médiévale et de l'hôtel-casino de Las Vegas. C'était la dernière chose que l'on s'attendait à trouver au beau milieu de l'Outback.

James, qui éprouvait le plus profond mépris pour Joel Regan, pour la façon dont il avait fait fortune par le mensonge et le lavage de cerveau, ne put s'empêcher d'admirer ce spectacle invraisemblable.

— C'est le truc le plus dingue que j'aie jamais vu, chuchota-t-il à l'oreille de sa sœur.

L'avion effectua un ultime virage puis se posa en douceur sur une piste assez large et longue pour accueillir un 747.

Un panneau lumineux où figurait l'inscription AÉROPORT INTERNATIONAL JOEL REGAN surmontait un terminal comportant deux étages, flanqué d'une haute tour de contrôle.

L'infrastructure avait été bâtie dans les années 1980, à l'époque où le gourou envisageait de faire de l'Arche un pôle touristique doté de milliers de chambres d'hôtel, de plusieurs parcours de golf et d'un parc d'attractions.

Quelque temps plus tard, Regan avait changé son fusil d'épaule et déclaré que l'Arche était un lieu sacré où les démons n'étaient pas dignes d'entrer. En réalité, ce revirement masquait un échec commercial complet. Les visiteurs ne s'étaient pas bousculés pour passer leurs vacances en compagnie de fanatiques religieux sous le soleil impitoyable du désert australien.

James, Lauren et les autres passagers rejoignirent le terminal puis empruntèrent un interminable couloir jusqu'à un hall d'arrivée désert et silencieux. La plupart des néons étaient hors service. Les tapis roulants destinés à l'acheminement des bagages, couverts de poussière, n'avaient manifestement pas fonctionné depuis des dizaines d'années. Enfin, ils quittèrent le bâtiment et s'engagèrent sur la rampe de béton menant à l'Arche.

James et Lauren suivirent les quatre passagers jusqu'au poste de contrôle situé au rez-de-chaussée de l'une des tourelles. Les adeptes s'inclinèrent un à un devant une femme longiligne, aux cheveux bruns et raides, qui les attendait devant une grille d'acier. Les deux agents, qui avaient déjà observé son visage sur les photos jointes au rapport étudié lors de la préparation de la mission, reconnurent aussitôt Eleanor Regan, la fille aînée de Joel Regan, celle que les Survivants appelaient l'Araignée.

Aux yeux de James, ce surnom était parfaitement approprié. Vêtue d'un pull noir moulant à col roulé, ses longs doigts aussi fins que des crayons, elle avait tout d'une sorcière. À sa grande surprise, elle leur adressa un sourire lumineux puis s'exprima d'une voix pleine de chaleur.

— Bonsoir, dit-elle. Vous êtes James et Lauren, je suppose ? Je tenais à vous féliciter en personne pour les résultats obtenus lors du test d'évaluation. Vous avez bien mérité votre place à l'internat.

Sur ces mots, elle les conduisit jusqu'à l'allée piétonne qui reliait la tourelle à la vaste place centrale où se dressaient le dôme et les trois flèches dorées du Temple.

À l'exception du lieu de culte flamboyant et démesuré, les constructions étaient d'une banalité surprenante : des bâtiments à un ou deux étages, dans le plus pur style utilitaire, aux toits de tôle ondulée et aux façades ornées de fenêtres en PVC. Contre toute attente, la mythique Arche des Survivants sentait l'avarice à plein nez. James avait la vague impression d'être entré dans un restaurant chic pour ne découvrir au menu que des hamburgers, des frites et du Coca éventé.

25. Famille royale

— Debout, les garçons ! lança Georgie, la femme aux traits grossiers chargée de faire régner la discipline dans les quartiers d'habitation de l'internat.

Le nouveau dortoir de James était infiniment plus confortable que celui où il avait vécu lors de son séjour à la communauté de Brisbane. Chacun de ses huit occupants disposait d'un lit de métal et d'un placard personnel. Ils se partageaient une petite salle de douche collective.

James se frotta longuement les yeux puis s'extirpa péniblement de son lit. Il avait rejoint le dortoir à une heure du matin et s'était déshabillé dans le noir, en silence, pour ne pas réveiller ses sept camarades.

Les garçons passèrent un polo de rugby blanc, un short et des chaussettes de football bleus. James ouvrit son casier et y trouva un uniforme identique. Il s'assit sur son lit et entreprit d'ôter les emballages, les étiquettes et les autocollants.

Une fois vêtu, il rejoignit la file d'attente qui s'était formée devant l'unique urinoir de la salle de bains. Lorsqu'il se fut enfin soulagé, il constata qu'il se trouvait seul dans le dortoir. Il ignorait où étaient passés ses camarades.

Georgie fit irruption dans la pièce.

— Qu'est-ce que tu fais encore ici ? gronda-t-elle, les yeux écarquillés.

— Je n'ai pas reçu d'emploi du temps, expliqua James. Je ne sais pas où je dois aller.

— Tous nos pensionnaires ont le même emploi du temps ! hurla-t-elle. Tu n'avais qu'à suivre les autres.

— Mais ils sont partis.

— Eh bien, je te conseille de ne pas te laisser distancer, à l'avenir, si tu ne veux pas écoper d'une punition. En bas de l'escalier, la porte en face et tout droit jusqu'à la cour d'exercice.

Il obtempéra sans discuter, dévala une volée de marches, poussa une double porte puis courut en plein soleil jusqu'à un terrain en terre battue où cent cinquante élèves âgés de dix à dix-sept ans étaient rassemblés en quatre longues files. Tous, garçons et filles, portaient le même polo. Seule la couleur de leur short et de leurs chaussettes différait, un signe distinctif attribué en fonction de leur bâtiment d'affectation.

James se glissa parmi les élèves du groupe bleu. Il aperçut Lauren, à quelques rangées de lui, et constata qu'elle avait été affectée à la section jaune. Sous la surveillance de Georgie et de deux collègues instructeurs, les résidents enchaînèrent tractions, pompes et flexions. Chaque série était composée de dix mouvements entrecoupés d'exclamations.

— Gloire à toi, Seigneur. Nous sommes tes anges… nés pour te servir. Rends-nous plus forts. Protège-nous. Nos âmes sont pures. Nos pensées sont honnêtes. Nous sommes des chefs. Nous guiderons l'humanité… à travers les ténèbres.

Après quinze minutes d'exercices, James éprouva des difficultés à reprendre son souffle. Ses avant-bras et ses genoux étaient couverts de terre rouge. Les dix phrases qui composaient la prière des jeunes Survivants résonnaient en écho dans son esprit.

Les instructeurs accordèrent aux élèves deux minutes de pause, puis les guidèrent vers l'une des tourelles de l'enceinte fortifiée. Ils franchirent le poste de sécurité et entamèrent un footing autour de l'Arche. Ils effectuèrent un tour à un train modéré, sans cesser de scander leurs slogans religieux.

— Dispersion ! hurla Georgie.

Aussitôt, les disciples se mirent à sprinter dans le plus grand désordre. James repéra Lauren dans la foule et se porta à sa hauteur.

— Tu vas bien ? dit-il dans un souffle.

— J'aurais bien dormi deux ou trois heures de plus, répondit-elle. Et j'ai du gravier plein mon short.

James se gratta brièvement l'entrecuisse.

— Ne m'en parle pas. Ça me rend complètement dingue.

∴

— C'est quoi ton nom ? demanda un garçon qui se dirigeait à ses côtés vers le bâtiment de la section bleue.

C'était un adepte âgé d'environ onze ans, aux épaules larges et au nez légèrement tordu.

— James.

— Moi, c'est Rat.

— Rat ?

— En fait, mon vrai nom, c'est Rathbone, mais si tu m'appelles comme ça, je te défonce la gueule.

James lui adressa le sourire forcé des Survivants. L'attitude de son interlocuteur le surprenait. D'ordinaire, les adeptes n'employaient pas un tel langage.

— Eh ben, t'as avalé ta langue ? demanda Rat, enchanté d'avoir choqué son camarade.

— Non, non. Je suis juste un peu crevé.

Rat hocha la tête.

— Tu t'en sors pas trop mal. La plupart des nouveaux flanchent à cause de la chaleur.

— Tu es là depuis combien de temps ?

— Depuis toujours.

Sur ces mots, il écarta le col de son polo, dévoilant un collier de cuir où étaient suspendues une dizaine de perles, dont une dorée.

— Tu sais ce que signifie celle-là ? Je fais partie de la famille royale, mec.

— Pardon ?

— Joel Regan a gardé le meilleur pour la fin : je suis son trente-troisième et dernier enfant.

— Génial.

Rat lança à James un regard méprisant.

— Ah ouais, tu penses que c'est cool ?

James, déstabilisé, rejoignit le dortoir en silence. Tandis que ses camarades se déshabillaient puis se dirigeaient vers la douche, Rat lui glissa à l'oreille :

— Tu es *gay* ?

James secoua la tête énergiquement.

— Jamais de la vie.

— Alors t'es branché filles ?

— Ben ouais, évidemment.

— T'as déjà vu une nana à poil ?

— J'ai pas eu beaucoup d'occasions.

— OK, alors suis-moi, sourit Rat en tirant James par la manche de son polo.

— Eh ! qu'est-ce que tu fous ? s'étonna ce dernier.

— Allez, quoi, viens ! Ça ne prendra qu'une minute. On ne risque rien, je te jure.

James s'accorda quelques secondes de réflexion. Il était tiraillé entre son devoir de se fondre dans la masse et l'opportunité qui s'offrait à lui de nouer des liens avec un allié de choix.

— Bon, d'accord, lâcha-t-il enfin. Mais tu me promets qu'on ne va pas s'attirer des ennuis, hein ?

— T'inquiète, James. J'ai fait ça des millions de fois.

Rat entraîna son camarade dans le couloir, puis franchit la porte menant à une chaufferie.

— Pas un mot, chuchota-t-il en se hissant sur une table placée dans un coin de la pièce.

James le rejoignit. Il remarqua une grille d'aération métallique dans la cloison. Il y jeta un coup d'œil et manqua aussitôt de s'étrangler.

— Alors, elle est pas belle la vie ? chuchota Rat.

La grille offrait une vue imprenable sur la salle de douche du dortoir voisin. Perdues dans un nuage de vapeur, six jeunes filles nues se savonnaient innocemment, le visage éclairé du sourire radieux propre aux adeptes de la secte.

— Nom de Dieu ! lâcha James.

— Ah, tu vois ? Je t'avais dit que ça valait le coup ?

— Tu m'étonnes. Je veux passer le restant de mes jours ici.

James était incapable de détacher ses yeux de ce spectacle fascinant. Soudain, Rat frappa violemment du poing contre la grille puis hurla :

— Alerte au pervers !

Sur ces mots, il bondit de la table, poussa la porte et se rua dans le couloir.

Avant que James ait pu réaliser ce qui se passait, les filles battirent en retraite vers le dortoir dans le plus grand désordre en braillant à pleins poumons. Il sauta à son tour de son promontoire et se précipita vers la sortie. Au moment où sa main se refermait sur la poignée, il entendit une clé tourner dans la serrure.

— Rat ! espèce d'enfoiré ! s'exclama-t-il en donnant un violent coup de pied dans la porte. Si tu ne me laisses pas sortir, je jure que tu finiras à l'hôpital !

Saisi de panique, il jeta un regard circulaire à la pièce et réalisa qu'il n'avait aucune échappatoire. Les jeunes filles lançaient des menaces par la grille d'aération.

— Tu vas être puni pour ça, sale obsédé !

Trente secondes plus tard, on frappa à la porte.

— Ouvre immédiatement !

James reconnut la voix de Georgie.

— J'ai pas la clé, gémit il.

Il entendit la femme s'éloigner, puis un concert d'exclamations et de cris étouffés résonna dans le dortoir des garçons.

— Sors de là, Rathbone Regan. Ne me force pas à aller te chercher sous cette douche.

James perçut des sons confus dans le couloir, des bruits de lutte et des crissements de baskets.

— C'était lui ? demanda Georgie.

— Oui, mademoiselle, répondit une fille. Je l'ai vu entrer dans la chaufferie avec le nouveau.

James était atterré par la propension des jeunes Survivants à dénoncer leurs semblables. En vérité, ces enfants, élevés dans la crainte du Diable, ne pouvaient pas agir autrement.

— Bande de balances ! hurla Rat. Vous n'êtes que des sales filles de p...

— Rathbone ! s'époumona Georgie. Veux-tu que je te lave la bouche avec du savon ? Tu as déjà assez de problèmes comme ça, tu ne crois pas ? Où est la clé ?

— Tu peux te la foutre où je pense, espèce de grosse truie.

— Mademoiselle, on l'a retrouvée, dit l'un des occupants du dortoir. Elle était dans son short.

La porte s'ouvrit brusquement. Georgie saisit James par le col de son polo, l'entraîna jusqu'au couloir et le plaqua contre un mur. Rat était maintenu immobile par deux garçons. Il avait du shampooing dans les cheveux. Il ne portait rien qu'une serviette de bain nouée autour de la taille.

— Mademoiselle, il m'a piégé, plaida James.

— Oui, je sais qu'il t'a enfermé là-dedans, mais enfin, regarde sa taille. Il n'a pas pu te forcer à entrer et à monter sur cette table.

— Non, mademoiselle.

— À la douche, tous les deux. Je vous attends en bas, pour l'office. Attendez-vous à une sévère punition.

— Et le petit déjeuner ? demanda Rat.

— N'y pensez même pas.

Les deux garçons regagnèrent le dortoir. Les autres occupants achevaient de s'habiller.

— Merci de m'avoir soutenu, les gars ! lança Rat avant de jeter sa serviette sur son lit puis de se précipiter sous la douche pour se rincer les cheveux.

James ôta son polo puis rejoignit son complice dans la salle de bains embuée. Ce dernier, l'air anxieux, recula jusqu'au mur du fond.

— Je vais te faire payer ça.

— Tu ne me fais pas peur, répliqua Rat. Vas-y, casse-moi la gueule. Je m'en fous. C'est exactement ce que veut cette ordure de Georgie, et tu ne seras pas le premier.

Par chance, James, lassé de s'attirer des ennuis, avait pris la ferme résolution de dompter son caractère impulsif.

— Pourquoi tu m'as fait cette blague débile ?

— Je n'ai aucune envie de me justifier. Frappe-moi et passons à autre chose.

Aux yeux de James, l'attitude de Rat était déconcertante. Avait-il affaire à un authentique rebelle perdu parmi les Survivants ou à un dangereux déséquilibré ?

— On va vraiment être punis ? demanda James.

— Oh ! oui, et je suis sûr que tu vas adorer, répondit le garçon en se tournant pour exhiber le bas de son dos.

Pris d'effroi, James recula. Les fesses de Rat n'étaient qu'un amas de bleus et de croûtes de sang séché.

— Tu déconnes ? s'étrangla-t-il, prenant brutalement conscience de la brutalité du châtiment qu'il allait recevoir.

— Ils peuvent me battre tant qu'ils veulent. Je ne rentrerai pas dans les clous. Et je crois qu'on se ressemble un peu, pas vrai ?

— Qu'est-ce que tu racontes ?

— Tu ne crois pas vraiment à toutes ces conneries.

— Qu'est-ce qui te fait dire ça ? J'ai prêté serment. J'ai reçu le collier.

— James, si t'étais un véritable Survivant, tu ne m'aurais pas accompagné dans la chaufferie pour mater les filles.

— Je suis un peu influençable…

Rat secoua la tête.

— Si c'était le cas, tu jouerais le jeu de Georgie, et je serais en train de ramasser mes dents sur le carrelage.

— T'emballe pas, Rat. Je peux toujours changer d'avis.

Les deux garçons quittèrent la salle de douche et s'habillèrent à la hâte.

— Alors, comment t'as atterri ici ?

James décrivit l'incident de la maison de retraite et la manière dont Ween avait étouffé l'affaire.

— Je connais Elliot, dit Rat. On l'appelle l'Anguille, à cause de son côté gluant et insaisissable. Tu sais que ta sœur et toi êtes les premiers élèves admis à l'internat depuis trois mois ?

— Ouais, on m'a dit qu'il y avait des travaux en cours, quelque chose comme ça.

Rat sourit.

— Ah oui ? Et tu peux me dire où ils sont, ces travaux ?

— Maintenant que tu le dis... Alors, qu'est-ce qui se passe réellement ?

— Joel Regan a un pied dans la tombe, et l'Araignée ne veut pas que ça se sache.

— Pourquoi ?

— Dieu est censé avoir chargé mon père de construire cette foutue Arche et de sauver l'humanité. Une fois mort, il va avoir beaucoup de mal à remplir sa mission, et les adeptes risquent de se poser des questions.

— Je comprends.

— Et puis la guerre de succession a déjà commencé.

— Entre qui ?

— Entre Susie, la dernière femme de mon père, et Eleanor, ma sœur aînée, l'Araignée. Susie a la tête sur les épaules. Elle ne porte même pas de collier. Eleanor et sa clique croient dur comme fer au Manuel. Selon eux, la mort de mon père annoncera le commencement de l'Apocalypse et de la bataille finale contre les démons. Ils vont péter les plombs.

— Qu'est-ce que tu veux dire ?

— Ils pensent que le Diable va surgir des enfers pour essayer de massacrer tous les Survivants. Ils ont entreposé des flingues, des munitions et des explosifs au sous-sol.

James réalisa qu'il s'était laissé entraîner. En recueillant sans protester les confidences de Rat, il avouait tacitement qu'il ne croyait pas un mot aux délires religieux de la secte.

— Mais le *Manuel des Survivants* dit que…

Rat éclata de rire.

— Laisse tomber, d'accord ? Je sais très bien que tu ne crois pas au message de Joel Regan. Ne me prends pas pour un débile.

— Tu te trompes, insista James, sans grande conviction, en enfilant une paire de chaussettes propres.

Il était inquiet. Si un gamin plus jeune que lui pouvait lire dans ses pensées, était-il encore capable de duper les membres adultes de l'organisation ?

— Tu sais, dit Rat, quand mon père s'est engagé dans l'armée australienne, le sergent recruteur lui a trouvé un QI de cent quatre-vingt-seize. En gros, c'est un génie. Maintenant, devine un peu le score que j'ai obtenu ?

— Je dirais trente, pas plus, plaisanta James.

— Cent quatre-vingt-dix-sept. Je suis le type le plus intelligent que tu rencontreras au cours de ta vie, alors te fatigue pas à essayer de m'enfumer.

— Si tu es aussi brillant que tu le prétends, comment tu expliques que ton cul ressemble à un steak haché ?

Rat haussa les épaules.

— Quand on vit chez les zombies, il vaut mieux éviter de se servir de son cerveau.

26. Sans parachute

Dès leur entrée dans la salle de prière, les deux garçons furent contraints de s'allonger face contre terre au centre d'un double cercle composé exclusivement de filles de l'internat. James adressa à Rat un coup d'œil inquiet. Le visage du garçon, qui avait subi maintes fois ce châtiment, restait impassible.

Pendant un quart d'heure, Georgie, qui présidait la cérémonie, souffla dans un harmonica et martyrisa les cordes d'une guitare folk à table métallique qui sonnait comme une casserole. Les adeptes, en Survivants dociles, battirent des mains, chantèrent et psalmodièrent des slogans religieux.

Puis la femme s'adressa à l'assistance sur un ton plus sombre.

— L'Arche est le royaume de la pureté. Pécher entre ses murs, c'est inviter les démons à y pénétrer. Nous pardonnerons, mais, pour l'heure, il nous faut punir. Le Diable doit être chassé de l'âme de ces mécréants.

Sur ces mots, elle brandit une planchette de bois.

Deux filles placèrent une table d'écolier au centre de la pièce. James sentit des mains le saisir et le redresser brutalement. L'espace d'un instant, il croisa le regard de Lauren, perdue dans la foule des fidèles.

On passa autour de sa taille une ceinture capitonnée équipée d'une fermeture Velcro, un accessoire destiné à protéger sa colonne vertébrale, puis on baissa son short et son caleçon. Une adepte glissa un morceau de caoutchouc entre ses dents.

— Couchez-vous à plat ventre sur la table, ordonna Georgie. C'est vous, jeunes filles pures dont la dignité a été souillée, qui allez châtier ces êtres pervers et luxurieux.

Treize jeunes filles s'alignèrent derrière les deux condamnés. C'était bien davantage qu'il n'en avait aperçu dans la douche collective, mais le mors placé entre ses mâchoires excluait toute protestation.

— James est nouveau parmi nous, dit Georgie. Vous ne lui administrerez qu'un coup chacune. Rathbone, en revanche, est une menace permanente pour notre communauté. Infligez-lui trois coups. Exécution !

Une adepte s'avança, saisit la planchette et frappa à trois reprises sur le postérieur de Rat, avec une telle force que deux pieds de la table se soulevèrent de quelques millimètres. Des larmes scintillèrent dans les yeux du garçon.

— Je te pardonne, Rathbone, dit-elle.

Sur ces mots, elle fit un pas de côté et se plaça derrière James.Ce dernier reçut le coup sans trembler. La douleur était moins vive qu'il ne le redoutait.

— Je te pardonne, James, lança sa tortionnaire.

Son devoir accompli, elle confia la planchette à la camarade qui patientait derrière elle.

Le deuxième coup lui arracha un gémissement, puis la souffrance s'amplifia au fur et à mesure que les filles défilaient derrière lui. Lorsque la treizième et dernière adepte eut accompli son devoir, Georgie fit signe à James de se redresser et ôta le bâillon de sa bouche. Il retira la ceinture rembourrée, puis remonta son caleçon et son short. Ses yeux se posèrent sur la planchette abandonnée sur le sol. Elle était maculée de sang. Épouvanté, il se tourna vers Rat.

Ce dernier était resté étendu sur la table. Il avait reçu trente-neuf coups de planchette. Des filets de sang coulaient le long de ses jambes.

— Crois-moi, nous finirons bien par chasser les démons qui occupent ton esprit, mon petit Rathbone ! s'exclama Georgie, le visage éclairé d'un sourire dément.

James aida Rat à se redresser. Le garçon essuya ses larmes d'un revers de manche et adressa à la femme un regard provocateur.

— Je n'ai rien senti, murmura-t-il.

Georgie resta sourde à cette remarque. Elle ramassa la planchette sanglante et fixa James droit dans les yeux.

— Écoute-moi bien, le nouveau, dit-elle en secouant l'objet devant son visage. Cette correction n'était qu'un avant-goût de ce qui t'attend si tu persistes à invoquer les démons à l'intérieur de l'Arche. J'exige une obéissance absolue. Est-ce que je me fais bien comprendre ?

— Oui, mademoiselle, dit James, écœuré par la morgue et la méchanceté de la femme.

Il songea avec amertume qu'il aurait pu sans difficulté la maîtriser, la plaquer contre la table d'écolier et lui faire goûter au traitement inhumain qu'elle venait de lui infliger, mais le rapport de mission qu'il avait accepté évoquait clairement les châtiments corporels pratiqués par les Survivants. Il était hors de question de laisser sa colère réduire à néant six semaines d'efforts.

— Très bien, conclut Georgie. À présent, messieurs, direction le sauna.

.:.

Elle conduisit les garçons jusqu'à une cabine métallique dressée en plein soleil aux abords de l'enceinte, un réduit de deux mètres carrés au sol recouvert de sable. Deux seaux en plastique étaient posés par terre. L'un contenait de l'eau ; l'autre faisait office de toilettes de fortune.

James et Rat entrèrent à contrecœur dans le cachot. Malgré l'absence d'ouverture, la lumière filtrait entre les cloisons et le toit de tôle ondulé mal ajusté.

— Méditez vos péchés, gronda Georgie avant de claquer la porte et de tourner les deux verrous.

La température s'éleva brutalement. James sentit l'air chaud et sec s'engouffrer dans ses poumons. Il fut saisi de panique.

— Essaie de garder ton calme, dit Rat en posant une main sur son épaule.

— Je ne peux pas respirer.

— Prends de courtes inspirations. Ça ira mieux dès que tu te seras habitué à la chaleur. Et reste à l'écart des murs. Tu te brûlerais la peau.

Tandis que James s'efforçait de retrouver son souffle, Rat retourna le sable à l'aide de sa chaussure afin d'aménager un endroit frais où s'asseoir.

— Combien de temps on va rester ici ?

— Jusqu'à la fin des cours.

— Ça fait cinq heures, s'étrangla James.

Accablé, il se laissa tomber sur le sol puis s'allongea sur le flanc de façon à épargner son postérieur martyrisé. Il se remémora les tortures endurées lors du programme d'entraînement. Un slogan maintes fois entendu au cours de ces cent jours éprouvants lui revint à l'esprit : *c'est dur mais les agents de CHERUB sont encore plus durs*.

Il mesura soudain toute l'ironie de la situation. Jamais il n'avait réalisé que ses instructeurs, tout comme les Survivants, mettaient en œuvre d'authentiques techniques de conditionnement mental. Mais les similitudes entre la discipline du campus et la vie absurde des adeptes n'allaient pas plus loin. Les recrues de CHERUB s'engageaient en toute connaissance de cause et pouvaient quitter l'organisation quand bon leur semblait.

Ayant retrouvé son souffle, James engloutit trois gobelets d'eau.

— Tout est de ma faute, dit Rat. Je ferai tout ce que tu veux pour me faire pardonner.

James sourit.

— Qu'est-ce qu'un type avec le cul en lambeaux et une réputation de criminel pourrait bien faire pour moi ? demanda James.

— N'oublie pas que je m'appelle Regan, et que ça offre quand même quelques avantages.

James se creusa la tête. Il avait l'occasion de demander une faveur susceptible de faire progresser la mission, mais il devait prendre garde à ne pas trahir ses objectifs.

— Voyons... dit-il, l'air pensif. Je suppose qu'on doit tous bosser ici, comme à Brisbane...

— Évidemment. Les cours s'arrêtent à treize heures. Ensuite, on travaille jusqu'au dîner.

— Tu pourrais nous trouver un job tranquille, à ma sœur et moi ? Un poste de bureau, bien peinard. Je ne veux pas nettoyer les chiottes ou m'occuper du linge sale.

— Ça marche, lâcha Rat, visiblement sûr de son fait. J'en parlerai à ma belle-mère, Susie. C'est la dernière femme de mon père. Elle est numéro deux de l'Arche, juste derrière l'Araignée.

— Et ta mère ?

Rat passa une main autour de son cou, puis émit un gargouillement étrange.

— Elle n'a pas supporté de partager mon père avec toutes ses autres nanas. Elle a pété les plombs. Elle s'est pendue.

— Oh merde ! souffla James. Je suis désolé.

— Pas autant que moi. Tu as une famille, toi, dehors. Si tu fous le bordel, ils te vireront à coups de pied au cul, et tu iras vivre chez ton père ou avec un autre membre de ta famille. Moi, je suis condamné à moisir dans cet asile de fous jusqu'à ma majorité.

— Et ton père, qu'est-ce qu'il pense de tout ça ?

— Laisse tomber. Il est aux fraises. Il a fêté ses quatre-vingt-deux ans, et il a besoin d'une bouteille d'oxygène pour respirer. En plus, sur ses trente-trois enfants, je suis celui qui lui rappelle sa femme timbrée, celle qui s'est foutue en l'air.

— Pas de bol.

— C'était cool, l'époque ou ma mère était vivante. On se baladait de communauté en communauté dans le monde entier. On nous traitait comme la famille royale d'Angleterre. Il y avait même des paparazzi qui nous filaient le train, tu imagines le tableau ? Un jour, au Japon – je devais avoir six ou sept ans –, je me suis aperçu que les enfants des adeptes refusaient de jouer avec moi. Pour eux, j'étais un demi-dieu. Ils me tendaient des jouets, me faisaient une petite courbette puis se barraient en courant.

— La vache ! t'es tombé de haut, dit James.

— Ouais, sans parachute. Il a fallu que je rentre dans le rang, mais je n'ai rien à voir avec ces tarés. Je suis trop malin pour les laisser me manipuler, et je n'ai nulle part où aller.

27. La partie immergée de l'iceberg

Tandis que la température s'élevait dans le « sauna », James se tint tour à tour sur le côté, sur le ventre, accroupi et debout. Il ôta ses vêtements, puis se rhabilla, sans ressentir grande différence. En désespoir de cause, il trempa son polo dans le seau d'eau potable et l'étendit sur son visage.

Par chance, une jeune fille au sourire figé venait chaque heure renouveler le contenu du récipient.

— Courage, répétait-elle. Chaque goutte de sueur est un démon qui quitte votre corps. Je suis sûre que le Seigneur vous a déjà pardonné.

Privé de sa montre, James était incapable d'estimer le temps écoulé depuis leur entrée dans la cabine. Rat observa les taches de lumière sur les parois.

— Il va bientôt être treize heures, dit-il. Lave-toi avec l'eau qui reste, mets tes chaussures et prépare-toi à courir.

— Je suis vidé, murmura James. Je ne suis même pas sûr de pouvoir marcher.

— Il va falloir que tu fasses un effort si tu veux que je te trouve un boulot peinard. Ma belle-mère me doit une faveur. J'ai piqué quelques papiers pour elle, dans le bureau de mon père. Si on se dépêche, on a encore une chance de lui parler pendant qu'elle déjeune.

Lorsque l'adepte chargée de mettre fin à leur supplice ouvrit la porte, les deux garçons s'élancèrent vers le bâtiment le plus proche. Rat ne semblait pas affaibli par le châtiment qu'il venait de subir. James, ébloui par le soleil aveuglant, éprouvait les pires difficultés à ne pas se laisser distancer.

Ils contournèrent la construction, longèrent un mur de béton, dévalèrent un escalier qui s'enfonçait sous les fondations, puis s'immobilisèrent devant une porte métallique où figurait un symbole noir et jaune surmonté de l'inscription : ZONE DE DÉCONTAMINATION D'URGENCE.

Rat abaissa un levier et pesa de tout son poids contre le lourd battant.

— Je connais ces souterrains par cœur, dit-il avant d'entraîner son camarade dans une pièce au plafond bas éclairée par un tube fluorescent.

James aperçut une dizaine de pommes de douche murales sur sa gauche. Des combinaisons antiradiations étaient suspendues à la cloison opposée.

Ils franchirent une seconde porte blindée et s'engagèrent dans un couloir au sol élastique incrusté de veilleuses bleues. Ils traversèrent plusieurs pièces où étaient entreposés des ordinateurs archaïques, des vivres et du matériel de purification de l'air.

— C'est quoi, cet endroit ? demanda James sans cesser de courir.

Rat jeta un œil par-dessus son épaule.

— La partie immergée de l'iceberg. Quatre niveaux souterrains, avec assez de nourriture en boîte pour survivre pendant des années.

James frissonna. L'Arche le terrorisait. Il en venait à regretter les Survivants de Brisbane. À sa connaissance, ils ne possédaient ni bunker antiatomique ni armes à feu, et ne battaient pas leurs enfants jusqu'au sang avant de les laisser rôtir au soleil.

Après quatre minutes de course folle dans le réseau de galeries, les deux garçons prirent place sur la plate-forme d'un monte-charge.

— Ce truc va nous débarquer directement dans le restaurant du Temple. Essaye de faire bonne impression, d'accord ?

— Un restaurant ?

— Il est réservé aux dirigeants de l'Arche. Tu crois vraiment qu'ils avaleraient les mêmes saloperies que nous ?

Dix secondes plus tard, la grille du monte-charge s'ouvrit sur un self-service meublé de modestes tables de bois brut et aux murs décorés de photos de l'Arche.

Un homme portant une chemise blanche et un pantalon noir vint à leur rencontre.

— L'entrée est interdite aux élèves de l'internat, dit-il avec raideur.

Rat entrouvrit le col de son polo et exhiba la perle

dorée suspendue à son collier. Son interlocuteur fit un pas en arrière.

— Oh, monsieur Rathbone Regan, je suppose ?

— Vous supposez bien. Est-ce que ma belle-mère est dans le coin ?

— Madame Regan préfère déjeuner seule. Je pense qu'il vaut mieux ne pas...

Ignorant la mise en garde, Rat conduisit James jusqu'à une table où une femme d'une beauté éblouissante dégustait une assiette de minestrone. Ses cheveux étaient longs, les traits de son visage sublimes, subtilement maquillés, ses gestes lents et gracieux. Susie Regan ne ressemblait en rien aux autres membres de la secte.

— Bonjour, Rat, dit-elle.

Elle s'exprimait avec un accent américain prononcé. Son expression était sereine, impénétrable, si bien qu'il était impossible de deviner quel sentiment lui inspirait la visite de son beau-fils.

— Asseyez-vous, les garçons.

Rat secoua la tête.

— Je vais rester debout, si ça ne te dérange pas.

Susie esquissa un sourire.

— Oh, mon pauvre chéri. Combien de coups as-tu récoltés, cette fois ?

— Trente-neuf.

— Parfois, je me demande si tu n'es pas un peu masochiste.

James se demanda s'il n'y avait pas du vrai dans

l'interrogation de la jeune femme. À bien y réfléchir, son camarade l'avait pratiquement supplié de le frapper sous la douche.

— Non, je ne suis pas un fan de la planchette, gronda Rat, mais je ne me soumettrai jamais devant la violence.

Un serveur se posta avec raideur près de la table.

— Ils vous ennuient, madame Regan ?

— Mêlez-vous de ce qui vous regarde. Demandez plutôt à ces garçons ce qu'ils désirent manger et assurez-vous qu'ils soient servis rapidement.

Rat commanda un hamburger-frites, une glace et un Pepsi.

— Et toi, James ? demanda Susie.

— La même chose.

— Et trouvez un coussin pour que mon beau-fils puisse s'asseoir, ajouta la jeune femme.

Susie n'avait rien d'une Survivante. Elle affichait son goût pour les bijoux et les vêtements de marque. Elle avait mis un terme à sa carrière de top model pour épouser un milliardaire de soixante-quinze ans, quelques semaines après son vingt-troisième anniversaire.

— Comment connaissez-vous mon nom ? demanda James.

— Ton arrivée n'est pas passée inaperçue dans notre petite communauté.

Rat remarqua que Susie avait achevé son déjeuner. Il avait peu de temps devant lui.

— Je viens te demander une faveur, dit-il.

— Oh ! comme c'est étonnant, lança Susie en levant les yeux au ciel.

À cet instant précis, le serveur reparut, un coussin gonflable à la main. Rat lui adressa un sourire reconnaissant, posa l'objet sur une chaise et s'assit avec un luxe de précautions. Quelques minutes plus tard, l'homme revint avec la commande.

James croqua dans une frite puis avala une gorgée de Pepsi. Il n'avait rien mangé d'aussi délicieux depuis son installation dans la communauté de Brisbane.

— Crache le morceau, Rat, dit Susie en se levant. Je n'ai pas la journée à te consacrer.

— Mon copain et sa sœur voudraient un boulot sympa, propre et pas trop fatigant.

— Si ça ne pose pas de problèmes, bien entendu, ajouta James, les yeux baissés en signe de soumission.

— Et qu'est-ce que j'y gagne ? demanda Susie en épaulant son sac Vuitton.

— Un de ces jours, tu auras besoin de documents ou de disques de sauvegarde, comme l'autre fois, chuchota Rat.

Susie jeta un regard anxieux autour d'elle.

— Crie-le sur les toits, pendant que tu y es !

La jeune femme s'accorda quelques secondes de réflexion.

— Bon, c'est d'accord. Je vais passer quelques coups de fil et voir ce que je peux faire pour vous.

Rat désigna son assiette.

— Je ne vais même pas avoir le temps de finir, si je ne veux pas louper l'office de l'après-midi.

— Ne t'en fais pas pour ça, je vous couvre, dit Susie. Vous direz à Georgie que je vous ai confié une mission. Régalez-vous, et essayez d'éviter les ennuis.

Lorsque la femme eut quitté le restaurant, James adressa à son camarade un sourire reconnaissant.

— Merci pour tout ce que tu fais pour moi, Rat.

— C'est moi qui te remercie. Tu ne peux pas savoir à quel point je suis heureux d'avoir enfin trouvé un véritable être humain à qui parler.

28. Un moment divin

Profondément frappée par le châtiment public subi par son frère, Lauren suivit d'une oreille distraite les cours dispensés par les professeurs de l'internat. Les salles de classe étaient équipées de l'air conditionné et d'ordinateurs récents, mais Internet, la télévision, les journaux et les magazines étaient prohibés. Elle dut apprendre par cœur un long paragraphe du *Manuel des Survivants*. En feuilletant son livre d'histoire, elle constata qu'il n'évoquait aucun fait postérieur à la Première Guerre mondiale.

Au réfectoire, elle toucha à peine à sa salade pleine d'olives noires, l'ingrédient qu'elle détestait le plus au monde. Après une demi-heure de plonge en cuisine, un cadre de la secte lui ordonna d'ôter ses gants ménagers et de se présenter au bureau de la comptabilité. Elle passa le reste de la journée à trier des documents, transmettre des dossiers et préparer du café pour les adultes, en compagnie de Rat.

Au dîner, on lui servit des pommes de terre au four

farineuses, accompagnées d'une bouillie de haricots à la tomate, puis une glace à la vanille et une tranche de gâteau dont la consistance rappelait à s'y méprendre celle d'une éponge à gratter. Le Coca et le jus d'orange, dont la teneur en sucre était censée aider les jeunes adeptes à lutter contre les coups de fatigue, coulaient à flots.

Les règles de l'internat excluaient les devoirs après les cours. À l'issue de l'office du soir, Lauren joua aux quilles et au basket, puis participa à un jeu étrange mêlant défis physiques et slogans religieux. Ses camarades étaient polies, chaleureuses et enthousiastes, mais leurs compliments et leurs sourires sonnaient faux. De temps à autre, laissant son esprit vagabonder, Lauren s'imaginait qu'elles n'étaient que des robots, des assemblages de pièces mécaniques, de moteurs et de microprocesseurs dissimulés sous de fines enveloppes de latex rose chair.

.:.

Le lendemain, à l'aube, lorsqu'elle entendit les cris de l'élève chargée de réveiller les filles du dortoir, elle se sentit submergée par une bouffée d'angoisse. L'emploi du temps de l'internat était impitoyable, et elle savait qu'elle n'aurait aucun répit pendant seize heures d'affilée. Elle se sentait perdue, incapable de définir une stratégie susceptible de faire progresser la mission. En outre, elle craignait désormais que toute tentative de collecte de renseignements ne l'expose à une punition comparable à celle que son frère avait endurée.

Ses camarades avaient bondi de leur lit au premier signal. La plupart avaient déjà revêtu leur uniforme.

— Debout, belle endormie ! lui lança une fille prénommée Verity. Le jour s'est levé. Le Seigneur nous offre de nouveaux défis à relever.

Lauren avait l'impression que ces phrases creuses et stéréotypées sortaient tout droit d'une carte d'anniversaire bon marché. Dieu ne pouvait-il pas remballer ses défis, pour une fois, lui laisser faire la grasse matinée, regarder des émissions débiles à la télé et s'empiffrer de pancakes au Nutella ?

Elle s'extirpa péniblement du lit, enfila sa tenue réglementaire, se rendit aux toilettes, puis suivit les autres filles jusqu'à la cour d'exercice située derrière les bâtiments d'habitation. Elle aperçut James, perdu parmi les élèves de la section bleue.

Les règles strictes de l'Arche stipulaient que garçons et filles devaient dormir, se restaurer, étudier, prier et se distraire séparément. Seuls les exercices et le jogging du matin étaient effectués en commun. Lauren devait saisir cette occasion unique de s'entretenir avec son frère.

Dès le premier tour d'enceinte achevé, lorsque les jeunes adeptes se dispersèrent pour participer au sprint final, les deux agents ralentirent de façon à se retrouver en queue de peloton.

— Comment vont tes fesses ? demanda-t-elle.

— Elles sont noir et bleu, si tu veux tout savoir, mais ce n'est pas aussi douloureux que ça en a l'air.

— Tu as vraiment espionné les filles sous la douche ?

— Oh ! c'est plus compliqué que ça, dit James, qui préférait ne pas entrer dans les détails, de peur de passer pour un parfait crétin aux yeux de sa sœur. Le plus important, c'est que le type avec qui j'ai été puni est le fils de Joel Regan. Il faut absolument qu'on puisse se parler plus longuement en tête à tête.

— Ce soir, proposa Lauren, pendant les activités sportives. C'est le seul moment où on a une chance de s'absenter sans se faire remarquer. On pourrait se retrouver entre nos deux bâtiments d'habitation.

Quelques mètres après avoir contourné l'une des tourelles, ils entendirent un bruit sec comparable au *pop* d'un bouchon de champagne.

Lauren s'immobilisa sur-le-champ et sautilla sur une jambe, comme si elle s'était foulé la cheville.

— Qu'est-ce qui t'arrive? demanda son frère, persuadé qu'elle s'était réellement blessée.

— Cherche, espèce d'idiot, murmura-t-elle sans desserrer les mâchoires. Ce son, c'était le signal de John.

— Bon sang, les radios. Ça m'était complètement sorti de l'esprit.

Le lieu avait été soigneusement choisi par le contrôleur de mission. À cet endroit du parcours, les coureurs qui suivaient les agents étaient aveuglés par la tourelle. Ceux qui les précédaient n'avaient aucune raison de se retourner.

Lauren s'assit sur la piste goudronnée, ôta sa basket et se massa la cheville. James scruta les alentours et remarqua un paquet de cigarettes posé sur le sol, qui n'avait rien à faire au milieu de l'Outback. Il comprit que l'objet avait été lancé depuis un énorme rocher situé à cinq mètres de leur position. Il s'en empara, détacha le fil de nylon auquel il était relié et le glissa dans l'élastique de son short.

Deux coureurs débouchèrent à l'angle de la tourelle. Lauren se leva puis s'adossa au mur d'enceinte.

L'instructeur qui fermait la marche s'arrêta à sa hauteur.

— Un problème ?

— Je me suis tordu la cheville, mais je pense que ce n'est pas très grave.

.:.

Comme chaque matin, Dana acheva son footing avec près d'un demi-tour d'avance sur ses camarades. Elle franchit la double porte vitrée de la galerie marchande et emprunta les Escalators immobiles menant au deuxième étage. Abigail l'attendait à l'entrée des vestiaires.

— Je ne serai pas là de la journée, dit la jeune femme. C'est la folie, en ce moment, à l'entrepôt. Tiens, Michael m'a donné ça, la nuit dernière.

Elle glissa dans sa main un sachet contenant une languette blanche semblable à un marque-page.

— Qui est Michael ?

— Le contrôleur de l'ASIS qui a pris la place de John et de Chloé depuis leur départ pour l'Arche.

— Cette radio ne va pas m'être d'une grande utilité, dit Dana. J'espère au moins que James et Lauren ont reçu les leurs.

— Oui, John est parvenu à leur faire passer. Il a utilisé une voiture radiocommandée équipée d'une caméra vidéo et d'un minuscule canon hydraulique.

Dana esquissa un sourire.

— James Bond peut aller se rhabiller.

Alertée par un bruit de pas provenant de l'Escalator, Abigail tourna les talons et s'engagea dans un couloir désert. Deux jeunes filles vinrent à la rencontre de Dana. Elle leur adressa son plus beau sourire de Survivante.

— Eh ! si vous continuez à progresser comme ça, j'ai du souci à me faire, lança-t-elle.

— Merci, lança Ève en chassant une mèche de cheveux roux de son visage.

Les deux camarades se précipitèrent sous la douche. Dana s'enferma dans les W-C, s'assit sur la lunette et sortit la radio de son sachet. C'était une lamelle de plastique flexible de moins d'un millimètre d'épaisseur pour cinq centimètres de long. Elle était équipée d'un minuscule panneau solaire et de deux boutons plats. L'un servait à mettre l'appareil sous tension, l'autre à émettre le signal.

Elle déplia la feuille de papier glissée dans le sachet :

Émetteur-récepteur multifréquences à faible consommation d'énergie
Portée : 2 km
Autonomie : 2 heures
Recharge par cellule photovoltaïque : 12 heures
Recharge rapide : 15 minutes d'exposition à la lumière naturelle pour 10 minutes d'utilisation
Replacer l'appareil hors tension après utilisation
Limiter la durée des transmissions

Dana chiffonna le mode d'emploi puis le plaça dans sa bouche. Lorsque le papier se fut décomposé au contact de sa salive, elle le cracha dans les toilettes et tira la chasse. Elle ôta sa basket, souleva la semelle intérieure et y glissa la radio.

Elle avait plus que jamais le sentiment de perdre son temps. Malgré des résultats exceptionnels obtenus lors du programme d'entraînement de CHERUB, les missions auxquelles elle avait participé ne lui avaient pas permis de s'illustrer.

Elle n'en voulait pas à ses coéquipiers. Elle appréciait leurs qualités humaines et leurs compétences d'agents, même si James était un peu trop frimeur à son goût. Pourtant, elle ressentait un profond sentiment d'injustice. Pourquoi était-elle une fois de plus condamnée à jouer les figurantes pendant que ses camarades se couvraient de gloire à l'intérieur de l'Arche ?

On frappa à la porte de la cabine.

— Tout va bien là-dedans ? demanda Ève.

Dana serra les dents. Elle ne supportait plus les méthodes inquisitrices des Survivants. Elle ne pouvait pas s'isoler cinq minutes sans qu'un adepte ne vienne s'assurer qu'elle ne nourrissait pas des pensées négatives.

— Oui, ça va ! Tu veux des détails ? lança-t-elle tout en enfilant sa basket.

— Oh, pardonne-moi, bredouilla Ève. Je voulais juste t'avertir que Ween veut nous voir dans son bureau après les cours.

Dana se remémora les paroles prononcées par Lauren dans la voiture, en chemin vers l'aérodrome : les chefs de la secte avaient *d'autres projets* la concernant. D'un naturel désabusé, elle n'y avait pas prêté grande attention. Elle adressa un doigt d'honneur en direction de la porte et dit d'un ton enjoué :

— Merci, Ève. Je suis tellement impatiente de savoir ce qu'elle a à nous dire…

.:.

En interrogeant ses compagnons de dortoir, James apprit que le supplice de la planchette était une punition relativement rare, qui ne sanctionnait que les actes d'indiscipline les plus graves. La plupart de ces garçons, malgré des années passées dans l'internat, n'y avaient goûté qu'à une ou deux reprises.

Tout bien pesé, James estimait que la punition qui

lui avait été infligée était une véritable bénédiction : elle lui avait permis de nouer un lien privilégié avec Rathbone Regan.

Soulagé d'en avoir terminé avec l'office de l'après-midi, il rejoignit d'un pas confiant le hangar des véhicules où l'attendait Ernie, son nouveau partenaire de travail.

— Salut, gamin, dit l'homme en frappant joyeusement dans ses mains.

— Salut, répondit James avec le même enthousiasme.

Ernie, un sexagénaire à la peau cuivrée et à la moustache épaisse, avait vendu sa maison et rompu les ponts avec ses enfants du jour au lendemain pour adopter le mode de vie des Survivants. Il avait tout du grand-père idéal des spots publicitaires pour colle à prothèse dentaire.

Chaque jour, il conduisait un camion de livraison chargé de lettres et de colis jusqu'au bureau de poste du village le plus proche, à une centaine de kilomètres vers l'est. Il effectuait cette tâche en solitaire depuis des années et ne comprenait pas pourquoi on lui avait attribué un assistant, mais il était heureux d'avoir un compagnon avec qui bavarder pendant sa tournée.

Le hangar abritait tous les véhicules de l'Arche, des berlines aux utilitaires en passant par la Bentley et la limousine blindée de Joel Regan.

Les sacs contenant le courrier étaient entassés sur le sol au pied de larges tubes métalliques reliés aux bâtiments administratifs qui encadraient le garage. James et Ernie les placèrent à l'arrière du camion puis se mirent en route.

L'homme, qui affirmait qu'il n'y avait pas un radar sur le trajet, écrasa la pédale d'accélérateur et s'élança à plus de cent cinquante kilomètres heure sur la route étroite au revêtement incertain.

Secoué brutalement sur son siège, James, l'œil vissé au rétroviseur, observa longuement le nuage de poussière soulevé par les roues du véhicule. Ces deux heures passées loin de l'Arche étaient une heureuse surprise. Il examina le tableau de bord et regretta l'absence d'autoradio. À ce détail près, c'était un moment absolument divin.

29. Deux excellentes nageuses

— Asseyez-vous, lança Ween.

Ève et Dana se laissèrent tomber dans le canapé du bureau.

— Comme vous le savez peut-être, Joel Regan estime que les femmes sont la clé de notre survie. Elles occupent la plupart des postes importants de nos communautés. Elles président aux offices. Lorsque viendra l'ère des ténèbres, ce sont elles, mères, épouses et dirigeantes, qui fonderont la nouvelle civilisation.

Dana, désormais rompue à la rhétorique des Survivants, savait que de telles flatteries précédaient toujours une requête.

— Je suis désolée que tu n'aies pas été admise à l'Arche avec ton frère et ta sœur, Dana. Ève, tes résultats scolaires justifieraient amplement cette promotion, mais nous ne pouvons pas nous passer de tes capacités à favoriser l'intégration des nouveaux. Ne prenez pas ce refus pour une marque de défiance. Bien au contraire, vous avez été sélectionnées pour mener à bien une mission importante, qui correspond parfaitement à vos compétences. Ça ne prendra que quelques jours, et vous serez remarquées au plus haut niveau de l'Arche.

Dana considéra le visage exalté de sa camarade. Elle était stupéfaite qu'une fille aussi intelligente, qui maîtrisait parfaitement les techniques de manipulation mentale de la secte, puisse se laisser berner à son tour.

Au fond, elle-même ressentait une vague excitation. Après tout, James et Lauren ne seraient peut-être pas les seuls à jouer un rôle actif dans le déroulement de l'opération de CHERUB.

— Les Survivants ont besoin de fonds pour se développer, poursuivit Ween. Le coût de la construction de l'Arche du Nevada est estimé à sept milliards de dollars. De plus, nos projets en Europe et au Japon exigeront l'acquisition de terrains onéreux. Et c'est grâce à vous, mes enfants, que nous collecterons le capital nécessaire. Mais avant de vous en dire plus, je vous demande de faire vœu de discrétion absolue. Vous ne dévoilerez à personne les détails de notre entreprise, pas même aux membres de votre famille.

Sur ces mots, elle saisit sur le bureau une Bible et un exemplaire du *Manuel des Survivants*, et les présenta aux deux jeunes filles.

— Prêtez serment sur ces livres sacrés.

Ève adressa à Dana un regard fiévreux, puis posa une main sur les ouvrages.

— Je jure de respecter le secret de ma mission. Que je brûle en Enfer pour l'éternité si je faillis.

Dana saisit les livres et répéta ces mots, une expression pénétrée sur le visage.

— Personne ne doit savoir, insista Ween. Vous direz à vos parents, frères et sœurs que vous partez effectuer un stage à la communauté de Sydney.

— En quoi consiste la mission ? demanda Dana.

Ween secoua la tête.

— Je ne le sais pas moi-même, mais la requête vient de Susie Regan en personne. Elle a besoin de deux excellentes nageuses. Si vous acceptez l'honneur qui vous est fait, vous prendrez l'avion dès ce soir pour Darwin.

⁘

Lauren n'avait jamais apprécié les garçons. Elle les trouvait bruyants et odieux. Elle méprisait leur obsession du sport et leur habitude de ne pas se laver après l'effort. Même quand sa meilleure amie Bethany avait brièvement perdu la tête pour Aaron – un garçon stupide dont l'haleine empestait le fromage et les chips à l'oignon –, elle avait fermement refusé toutes les propositions de ses amis.

Chose étonnante, elle appréciait la compagnie de Rat. Il était plus grand qu'elle, un critère qu'elle jugeait essentiel, plutôt mignon, malgré son nez cassé, et supérieurement intelligent. Face à l'adversité, il s'était montré à la fois héroïque et vulnérable. En outre, il la faisait mourir de rire.

Lauren se comportait en parfaite petite Survivante,

efficace, dure à la tâche. Rat, lui, s'efforçait de semer le chaos. Il promenait deux agrafeuses sur le bureau en poussant des cris inarticulés. Entre ses mains, ces accessoires s'étaient transformés en un couple de chiens hurlants qui s'entre-dévoraient et s'accouplaient sauvagement.

— Combien tu paries que je peux garder la langue posée sur cette lampe pendant dix secondes ? demanda-t-il.

— Je travaille, répondit Lauren.

Rat, nullement découragé, lécha l'ampoule pendant moins de trois secondes avant de se ruer en gémissant vers la fontaine d'eau minérale. Avant de retourner à son poste, il cracha fièrement dans le gobelet du comptable obèse qui, quelques minutes plus tôt, avait reproché à Lauren de s'être trompée de dossier.

Cette dernière avait l'habitude de voir certains garçons faire les malins pour attirer son attention, mais Rat n'agissait pas sous l'influence d'une bande d'amis décérébrés. Il se comportait purement et simplement en hors-la-loi.

Peu avant dix-huit heures, il posa un mince dossier relié de cuir sur son bureau.

— Ça te dirait de rencontrer le grand patron ?

— Joel Regan ? s'étonna Lauren.

— Va à la résidence, frappe à la porte de sa chambre avant d'entrer, puis attends tranquillement qu'il signe les documents et les chèques qui se trouvent dans ce parapheur.

La jeune fille hocha la tête avec enthousiasme. Cette proposition lui offrait une opportunité inattendue de s'introduire dans le palais de Joel Regan, une place forte que seule une poignée de Survivants avaient eu l'occasion de visiter.

Tandis que Rat traçait un plan d'accès au dos d'une carte commerciale, Lauren réalisa qu'il connaissait comme sa poche le réseau de souterrains de l'Arche. Elle s'empara du dossier et se mit en route.

Elle emprunta un escalier en colimaçon jusqu'au deuxième sous-sol, parcourut plusieurs centaines de mètres de galerie étroite aux parois maculées de taches d'humidité, puis s'immobilisa devant une porte métallique. Impressionnée par la perspective de rencontrer le gourou de la secte en personne, elle demeura longuement la main posée sur la poignée avant de se décider à pénétrer dans la luxueuse résidence.

Elle découvrit un large couloir dont la décoration contrastait avec celle des bâtiments réservés aux fidèles. Ici, pas de papier peint recyclé, pas de plinthes rose pâle, pas de bouches d'aération bruyantes. Les murs étaient recouverts de marbre blanc. Des fleurs fraîches flottaient à la surface d'une petite rivière artificielle taillée dans le sol. L'air embaumait la vanille.

Elle consulta le plan, emprunta un passage sur la gauche, puis gravit une rampe courbe menant à l'étage supérieur. L'une des parois, entièrement vitrée, donnait sur une piscine extérieure. Des tableaux étaient suspendus sur la cloison opposée. Lauren n'y connaissait pas grand-chose en peinture, mais suffisamment pour estimer qu'une toile de trois mètres de large portant la signature de Picasso devait avoir coûté une fortune.

— Puis-je vous aider, jeune fille ?

Un Asiatique, vêtu d'un costume trois pièces et ganté de blanc, était penché sur une balustrade chromée, deux mètres au-dessus de sa tête.

— Je travaille à la comptabilité, expliqua Lauren, un peu embarrassée de se présenter à un homme aussi élégant en polo débraillé et en bermuda flottant.

— Je vois. Où est Rathbone ?

Lauren rejoignit son interlocuteur sur un palier couvert d'une épaisse moquette.

— Il n'a pas terminé son travail de classement. Je le remplace.

Le majordome s'inclina cérémonieusement devant la jeune fille puis, de cabinet en antichambre, la conduisit jusqu'à une pièce aux fenêtres masquées par des rideaux opaques.

Un vieillard en pyjama de soie blanche était assis dans un lit, dans l'angle le plus obscur de la pièce.

— Votre correspondance, Monsieur, dit le majordome avant de se retirer.

Lauren avança vers Joel Regan. Une puissante odeur de désinfectant assaillit ses narines. Elle constata qu'un tube en plastique translucide sortait du nez du gourou.

— Tu dois être Lauren, dit-il d'une voix sifflante.

Elle resta frappée de stupeur. Comment pouvait-il connaître son nom ?

— Je ne suis peut-être pas au meilleur de ma forme, mais j'essaye de me tenir informé. Approche.

Regan la prit dans ses bras et l'embrassa. Elle

réprima un frisson de dégoût. Les joues du vieil homme étaient couvertes de poils durs et blancs. Son pyjama exhalait une odeur écœurante.

— Tu es un bel ange, murmura-t-il en desserrant son étreinte. Je sens un grand pouvoir en toi. Tu es promise à un avenir flamboyant.

— Je ne pensais pas avoir l'honneur de vous rencontrer, répondit Lauren, qui maîtrisait désormais parfaitement le langage grandiloquent des Survivants.

En vérité, elle ne pensait qu'à l'odeur qui flottait dans la pièce, aux milliers d'adeptes dont l'existence avait été gâchée par la folie de cet homme.

— Lunettes, stylo, dit-il en tendant un doigt osseux vers la table de nuit.

Lauren s'exécuta. Il chaussa une monture d'écaille, tourna lentement les pages du parapheur, puis commença à signer les chèques et les documents d'une main tremblante.

Soudain, une inconnue déboula comme une furie dans la chambre et marcha à grands pas vers le lit. Lauren reconnut aussitôt Susie Regan, dont elle avait observé le visage sur les photos jointes à son rapport de mission. Elle saisit le classeur et commença à en examiner le contenu.

— Tu as lu ces papiers, Joel, ou tu te contentes de signer tout ce qu'elle te présente ?

Joel posa sur sa jeune épouse un regard las.

— Eleanor sait ce qu'elle fait, ma chérie.

— Ah ! tu crois ? Alors regarde plutôt ça : ce papier est un contrat de mandat sur nos parts dans *Nippon*

Vending Industries. Est-ce que je ne devrais pas au moins le faxer à Brisbane et demander à notre équipe de juristes de vérifier ?

Joel secoua la tête.

— Notre équipe ? Tu veux sans doute parler de *ton* équipe ?

— L'Araignée essaye de m'écarter, gronda Susie en claquant du talon sur le parquet. Tu es peut-être sur le point de passer l'arme à gauche, mon cher petit mari, mais j'ai encore un paquet d'années devant moi. Ta salope de fille a l'intention de me virer à coups de pied au cul dès que ton certificat de décès sera signé. Qu'est-ce que j'ai fait pour mériter ça ? Tu veux que je passe le reste de ma vie dans la misère ? J'exige le contrôle conjoint des sociétés. Combien de fois vais-je te le répéter ?

Joel secoua une main devant son visage.

— Tu auras de quoi vivre, mon ange. Mais n'oublie pas qu'Eleanor est ma fille.

— On ne la voit pas souvent dans les parages, ta chère héritière. Qui est là pour appeler le médecin quand tu as tes crises, ou t'empêcher de t'étouffer dans ton vomi ?

Joel hocha la tête en direction de Lauren.

— Ne nous disputons pas devant cette gamine. Tu la mets mal à l'aise.

— Cesse de noyer le poisson !

— J'en ai plus qu'assez de tes caprices, gronda Joel d'une voix étonnamment puissante pour un homme dans son état. Je dois me reposer pour retrouver des forces. Je ne veux plus entendre tes hurlements incessants.

Sur ces mots, il saisit le parapheur et le lança au milieu de la pièce, éparpillant lettres et chèques aux quatre vents. L'objet heurta un vase posé sur une colonne. L'eau contenue dans le récipient se répandit sur le sol.

Lauren saisit une poignée de serviettes en papier sur la table de nuit et s'accroupit pour éponger le liquide.

— Qu'est-ce que tu fais ? cria Susie, ivre de colère. Est-ce que je t'ai demandé de faire le ménage ? Sors d'ici, espèce de sale petite morveuse !

Choquée par la dureté de ces propos, Lauren se raidit.

— Et les lettres ? bredouilla-t-elle.

— Explique à ton chef de service que Susie Regan les présentera à son mari quand il sera en état de comprendre ce qu'il signe.

Elle saisit Lauren par le cou, enfonçant cruellement ses ongles vernis dans sa peau.

— Va dire à Rat que s'il veut encore que je lui rende des services, il vaudrait mieux qu'à l'avenir je sois la première à découvrir le contenu du parapheur.

— C'est compris, balbutia la petite fille.

— Et que tout ceci reste entre nous. Si tu racontes ce qui s'est passé ici à qui que ce soit, je le saurai, tu peux me croire. Je demanderai aux responsables de l'internat de te battre si fort que tu ne pourras pas marcher pendant un mois.

Lauren, épouvantée, tourna les talons et se précipita vers la sortie.

30. Rien de très compliqué

Cachée dans les toilettes, Dana informa Michael de son départ imminent. Ce dernier l'assura qu'elle serait placée sous la surveillance d'une équipe de l'ASIS dès son arrivée à Darwin.

En début de soirée, un taxi déposa à l'aéroport de Brisbane les deux jeunes filles choisies pour mener la mystérieuse mission.

Brutalement arrachée à l'univers immuable où elle vivait depuis l'âge de huit ans, Ève perdit aussitôt de sa superbe. Sa tête était pleine d'anges, de démons et de slogans vides de sens. Le monde réel la terrorisait. Sa démarche et ses gestes se firent hésitants, son regard fuyant.

Tout à ses yeux était source d'inquiétude. Elle bombardait Dana de questions : quelle nourriture leur servirait-on dans l'avion ? L'appareil disposait-il de toilettes ? Risquait-elle d'être malade pendant le décollage ? Désorientée par la foule et la multitude de panneaux indicateurs du terminal, elle insista pour lui tenir le bras, de crainte de se retrouver seule et de ne jamais localiser le comptoir d'enregistrement.

Dana était horrifiée par les ravages provoqués par les méthodes de conditionnement de la secte sur l'esprit d'Ève. De son point de vue, ses responsables ne valaient pas mieux que des trafiquants de drogue. Comme eux, ils s'enrichissaient en détruisant des vies et auraient mérité d'être jetés en prison. Seulement, tout le monde semblait s'en moquer royalement.

Malgré ces considérations et l'attitude embarrassante de sa coéquipière, elle débordait d'enthousiasme. Elle n'avait pas la moindre idée de ce qui l'attendait à Darwin, mais le caractère strictement confidentiel de la mission que Ween leur avait confiée suggérait une affaire de la plus haute importance.

À minuit, après quatre heures de vol, le 737 atteignit le Territoire du Nord, l'État le moins peuplé d'Australie.

Dans le hall d'arrivée de l'aéroport, les deux filles remarquèrent un homme qui tenait une pancarte portant leurs noms. Il était très grand, athlétique, avec des cheveux blonds rassemblés en un petit catogan sur la nuque. Elles allèrent à sa rencontre.

Il ne fallut quelques secondes à Dana pour reconnaître son visage. Elle l'avait aperçu sur une photo extraite d'un film de vidéosurveillance. C'était l'individu qui avait été tabassé par Bruce Norris dans une chambre d'hôtel de Hong Kong, trois mois plus tôt.

— Bienvenue à Darwin, dit-il. Je m'appelle Barry Cox.

∴

Le lendemain matin, Dana se réveilla dans un grand lit douillet. Elle posa les pieds sur le parquet grinçant et se dirigea vers la fenêtre. Elle savait qu'elle se trouvait à une demi-heure de la ville, mais ils avaient rejoint la maison en pleine nuit, et elle n'avait pas pu observer le voisinage.

L'habitation la plus proche se trouvait à une trentaine de mètres, au-delà d'un terrain non bâti encombré de carcasses métalliques rouillées. Une camionnette jaune, ornée d'un logo représentant une antenne satellite, était garée dans une allée, de l'autre côté de la route.

Dana songea qu'elle aurait aimé vivre là, dans une bicoque un peu vieillotte, à plusieurs kilomètres de la ville. Elle aurait pu faire ce que bon lui semblait sans que personne ne vienne fourrer son nez dans sa vie privée ; se rendre en ville une fois par semaine pour faire quelques courses ; avoir un petit copain canon, qui soulève des haltères dans le garage, la laisse respirer et lire plein de bouquins, deux ou trois chiens, et surtout aucun enfant…

Ève entra dans la chambre sans frapper.

— C'est l'heure de l'office, à la communauté, dit-elle. Nous devrions prier et nous renforcer contre les démons.

Dana en voulait à sa camarade d'avoir perturbé son rêve éveillé, mais elle la laissa lui donner l'accolade. Elles s'assirent au bord du lit, puis Ève lut quelques paragraphes du *Manuel des Survivants*. Elles fermèrent les yeux et prononcèrent la prière rituelle de l'Arche.

— Gloire à toi, Seigneur. Nous sommes tes anges, nés pour te servir. Rends-nous plus fortes. Protège-nous. Nos âmes sont pures. Nos pensées sont honnêtes. Nous sommes des chefs. Nous guiderons l'humanité... à travers les ténèbres.

Alors, Dana réalisa qu'une femme au visage allongé et rougeaud les observait, immobile dans l'encadrement de la porte. Elle remarqua immédiatement une multitude de perles à son collier de cuir noir, signe qu'il s'agissait là d'une Survivante fanatique.

— Quels anges, soupira théâtralement l'inconnue. Deux belles jeunes filles qui prient de tout leur cœur... C'est l'une des choses les plus émouvantes que j'aie jamais vues.

Malgré la rage intérieure qu'avaient fait naître en elle ces niaiseries, Dana imita sa camarade et adressa à la femme un sourire béat. Cette dernière se précipita dans la chambre et les serra dans ses bras.

— Que Dieu nous protège, mes enfants.

— Que Dieu nous protège, répétèrent Ève et Dana.

— Je m'appelle Nina. Habillez-vous et rejoignez-moi à la cuisine pour prendre votre petit déjeuner. Barry et moi allons vous expliquer ce que nous attendons de vous.

.:.

James s'assit en face de Rat, se servit un bol de céréales au sucre glacé, puis planta une paille dans l'opercule d'un mini-brick de jus d'orange.

— Oh ! merde, murmura son camarade avant de baisser les yeux.

James jeta un coup d'œil par-dessus son épaule et vit Georgie qui marchait vers leur table d'un pas nerveux.

— Pourquoi fais-tu ça, James Prince ? rugit-elle.

— De quoi vous parlez ? demanda James, interloqué.

— Je parle de ton amitié avec Rathbone. Ça n'est pas bon pour ton avenir. Tu vas t'attirer des ennuis. Au moindre faux pas, je ne te ferai pas de cadeau.

James, jugeant plus prudent de ne pas attiser la colère de la femme, engloutit diplomatiquement une cuillerée de céréales.

— J'ai reçu un message de la direction, poursuivit Georgie. Tu dois accompagner Ernie pour une tournée spéciale. Il paraît qu'il y aura des objets lourds à porter. Finis ton petit déjeuner et file au garage.

.:.

Au même instant, deux mille kilomètres au nord de l'Arche, Dana, Ève et Nina étaient assises autour d'une table en plastique. Barry Cox, vêtu d'une veste blanche et d'un caleçon de bain, y déposa quatre assiettes contenant des œufs brouillés, du bacon, des galettes de pomme de terre et des champignons.

— Régalez-vous, dit-il sur un ton enjoué. La journée sera longue. Si le plan fonctionne comme prévu, vos maîtres sauront se montrer très reconnaissants.

Dana était soucieuse de ne pas éveiller les soupçons

de sa cible en la harcelant de questions, mais elle avait le sentiment que Barry l'incitait à en demander davantage.

— Vous ne portez pas de collier ? s'étonna-t-elle. Qui est votre maître à vous ?

— Je suis un environnementaliste. Je n'obéis qu'aux lois de la nature. Je suppose que vous avez toutes les deux entendu parler de *Sauvez la Terre* ?

Ève secoua la tête.

— C'est un groupe terroriste qui s'attaque aux compagnies pétrolières, expliqua Dana. Si tu avais lu un journal ou regardé la télé ces trois ou quatre dernières années, tu en aurais forcément entendu parler.

— Oh ! ça, ça ne risquait pas, répliqua Ève, indignée. Nous ne nous intéressons pas à la vie des démons.

— Tu fréquentes pourtant un collège public, fit observer Barry.

— Quand ils parlent de ce genre de choses, je prie en silence pour ne pas laisser leurs pensées négatives pénétrer mon esprit. Nous passons le plus clair de notre temps entre Survivants, de toute façon.

— Dana, tu nous qualifies de terroristes, mais nous rejetons ce terme. Nous sommes des combattants. Les groupes environnementaux sont impuissants face aux milliards des compagnies pétrolières et des gouvernements. Comment pourrions-nous nous dresser efficacement contre leurs agissements sans recourir à des méthodes extrêmes ?

— Mais vous n'êtes pas des anges, lâcha Ève, le regard sombre.

Nina lui adressa un sourire lumineux.

— Ève, ma chérie, tu sais que Joel Regan et son épouse se préoccupent des problèmes d'environnement. C'est Susie en personne qui vous a sélectionnées pour participer à cette opération. Ce que nous allons accomplir entrera dans l'histoire. C'est une opportunité pour nous de frapper les ennemis de la planète et de lever des fonds afin de bâtir d'autres Arches.

— Est-ce que Joel Regan est au courant ? demanda Ève, au comble de l'excitation. Je veux dire, est-ce qu'il connaît mon nom ?

— Bien sûr, ma chérie. Je ne serais pas étonnée que tu sois récompensée. Il t'accordera sans doute une audience privée. Peut-être recevras-tu une perle de platine, qui sait ?

À la perspective d'obtenir cette perle, la plus haute distinction qu'un Survivant puisse se voir attribuer, Ève bondit de sa chaise.

— Je n'arrive pas à y croire ! s'exclama-t-elle.

Dana lui caressa doucement le dos.

— Tu ne l'as pas encore gagnée, mon ange, dit-elle. Alors, Barry, qu'est-ce que vous attendez de nous ?

— Oh, rien de très compliqué. Vous devrez juste faire exploser deux supertankers.

31. Gaz naturel liquéfié

Ernie effectua un virage serré, quitta la route goudronnée et s'engagea sur une piste de terre qui filait droit dans le désert. Quelques minutes plus tard, James découvrit une baraque flanquée d'un hangar moderne dépourvu de fenêtre.

— Qui peut bien vivre dans un trou pareil ? demanda-t-il.

— Deux Américains. Je leur dépose le courrier une fois par semaine. Apparemment, ils s'apprêtent à déménager. C'est pour ça qu'on est là.

— Qu'est-ce qu'ils fabriquent ici ?

— De la peinture.

— De la peinture ? En plein milieu de l'Outback ?

— Le gouvernement accorde la nationalité australienne aux étrangers qui installent leur entreprise dans les régions les plus désertiques. Brian m'a fait visiter le labo, une fois. Ils produisent de minuscules quantités de pigment naturel destiné à la restauration d'œuvres d'art.

— Et pourquoi tu leur sers de facteur ? Ce ne sont pas des Survivants.

— Tu es bien curieux, ce matin. Ce sont des amis de Susie Regan, si j'ai bien compris.

— Oh, je disais ça comme ça, histoire de discuter, expliqua James, conscient qu'il ne pouvait pas pousser plus avant son interrogatoire sans éveiller les soupçons.

Ernie gara la camionnette entre la vieille maison et le hangar moderne aux murs aveugles, un assemblage de panneaux agglomérés coiffé d'un toit en tôle ondulée. Il lança trois coups d'avertisseur. James descendit du véhicule. C'était l'heure la plus chaude de la journée. En quelques instants, un nuage de mouches se forma autour sa tête.

— Ils sont forcément dans le coin, dit Ernie. Inspecte la maison. Je vais voir du côté du labo.

Sur ces mots, l'homme se dirigea vers la construction préfabriquée. James gravit les marches menant à la véranda et enfonça le bouton de la sonnette. N'obtenant pas de réponse, il poussa la porte et entra dans la cuisine.

Des cartons de déménagement étaient alignés sur le sol et le plan de travail.

— Eh ! y a quelqu'un ? lança-t-il.

Son regard se posa instinctivement sur les clichés exposés sur la porte du réfrigérateur : deux gamins portant des brassards gonflables posant à côté d'une piscine ; une photo de classe ; un couple âgé attablé dans un restaurant, lors d'une fête de famille ; un petit garçon posant devant la mer, sur une plage de galets...

— Putain de bordel de merde, lâcha James.

Il connaissait cet enfant. Il avait fait sa connaissance deux ans plus tôt, lors de sa première mission : Gregory Evans, fils de Brian Evans, dit « Bungle », le biologiste texan de *Sauvez la Terre* responsable d'une tentative d'attentat à l'anthrax visant deux cents politiciens et dirigeants de compagnies pétrolières. C'était l'un des criminels les plus recherchés de la planète.

Le cerveau de James tournait à plein régime.

Ernie avait affirmé que l'un des occupants de la maison se prénommait Brian.

De nombreux produits chimiques entraient dans la composition de la peinture. L'atelier de pigments était l'endroit idéal pour produire des armes biologiques et des explosifs sans éveiller les soupçons. James avait la conviction d'avoir mis la main sur le laboratoire recherché en vain depuis deux années par les forces de police.

C'était une découverte extraordinaire. À n'en pas douter, le démantèlement de la chaîne de production de *Sauvez la Terre* ferait les gros titres des journaux du monde entier. Mais pour l'heure, James se trouvait dans une situation désespérée : il avait rencontré Brian Evans à plusieurs reprises, au pays de Galles, lorsqu'il menait une mission d'infiltration sous le nom de Ross Leigh. Dès que l'homme verrait son visage, sa couverture volerait en éclats.

James sentit ses tripes se nouer. Conscient qu'il était exposé à un danger imminent, il décida d'examiner le contenu des cartons à la recherche d'un couteau de cuisine lui permettant de sortir vivant de cette confrontation. Mais avant qu'il ait pu mettre en œuvre sa stratégie, des pas résonnèrent dans l'escalier menant à l'étage.

— Salut, mon garçon, dit une voix à l'accent texan familier.

.:.

Sitôt le petit déjeuner achevé, Dana, Ève et Nina prirent place à bord d'une Subaru équipée d'une remorque transportant un canot pneumatique. Barry les conduisit jusqu'à une plage déserte, à une dizaine de kilomètres de la maison.

L'homme et les deux jeunes filles enfilèrent des combinaisons de plongée, mirent le Zodiac à l'eau puis s'y embarquèrent. Barry alluma le moteur et tourna la poignée des gaz. Nina, restée à terre pour surveiller la voiture, leur fit un signe de la main.

Tandis que la côte s'éloignait, Barry s'adressa à ses coéquipières :

— Ce que j'attends de vous est assez simple, mais il faut que vous m'écoutiez attentivement, ou l'opération de ce soir échouera.

Il leur apprit à manipuler les commandes du canot puis les laissa le diriger à tour de rôle. Lorsqu'il fut certain qu'elles en maîtrisaient la conduite, il sortit deux récepteurs GPS d'un sac à dos et expliqua leur fonctionnement. Il consulta une carte étanche, lut à haute voix les coordonnées d'un point géographique et ordonna à Ève de les y conduire.

Un enfant de cinq ans aurait été capable de se repérer à l'aide des dispositifs de localisation. Ils atteignirent leur cible moins de dix minutes plus tard, une anse naturelle formée par une double barrière de récifs. L'eau était claire, et l'on pouvait apercevoir l'épave renversée d'un chalutier, quelques mètres sous la surface.

— Coupe le moteur, ordonna Barry. Replacez les GPS dans leur étui et écoutez-moi attentivement.

Il sortit de son sac trois disques noirs semblables à des frisbees.

— Couler un pétrolier de cent mille tonnes équipé d'une double coque et de compartiments étanches n'est pas chose facile. Vous devrez positionner ces explosifs avec précision.

— On ne va pas provoquer une marée noire ? demanda Dana.

— En général, *Sauvez la Terre* ne s'attaque qu'aux tankers vides, mais les mesures de sécurité ont été considérablement renforcées. Toutes nos cibles potentielles sont placées sous étroite surveillance. Cette fois, nous allons changer de tactique et frapper une installation GNL.

— Ça veut dire quoi, GNL ? demanda Ève.

— Gaz naturel liquéfié. Cette région dispose des plus grandes réserves de gaz naturel de la planète. Ces ressources sont principalement vendues au Japon, qui n'en possède pas et se place au deuxième rang mondial en termes de consommation. Pour être transporté, le gaz doit être porté à moins soixante-dix degrés, température à laquelle il devient liquide et ne présente plus de danger d'explosion. Ce processus de liquéfaction est réalisé dans des installations spéciales, des centrales sophistiquées dont la construction s'élève à plusieurs milliards de dollars. Les tankers réfrigérés, eux, ne coûtent que quelques centaines de millions supplémentaires.

— Vu l'investissement, j'imagine que ce commerce doit rapporter gros, sourit Dana.

Barry hocha la tête.

— Les enjeux sont considérables. La destruction d'une installation GNL pourrait ébranler profondément l'industrie pétrolière. En plus, le gaz brûle sans produire de déchets et ne produit pas d'effets à long terme sur l'environnement.

— Pas de marée noire ni d'oiseaux mazoutés, alors ?

— Rassure-toi, il n'y a aucun risque.

— Vous avez parlé d'une installation. Je croyais que nous devions nous attaquer à des pétroliers.

— Exact. Notre but, c'est de faire sauter les bateaux à quai, pendant la phase de réapprovisionnement. Selon nos calculs, l'explosion devrait raser le terminal.

Dana afficha une expression grave.

— Si on se fait prendre, on n'est pas près de sortir de prison.

— Ne dis pas des choses pareilles, s'indigna Ève. Ne

laisse pas les pensées négatives envahir ton esprit. Nous sommes des Survivantes, ne l'oublie pas. Nos âmes sont pures. Dieu nous protégera.

∴

James se retourna lentement, convaincu d'être confronté à Brian Evans, mais il se retrouva nez à nez avec un inconnu. Son visage ressemblait étrangement à celui de Brian, mais il avait les cheveux bouclés et quelques années de moins.

— Je m'appelle Mike. Tu es venu nous aider pour le déménagement ?

— Oui, Ernie est allé voir si vous étiez dans le hangar.

— Tu regardais la photo de mon neveu ?

— Ouais. Il est adorable. Elle a été prise à Brighton, non ? On reconnaît la jetée au second plan.

— Je sais pas. Je ne suis jamais allé en Angleterre. Tu es de là-bas ?

— Pas vraiment. J'ai vécu à Londres ces trois dernières années.

— C'est drôle comme tu as attrapé l'accent. Un vrai petit Cockney.

Ernie fit irruption dans la cuisine.

— Ah ! te voilà, Mike. Tu n'as pas entendu les coups de klaxon ?

— Si, mais j'étais au grenier, en train de terminer les cartons.

— Brian n'est pas là ?

— Non. Il avait des trucs à régler avant de partir. Il passera à l'Arche dans la soirée.

James ressentit un profond soulagement.

— J'espère que vous vous plairez dans le Sud, dit Ernie. Nos longues discussions vont me manquer.

Mike se tourne vers James.

— J'espère que tu es costaud. Le matériel de l'atelier pèse une tonne.

— Rassure-toi, répondit Ernie. Ce gamin ne paye pas de mine, mais tu devrais le voir jeter les sacs de courrier dans le camion. Un vrai petit homme, n'est-ce pas, fiston ?

James détestait que les adultes le traitent avec une telle condescendance. Il ravala sa fierté et adressa à son interlocuteur son plus beau sourire de Survivant.

.:.

Dana s'assit sur un boudin du Zodiac, puis se jeta à l'eau, le disque de métal serré contre sa poitrine. C'était son cinquième essai. Cette fois, elle portait un masque équipé d'un filtre noir destiné à simuler une plongée en pleine nuit. Malgré la clarté ambiante, elle ne distinguait que des silhouettes obscures et imprécises.

Elle effectua quatre mouvements de brasse puis, estimant qu'elle avait atteint son objectif, nagea sur place, le corps positionné à la verticale. Ses orteils frôlèrent la coque du chalutier.

Elle prit deux profondes inspirations puis plongea.

Elle posa la main sur la paroi et approcha la bombe factice. L'objet, équipé d'un puissant aimant, se fixa aussitôt en produisant un son creux.

Elle tâtonna quelques instants à la recherche de l'interrupteur neutralisé par une goupille d'acier censée empêcher un déclenchement accidentel. L'oxygène commençait à lui manquer, mais la perspective de devoir recommencer l'exercice la dissuada d'abandonner.

Lorsqu'elle parvint enfin à retirer l'anneau de métal, elle enfonça le bouton et donna un coup de talon pour regagner la surface.

Alors qu'elle s'apprêtait à se hisser à bord du Zodiac, Barry lui tendit une nouvelle mine magnétique.

— C'était pas trop mal, lança-t-il, mais tu dois faire moins de bruit en posant la charge. Le choc était audible depuis la surface. Souviens-toi qu'il y aura sans doute des membres d'équipage sur le pont des pétroliers.

Et tu as l'intention de les tuer, pensa Dana, horrifiée par tant de cynisme.

— Laissez-moi reprendre mon souffle un moment.

Barry secoua la tête.

— Non. Tu y retournes immédiatement. Je veux que tu reproduises cet exercice trois fois de suite. Je dois m'assurer que tu es à la hauteur de la mission.

32. À brève échéance

James, Mike et Ernie passèrent une demi-heure à charger les cartons et les malles contenant l'équipement du laboratoire à l'arrière du camion.

James était impatient de contacter John pour lui faire part de ses récentes découvertes. Il craignait que les frères Evans ne s'évanouissent dans la nature, mais sa radio miniaturisée n'était pas assez puissante pour émettre jusqu'au quartier général de son contrôleur de mission.

Ils regagnèrent l'Arche aux alentours de midi. Ernie gara son véhicule sur le tarmac de l'aéroport, près d'un petit avion de transport.

Le pilote ouvrit la soute et abaissa la rampe mécanisée. Mike, James et son coéquipier transbordèrent laborieusement le matériel. La chaleur, amplifiée par les gaz d'échappement pulsés par les turbines, était indescriptible.

Chaque caisse était pesée avant d'être sanglée au fuselage. L'équipage refusa obstinément de leur prêter main-forte. Le copilote les traita avec mépris, se contentant de consigner les détails du chargement dans un calepin.

James acheva l'opération dans un état d'extrême fatigue. L'avion emportant Mike Evans et les preuves de ses agissements criminels s'engagea sur la voie de circulation menant à la piste de décollage.

Ernie consulta sa montre.

— Tu devrais te dépêcher si tu ne veux pas rater le déjeuner, dit-il. Je vais ramener le camion au hangar. On se retrouve tout à l'heure, pour la tournée quotidienne.

— Ça marche, patron, répondit James avec un enthousiasme fabriqué.

Le pilote poussa la manette des gaz, produisant un grondement assourdissant, puis le jet passa à pleine vitesse à une vingtaine de mètres. James se boucha les oreilles. Des vapeurs de kérosène lui brûlèrent la gorge. Lorsque l'appareil eut pris les airs, il se frotta les yeux, cracha sur le sol goudronné, puis se dirigea vers le terminal.

Le choc initial occasionné par la découverte du laboratoire clandestin de *Sauvez la Terre* s'était dissipé, mais il restait inquiet à l'idée de croiser Brian Evans. En outre, le matériel de fabrication d'armes biologiques et d'explosifs se dirigeait à cet instant précis vers une destination inconnue à la vitesse de huit cents kilomètres heure.

Il devait à tout prix entrer en contact avec son contrôleur de mission.

James pénétra dans le terminal désert. Soucieux d'éviter le champ des caméras de surveillance, il se dirigea droit vers les toilettes.

Lorsqu'il essaya de se rafraîchir le visage au lavabo, il constata que l'eau avait été coupée.

Il s'enferma dans une cabine, s'assit sur la cuvette, ôta sa basket, puis souleva la semelle intérieure sous laquelle était dissimulée la radio.

Il appuya sur l'interrupteur et plaça la fine bande de plastique contre son oreille.

— John, tu m'entends ?

— Je te reçois cinq sur cinq, répondit Chloé.

— Où est John ?

— Il s'est envolé pour Darwin pour superviser le travail de Dana.

— Qu'est-ce qu'elle fout là-bas ?

— On ne sait pas encore. Ween lui a confié une mission spéciale.

— D'accord, répondit James en s'efforçant de digérer cette information inattendue. Écoute, je n'ai pas beaucoup de temps. J'ai découvert le labo clandestin de *Sauvez la Terre*. Il se trouvait dans un hangar à sept kilomètres de l'Arche.

— Comment ça, *se trouvait* ?

— Je les ai aidés à déménager. Tout le matériel vole en ce moment même dans un avion immatriculé A0113D. Je n'ai aucune idée de sa destination.

— C'est noté, dit Chloé. L'ASIS devrait le localiser grâce aux signaux émis par le transpondeur.

— Espérons qu'ils ne l'ont pas désactivé.

— Croisons les doigts. De mon côté, ce matin, j'ai eu un long entretien avec l'officier de l'ASIS chargé de surveiller les mouvements financiers sur le compte des Survivants géré par *Lomborg Financial*. Ils ont récemment misé des sommes considérables sur la hausse brutale des coûts de l'énergie au Japon. C'est ce qui se produit systématiquement après chaque attaque de *Sauvez la Terre*.

— Pourquoi le Japon ?

— On ne sait pas encore, mais les Survivants ont l'air très sûrs de leur coup : ils ont emprunté des millions et investi massivement dans des produits dérivés à risque pour maximiser leurs profits. Ce sont des contrats à terme à brève échéance, ce qui signifie que *Sauvez la Terre* va frapper un grand coup dans les deux jours à venir.

— OK, dit James. J'essaierai de te joindre dès que j'aurai du nouveau.

∴

De retour à la villa, Barry Cox ordonna aux filles de rejoindre leurs chambres et de dormir quelques heures.

Lorsqu'elle se retrouva seule, Dana sortit la radio de sa chaussure, se glissa sous son duvet et parla à voix basse, tout près du micro.

— Est-ce que quelqu'un me reçoit ?

— Fort et clair, répondit John, au grand soulagement de la jeune fille.

— Tu ne peux pas savoir comme je suis contente de t'entendre. Écoute, les choses se précisent, ici. Je suis plongée au beau milieu d'une opération de *Sauvez la Terre*. On va attaquer un terminal pétrolier, dès cette nuit.

— Où ça va se passer ?

— Tout ce que je peux te dire, c'est que notre cible est une installation spécialisée dans le GNL. Ça veut dire gaz naturel liquéfié. Tu en as déjà entendu parler ?

— Non, mais c'est un détail important. Deux secondes, j'ai un agent de l'ASIS assis en face de moi. C'est une fille du coin.

Dana patienta près d'une minute.

— OK, dit John. Selon elle, il y a très peu de terminaux GNL en Australie. Le plus proche se situe à trente kilomètres de Darwin. C'est l'un des plus importants employeurs de la ville.

— Je pense que c'est notre cible.

— Elle me confirme que c'est le seul terminal GNL du nord de l'Australie. Au fait, je t'ai observée sur la plage avec des jumelles, tout à l'heure. Tu peux me confirmer que c'est Barry Cox qui dirige les opérations ?

— Affirmatif. Sa mâchoire fait un drôle de bruit quand il mange. Bruce n'y a pas été de main morte.

— C'est emmerdant. Il m'a vu, à Hong Kong. Je vais devoir garder mes distances, on ne sait jamais. La femme qui se trouvait avec vous a été identifiée : elle s'appelle Nina Richards. C'est une activiste environnementaliste. L'ASIS la soupçonne d'appartenir à *Sauvez la Terre* depuis un bail, mais ils n'ont pu présenter aucune preuve concrète.

— Tu es sûr ? s'étonna Dana. Elle se comporte exactement comme une Survivante.

— Eh bien, il faut croire que tu n'es pas la seule à savoir jouer la comédie. À mon avis, *Sauvez la Terre* avait besoin de petits soldats obéissants pour accomplir la phase la plus dangereuse de l'opération, et Susie Regan a accepté de les leur fournir. Nina se fait passer pour une Survivante de haut rang pour s'assurer que vous ferez sans discuter tout ce qu'ils vous demandent.

— Alors, vous allez intervenir ?

— On aimerait pincer Barry et Nina en flagrant délit, mais je ne veux pas que tu sois exposée à des risques aussi importants. Je vais parler avec les responsables de l'ASIS et mettre sur pied une stratégie. Contacte-moi par radio avant de quitter la maison.

33. Quelque chose derrière la tête

Lauren avait espéré que son travail de bureau lui donnerait l'opportunité de mettre la main sur des documents permettant d'établir de manière irréfutable un lien entre *Sauvez la Terre* et les Survivants.

Confrontée à une montagne de factures et de bons de commande concernant des achats de vêtements et de nourriture émanant des communautés du monde entier, elle ne tarda pas à déchanter. Une preuve se trouvait sans doute quelque part sur un disque dur ou dans l'une des armoires de classement du service comptabilité, mais il était statistiquement peu probable qu'elle la découvre avant des semaines, voire des mois.

Rat détestait ses fonctions administratives. Chaque fois que l'occasion se présentait, il faussait compagnie à ses supérieurs et s'enfermait dans une remise pleine de vieux meubles de bureau pour lire *Oliver Twist* en grignotant des biscuits. Son livre de poche, volé dans une salle de classe et dévoré une douzaine de fois, tombait en lambeaux. Seul un ruban élastique empêchait sa désagrégation définitive.

Ayant achevé un laborieux travail de classement, Lauren s'accorda une pause clandestine pour retrouver Rat dans sa cachette. Pendant une demi-heure, le garçon lui parla de jeux vidéo, un sujet qui le fascinait. Il voulait tout savoir : de combien de boutons disposaient les manettes ? Que pouvait-on stocker sur une carte mémoire ? Quels jeux étaient les plus populaires ?

Au moment où Lauren se levait pour rejoindre son poste, elle entendit des voix féminines de l'autre côté de la porte. Elle se figea, craignant de trahir la cachette de son ami.

— C'est qui ? chuchota Rat.

Lauren colla son oreille au panneau de bois.

— Nom de Dieu ! c'est Susie et Eleanor.

Rat vint se placer à ses côtés pour espionner la conversation.

— Lâche-moi, espèce de tordue ! gronda Susie Regan.

— Dès que tu m'auras dit où sont passés les soixante-dix millions de dollars qui ont disparu de nos comptes, ces cinq derniers jours.

— Qu'est-ce que j'ai à voir là-dedans ?

— En théorie, mon père et moi sommes les seuls à pouvoir émettre des ordres de vente. Et là, je découvre que *Lomborg Financial* a tout liquidé.

— Pourquoi tu ne demandes pas à Joel avant de m'accuser ?

— Ne te fous pas de ma gueule, Susie. Je ne suis pas

née de la dernière pluie. Je sais que tu as fait une scène à mon père pour qu'il t'accorde la signature. Tu as abusé de sa faiblesse.

— Arnos Lomborg nous a toujours permis de nous enrichir. Ça ne te dérange pas trop quand nous réalisons des plus-values, n'est-ce pas ? Sans moi, ta chère Arche du Nevada ne serait encore qu'un vague projet.

— Et d'où vient cette capacité miraculeuse à fabriquer de l'argent ?

— Je sais où investir.

— Épargne-moi tes salades, s'il te plaît. Je ne suis pas une experte de la finance, mais je sais qu'il est impossible de réaliser honnêtement deux cents pour cent de bénéfices en trois semaines.

— Contente-toi de compter les billets et de la fermer. Ce qui te défrise, c'est de ne pas être en contact avec Lomborg. Quelles étaient les sources de revenus des Survivants, avant que je ne prenne en main leurs intérêts financiers ? Des distributeurs de bouffe et des tirelires ? Vous étiez au bord de la banqueroute. Joel a failli tout foutre en l'air avec ce projet stupide de Disneyland religieux en plein désert.

Rat adressa à Lauren un sourire oblique. À l'évidence, il ne comprenait pas vraiment de quoi parlaient les deux femmes. Il ignorait que sa camarade, elle, saisissait tous les tenants et les aboutissants de cette conversation : Susie Regan était le lien entre *Sauvez la Terre* et les Survivants. Joel était trop faible pour prendre des décisions, et l'Araignée était hors du coup.

— C'est très touchant de t'inquiéter pour ton vieux papa, cracha Susie. C'était quand, la dernière fois que tu lui as rendu visite ?

— Tu le surveilles comme un chien de garde. C'est toi qui me tiens à l'écart !

— Allez, dégage de ma vue, l'Araignée. Tu n'as pas autre chose à faire que de me mettre des bâtons dans les roues ? Un office à présider ou des perles à distribuer ?

— Tu es un démon. Ça me rend malade que mon père puisse partager son lit avec une mécréante.

Susie éclata de rire.

— Et ça y est, c'est reparti. Ton père n'a pas rencontré Dieu, Eleanor. Il a inventé toute cette histoire pour se faire du fric.

Ce blasphème sembla réjouir Rat au plus haut point. En bonne petite Survivante, Lauren fit mine d'être profondément choquée.

— Mon père est un grand homme, s'étrangla Eleanor. Un prophète. Dieu te fera payer pour tout ça.

Lauren savait que les deux femmes se livraient une guerre acharnée pour le contrôle de l'organisation, mais elle n'avait pas imaginé que leur rivalité se plaçait également sur le plan religieux.

— Oh ! pitié, gémit Susie. Je n'ai même pas envie de discuter de ces âneries. Tire-toi de mon chemin.

L'Araignée frappa violemment du poing contre la porte.

Lauren et Rat, craignant d'être découverts, coururent se cacher sous une table. Après quelques secondes de silence, ils comprirent que Susie et Eleanor s'étaient éloignées.

— Il faut que j'y aille, dit la jeune fille. J'ai une tonne de photocopies à faire.

Elle quitta la remise puis s'enferma dans les toilettes pour communiquer à Chloé les détails de la conversation qu'elle venait de surprendre.

— Ce que tu as découvert à propos des mouvements de fonds confirme nos informations, répondit l'assistante. En revanche, nous ne savions pas qu'Eleanor et les adeptes ignoraient tout des rapports de la secte avec *Sauvez la Terre*.

— Est-ce que Susie a été liée à des groupes environnementalistes avant d'épouser Joel Regan ?

— Pas vraiment. Comme la plupart des top models, elle a toujours refusé de porter de la fourrure pendant les défilés, mais c'est à peu près tout. Il est possible que sa collaboration avec *Sauvez la Terre* ne soit qu'un moyen de se remplir les poches.

Chloé informa Lauren des derniers développements de l'opération, de la découverte du laboratoire clandestin et de la participation de Dana à un attentat imminent.

— Au fait, tu sais où se trouve ton frère ? demanda-t-elle.

— Il doit être en tournée avec Ernie. J'espère le voir au réfectoire, ce soir.

— Il faut que tu entres en contact avec lui dès son retour.

— Ça devrait être faisable. Le bureau où je travaille est situé tout près du hangar, mais les surveillants de l'internat se lanceront à ma recherche si je disparais trop longtemps. Je risque de me prendre une sérieuse raclée.

— Nous n'avons pas le choix, trancha Chloé. Le gouvernement australien sait maintenant qu'un attentat est sur le point de se dérouler sur son sol. Le ministre de l'Intérieur fera une déclaration télévisée, ce soir, à vingt heures trente, pour mettre le pays en état d'alerte maximum. Toutes les installations pétrolières seront évacuées. Dana et ses amis terroristes seront arrêtés dès qu'ils auront embarqué à bord de leur bateau. Au même moment, des soldats envahiront l'Arche et arrêteront tout le monde pour interrogatoire.

— Ils vont lancer l'assaut ? Dès ce soir ?

— Les militaires australiens s'entraînent pour ce raid depuis la découverte de la complicité entre *Sauvez la Terre* et les Survivants. Ils veulent intervenir rapidement pour éviter que des preuves ne soient détruites ou que s'installe une situation de siège. Soixante membres des forces spéciales vont débarquer à bord de quatre hélicoptères. Une douzaine d'officiers de l'ASIS seront chargés de sécuriser le périmètre. L'objectif est de déposer le commando à l'intérieur de l'Arche et d'en prendre le contrôle avant que les adeptes n'aient le temps de réagir.

— Ça me paraît super risqué. Il y a des sentinelles armées dans les tourelles. Selon Rat, le sous-sol grouille d'armes de guerre, et on entendra le rotor des hélicos à des kilomètres.

— Ce sont des spécialistes, Lauren. Nous devons leur

faire confiance. Je suis certaine qu'ils ont tout prévu, mais je préfère que James et toi ayez quitté l'Arche avant vingt heures, lorsque l'assaut sera lancé. Ça vous laisse un peu plus de deux heures pour foutre le camp. Retrouve ton frère dès sa descente du camion postal. Si ça vous semble possible, essayez de pénétrer dans le bureau de Susie pour faire des copies de ses disques durs. Dès que les hélicos se pointeront, elle détruira toutes les preuves compromettantes.

— Son bureau se trouve dans la résidence de Joel Regan. Je ne connais pas bien les lieux. Je n'y suis allée qu'une seule fois...

— Parles-en à James. Si vous pensez que c'est trop risqué, laissez tomber. Ma priorité numéro un, c'est que vous sortiez sains et saufs de cet asile de fous. Piquez une voiture, forcez un poste de sécurité et roulez droit devant vous. Ensuite, contactez-moi par radio pour que je vienne vous récupérer.

Lauren prit brutalement conscience de l'ampleur des événements qui s'annonçaient. Elle fut saisie de vertige. Le raid sur l'Arche et la découverte des liens unissant *Sauvez la Terre* et les Survivants allaient faire les gros titres des journaux télévisés du monde entier.

— Il n'y a que deux gardes par tourelle, dit Lauren. On devrait pouvoir les neutraliser facilement en jouant sur l'effet de surprise.

— Génial. Mais souviens-toi, la sécurité d'abord.

— Compris, dit Lauren en jetant un coup d'œil à sa montre. On se voit dans deux heures.

⁂

Les lois de la secte concernant la propriété privée n'avaient pas permis aux agents de CHERUB d'emporter leur matériel de piratage. Quelques minutes avant la fin de son service, Lauren ouvrit discrètement le placard à fournitures, saisit une boîte de CD vierges et se dirigea vers le service postal.

— Je te raccompagne à l'internat ? proposa Rat.

— Tu ne dois pas porter le parapheur à ton père ?

Rat secoua la tête. Son regard se posa sur la boîte de CD.

— Selon Susie, il n'est pas en état de lire ou de signer quoi que ce soit, aujourd'hui. C'est quoi, ces disques ?

— Oh, bredouilla Lauren. Je dois donner ça à un type du courrier.

— Je peux les apporter à ta place. Je n'ai pas grand-chose à faire.

— Non, ne te dérange pas. J'ai terminé ma journée, de toute façon.

— Oh, toi, tu as quelque chose derrière la tête.

— Mais non, qu'est-ce que tu vas chercher ?

— Je t'ai déjà dit que j'avais un QI de cent quatre-vingt-dix-sept ?

— Mmmh, laisse-moi réfléchir, dit Lauren en posant un index sur sa lèvre inférieure. Je pense que tu me l'as répété trente-six ou trente-sept fois.

Vexé, Rat fronça les sourcils.

— Bon, ben puisque c'est comme ça, je vais bouffer. À demain après-midi, fillette.

— À demain, rebelle, sourit Lauren.

Convaincue qu'elle voyait le garçon pour la dernière fois, elle le regarda quitter la pièce puis, la gorge serrée, rejoignit le service du courrier. C'était une pièce aux murs couverts de casiers, dont l'unique fenêtre donnait directement sur le hangar à véhicules, situé deux étages en contrebas. Elle vit James et Ernie descendre du camion postal. Dans quelques secondes, tout au plus, son frère allait se diriger vers son bâtiment d'habitation, où les filles n'étaient pas admises.

Elle coinça la boîte de CD dans l'élastique de son short, ouvrit la trappe du tube métallique destiné à l'acheminement des sacs de courrier jusqu'au rez-de-chaussée. Elle s'engagea dans le réduit étroit et obscur, et s'y laissa glisser. Après une vertigineuse descente, elle traversa un mur de lamelles de caoutchouc, atterrit brutalement sur le sol du hangar, puis courut à la rencontre de son frère.

— Eh, attends-moi ! hurla-t-elle.

James jeta un coup d'œil par-dessus son épaule, serra la main d'Ernie, puis rebroussa chemin.

— Qu'est-ce qui se passe, petite sœur ?

34. Arrêt de mort

En début de soirée, Dana entra une nouvelle fois en contact avec John. Le contrôleur de mission l'assura qu'une équipe de l'ASIS surveillait le moindre de ses mouvements. Ils étaient parvenus à glisser un mouchard sous le châssis de la Subaru. Des policiers avaient investi tous les points stratégiques de la côte.

Les membres de son groupe seraient interceptés au moment précis où ils embarqueraient à bord du canot, équipés des bombes magnétiques et des récepteurs GPS. Dans l'hypothèse improbable où ils parviendraient à prendre la mer, trois vedettes des garde-côtes australiens et un navire de patrouille américain se tenaient prêts à les intercepter avant qu'ils n'atteignent le terminal GNL.

Dana descendit dans la cuisine et aida Nina à préparer des spaghettis à la sauce tomate. Tout le monde était sur les nerfs. Seul Barry parvint à finir son assiette. Lorsque Ève se porta volontaire pour faire la vaisselle, il lui adressa un sourire et lança :

— Les héros ne font pas la vaisselle. De toute façon, nous ne reviendrons pas ici.

Nina prit la main des jeunes filles.

— Je pense que nous devrions prier pour repousser les démons.

Barry, qui avait du mal à dissimuler son mépris pour ce type de rituel, se joignit au cercle.

— Gloire à toi, Seigneur, psalmodia Nina. Nous sommes tes anges, nés pour te servir…

Dana avait l'impression de flotter. Elle s'efforça de faire le vide dans sa tête et de retrouver son calme.

— … nous guiderons l'humanité… à travers les ténèbres.

— Amen ! s'exclama joyeusement Ève.

— Amen, répéta Dana.

Barry émit un rot bruyant et se leva de table.

— C'est l'heure de mettre les voiles. Si vous avez besoin d'aller aux toilettes, c'est le moment ou jamais.

— Je suis prête, sourit Dana. Je peux vous aider à transporter le matériel dans le coffre de la voiture ?

— Non. Tout a déjà été placé sur le bateau par notre équipe de soutien.

C'était une mauvaise nouvelle. Dana avait espéré que les policiers profiteraient du temps nécessaire au chargement du Zodiac pour procéder à l'arrestation.

Barry s'adressa aux deux filles.

— Dana, tu vas venir avec moi pour régler un dernier petit problème. Ève, je veux que tu aides Nina à placer les bombes incendiaires dans la maison.

— Oh ! il est vraiment nécessaire d'en arriver là ?

— On n'est jamais trop prudent. On a dû laisser des traces d'ADN un peu partout. Les minuteurs se déclencheront vingt minutes après notre départ. Le feu devrait prendre facilement, dans cette vieille baraque en bois.

Nina et Ève se dirigèrent vers le garage où étaient entreposés les jerrycans de pétrole, les détonateurs et les explosifs.

Dana suivit Barry jusqu'à l'entrée. Il se hissa sur la pointe des pieds pour saisir la poignée d'une trappe située au plafond, abaissa l'échelle métallique menant aux combles et gravit trois barreaux. Il passa un bras dans l'ouverture obscure, tâtonna quelques instants, puis en sortit un pistolet automatique équipé d'un silencieux. Il ôta le chargeur, vérifia qu'il était approvisionné, avant de le replacer dans la crosse. Dana considéra l'arme d'un œil inquiet.

— À quoi va-t-il te servir ? demanda-t-elle.

Barry lui adressa un large sourire.

— Je dois me débarrasser de deux démons, lâcha-t-il.

⁂

— J'étais pourtant certaine que c'était par là, maugréa Lauren. Si seulement j'avais conservé le plan que Rat m'a donné...

Elle contempla avec perplexité le plafond humide de la galerie souterraine.

— On est paumés, dit James. Admets-le.

— Non, non, je sais où on est, en gros. Je pense qu'on s'est juste trompés de côté, dans la salle où étaient entassées toutes ces chaises en plastique.

James consulta sa montre.

— Il est presque six heures et demie. Ça fait déjà quinze minutes qu'on galère. On ne peut pas se permettre de traîner ici toute la nuit.

— Je sais, je ne suis pas stupide. Si tu pouvais la boucler une minute pour me laisser réfléchir ! Voyons... Depuis le couloir du bureau, on a pris deux fois à gauche, on a descendu l'escalier en spirale et...

James tourna les talons et se remit en route.

— Eh ! tu vas où ?

— Je remonte à la surface.

— Mais je suis certaine qu'on est tout près de la résidence. Je reconnais ces couloirs.

— Normal. Ils sont tous strictement identiques.

Une porte s'ouvrit à la volée quinze mètres devant eux. Un homme portant un tablier blanc s'engagea dans la galerie en poussant un chariot chargé de boîtes de conserve. James et Lauren se cachèrent derrière une armoire électrique.

— Bon, au moins, je ne regrette pas d'avoir raté le dîner, chuchota James. Je déteste la salade de fruits.

Ils se tinrent immobiles pendant trente secondes puis, s'étant assurés que l'inconnu n'était plus en vue, rejoignirent une intersection en forme de T à l'extrémité du couloir.

— James, on a encore le temps. Essayons une dernière fois.

— D'accord, mais après, on remonte.

Alors, la voix de Rat résonna sur la voûte de la galerie :

— Je peux vous aider ?

Lauren et James tressaillirent.

— Nom de Dieu, Rat ! s'étrangla ce dernier, tu m'as foutu une de ces trouilles. Qu'est-ce que tu fous là ?

Le garçon adressa un clin d'œil à Lauren.

— Je savais bien que tu avais une idée derrière la tête. Tu as laissé la trappe ouverte derrière toi, au service courrier.

James passa rapidement en revue les options qui s'offraient à lui. Bien sûr, il aurait pu neutraliser son ami, mais il n'avait aucune envie de lui faire du mal. En outre, sa connaissance des lieux pouvait leur être d'une grande utilité.

— Si je te dis la vérité, est-ce que tu nous conduiras au bureau de Susie Regan ?

Lauren jeta un regard anxieux à son frère.

— Tu ne peux pas faire ça.

Révéler l'existence de CHERUB était un motif d'expulsion définitive, tout comme l'usage des stupéfiants et les relations sexuelles entre mineurs de moins de seize ans.

— Alors, tu peux nous y conduire ? répéta James, ignorant délibérément la question de sa sœur.

— Je connais ces souterrains par cœur, dit Rat, mais si Susie me trouve dans son bureau, je peux dire adieu à mon cul et me préparer à passer un mois au sauna. Il me faudrait une bonne raison pour prendre de tels risques.

— On ne retournera pas à l'internat. On s'évade. Quelqu'un va venir nous chercher en voiture. Tu pourras venir avec nous.

— Tu es sérieux ? balbutia Rat, que cette perspective rendait fou de joie.

Puis son visage s'assombrit.

— Seulement, je voudrais bien savoir pourquoi vous voulez visiter le bureau de Susie avant de vous tailler ?

— Le temps presse, dit James, incapable d'improviser une explication plausible. Mettons-nous en route. Je vais tout te raconter.

∴

Barry et Dana empruntèrent une porte donnant sur l'arrière de la maison, puis progressèrent furtivement à l'abri d'une palissade.

— Fais gaffe où tu mets les pieds, dit Barry. J'ai déjà vu quelques serpents traîner dans le coin.

Dana n'avait pas peur des reptiles. Le colosse armé d'un pistolet chargé qui se trouvait à ses côtés l'inquiétait davantage.

— Où est-ce qu'on va ?

— Je me suis fait agresser à Hong Kong, il y a quelques mois. Un truc de dingue. Un gamin m'a assommé avec un poing américain. Quand j'ai repris conscience, j'étais ligoté en position de sécurité. Aucun enfant n'aurait pu faire ça. Je crois que les services secrets étaient sur ma piste et qu'ils ont profité de la situation pour fouiller ma chambre d'hôtel.

Dana était stupéfaite que Barry, comme des centaines de criminels avant lui, n'ait même pas envisagé la possibilité d'avoir été victime d'un agent secret en culottes courtes.

J'ai réalisé qu'ils étaient après moi dès mon retour à Brisbane, quelques jours plus tard. Je pensais les avoir semés, mais on dirait que je me suis gouré.

— Qu'est-ce qui te fait penser ça ?

— J'ai grandi dans le coin. Une ancienne petite amie de l'école travaille au poste de police local. Je lui ai filé quelques billets pour surveiller les transmissions radio des voitures de patrouille et m'informer de tout événement sortant de l'ordinaire. La nuit dernière, un flic a remarqué deux inconnus dans une camionnette bleue à l'arrêt. Quand il leur a demandé ce qu'ils foutaient là, ils ont sorti des insignes de l'ASIS et lui ont ordonné de leur foutre la paix.

— C'est quoi l'ASIS ? demanda Dana sur un ton innocent.

— Les services secrets australiens. C'est une chance qu'elle m'ait tenu au courant. Sans son aide, l'opération aurait échoué.

Barry s'immobilisa à l'extrémité de la palissade, puis jeta un coup d'œil furtif à la rue.

— Tu vois cette Holden rouge ?

Dana pencha la tête et découvrit une grosse berline

rouge garée entre deux maisons abandonnées. Un homme et une femme étaient assis à l'intérieur. Leur poste d'observation avait été maladroitement choisi. Le Territoire du Nord ne grouillait pas de criminels, et Dana supposait qu'une opération de police d'une telle ampleur devait avoir mobilisé tous les policiers disponibles, même les moins expérimentés.

Elle réalisa avec effroi que la vie des deux agents était entre ses mains. Mais que pouvait-elle faire ? Barry était un géant rompu aux techniques de combat à mains nues. Il n'était pas question de le prendre par surprise. Il était armé et sur ses gardes.

L'homme saisit son pistolet de la main droite puis, de l'autre, composa un numéro sur un téléphone Motorola.

— Nina, je suis en position. Tu es prête à lever le camp ?

— Tout est en place, confirma la femme. On se dirige vers la porte.

Barry coupa la communication et tendit l'appareil à Dana.

— Va frapper à la vitre côté conducteur. Essaye d'avoir l'air bouleversé. Dis-leur que ton petit copain vient de te foutre à la porte et que ton téléphone est déchargé. Supplie-les de te laisser appeler un taxi. Il faut juste que tu attires leur attention pendant quelques secondes, le temps que je m'approche de la bagnole.

— D'accord, répondit Dana d'une voix tremblante. Tu... tu vas les tuer ?

— Je n'ai pas d'autre solution.

Le cerveau de la jeune fille tournait à vide.

— Je ne peux pas faire ça, sanglota-t-elle.

— On n'a plus le temps de jouer, gronda Barry avant de tourner le canon de son arme vers la poitrine de Dana. Tu vas faire très exactement ce que je te demande. Et si tu déconnes, je n'hésiterai pas à te tirer dans le dos. Allez, lève-toi !

Elle marcha comme un automate jusqu'à la voiture.

Le temps se figea. Chaque pas semblait durer une éternité. Elle avait le sentiment que son sang était entré en ébullition.

Par pitié, Dieu, n'importe qui, sortez-moi de là.

Son regard se posa sur les maisons délabrées qui encadraient le véhicule des agents de l'ASIS, cherchant une ouverture où se glisser. Les fenêtres étaient barrées de planches et les portes équipées de cadenas.

Elle se porta à la hauteur de la Holden, puis se baissa pour frapper à la vitre de la conductrice. C'était une femme mince, un peu trop maquillée. Son coéquipier n'avait pas plus de vingt ans.

Vous allez mourir.

— Écoutez... dit Dana lorsque la vitre fut descendue.

Elle ignorait encore quelles paroles elle allait prononcer. En alertant des agents, elle risquait de signer son arrêt de mort. Si elle se taisait, rien ne pourrait plus les sauver.

Mais elle n'eut pas le temps de dire un mot de plus. Barry surgit derrière Dana, la poussa sur le côté et abattit la femme à bout portant. Le jeune homme tourna la tête, une expression d'effarement absolu sur le visage. Un second projectile le toucha en pleine poitrine.

Il y avait peu de sang à l'intérieur de la voiture. Les coups de feu n'avaient pas produit plus de bruit que deux coussins frappés l'un contre l'autre. Dana tourna les talons et marcha droit devant elle, comme dans un mauvais rêve. Deux autres détonations feutrées résonnèrent à ses oreilles. Elle comprit que Barry venait d'achever froidement ses victimes.

Elle sentit son estomac se tordre. Sa tête tournait. Un sentiment de panique absolue s'empara de son esprit. Elle était désorientée. Des taches vertes et violettes dansaient devant ses yeux.

— On bouge, lança Barry en la tirant par le bras.

La voix de l'homme lui semblait étrangement métallique, comme transmise par l'écouteur d'un vieux poste téléphonique.

Il la traîna jusqu'à une voiture gris métallisé et la poussa sur la banquette arrière.

— Dépêchez-vous ! lança Nina depuis le siège conducteur.

Dana entendit des claquements de portières, puis le véhicule se mit en mouvement. Elle se tourna pour jeter un dernier regard incrédule à la Holden rouge.

— Désolé de t'avoir bousculée, mon ange, mais je n'avais pas le choix, dit Barry. Tu t'en es super bien sortie.

— On n'a pas pris la Subaru ?

Eh non. Cette bagnole-là nous a attendus bien gentiment dans un garage proche de la maison pendant deux semaines. On peut être certains qu'elle n'a pas été trafiquée par les services secrets.

Dana glissa ses mains sous ses bras pour les empêcher de trembler. Sa situation était désespérée : l'équipe chargée de surveiller la maison avait été liquidée devant ses yeux et la voiture qui l'emmenait vers l'inconnu n'était pas équipée de dispositif de localisation.

Elle ferma les yeux et respira profondément. Elle devait se reprendre, poursuivre la mission coûte que coûte. Deux innocents avaient perdu la vie. Elle devait tout mettre en œuvre pour que *Sauvez la Terre* ne fasse pas d'autres victimes.

35. Une lourde erreur

Il fallut de moins de trois minutes à Rathbone Regan pour conduire James et Lauren jusqu'au palais du gourou.

— Alors comme ça, votre père est un espion ? dit Rat, visiblement peu convaincu, en pénétrant dans le hall aux murs de marbre blanc.

— Pas exactement un espion, bredouilla James, qui tâchait tant bien que mal d'échafauder une explication crédible sans dévoiler l'existence de CHERUB. Disons qu'il connaît quelques types qui travaillent pour les services secrets australiens. Quand notre mère a pété les plombs et a rejoint les Survivants, il leur a demandé d'organiser notre évasion. Ils ont accepté de nous aider, à condition qu'on jette un coup d'œil au bureau de Susie avant de partir.

— Ah ! bon. Et comment ont-ils communiqué avec vous ?

— On a des radios planquées dans nos baskets, expliqua Lauren.

— Et pourquoi les services secrets s'intéressent-ils à Susie Regan ?

James poussa un soupir accablé. Il espérait que cette manifestation d'agacement dissuaderait son ami de le questionner davantage.

— Je ne sais pas, et franchement, je m'en fous. Du moment qu'on peut se tailler d'ici et retourner vivre avec notre père…

Ils atteignirent la rampe menant à l'étage.

— Si on passe par là, on va se faire choper par le majordome, chuchota Rat. Mais je connais une autre entrée. Je ne sais pas ce que vous auriez fait, sans moi.

— C'est bon, inutile de retourner le couteau dans la plaie, grogna James. Je t'ai déjà dit que je regrettais de ne pas t'avoir proposé de venir avec nous.

Rat fit pivoter un panneau de marbre invisible à l'œil nu. Ils pénétrèrent dans un vestiaire encadré de tringles métalliques où pendaient des centaines de cintres en bois, puis s'arrêtèrent devant une porte.

— Ne faites pas de bruit et restez sur vos gardes. En plus du majordome, deux employés de ménage et l'infirmière de mon père vivent à ce niveau.

Ils traversèrent anxieusement une buanderie et une cuisine désaffectée assez vaste pour nourrir une centaine d'invités, s'engagèrent dans le couloir étroit qui desservait les chambres minuscules réservées aux employés de maison et atteignirent l'escalier menant à l'étage.

Le majordome était étendu de tout son long au pied des marches.

Rat resta bouche bée. James s'accroupit au chevet de l'homme, plaça la main sur son cou et constata qu'il était encore en vie.

— Je ne vois aucune blessure.

— Il a sans doute été drogué, estima Lauren.

— Combien de temps tu penses qu'il va rester inconscient ? demanda Rat.

— Tout dépend de ce qu'on lui a fait avaler. Entre une heure et un jour, voire plus, si on lui a administré de la Kétamine, ou un truc dans ce genre.

James se tourna vers sa sœur.

— Qu'est-ce qu'on fait ? On continue ?

— Il se passe des trucs pas nets. C'est sans doute risqué, mais je pense qu'on devrait essayer d'en savoir plus. Ça pourrait être capital pour la mission.

— Quelle mission ? s'étonna Rat.

Lauren réalisa qu'elle venait de commettre une gaffe.

— Eh bien... la mission que nous ont confiée les amis de notre père, répondit-elle d'une voix mal assurée.

— Attendez, il y a un truc que je ne comprends pas, là. Qu'est-ce qui nous empêche de nous barrer et de dire à vos copains espions qu'on n'a pas réussi à entrer dans le bureau de Susie ?

— On a promis à notre père de faire le maximum, dit James. Et puis, je me plains tout le temps qu'il ne se passe rien d'excitant dans ma vie, alors...

Les trois amis gravirent l'escalier et débouchèrent dans un couloir au sol recouvert d'une épaisse moquette.

— On peut y aller, chuchota Rat après s'être assuré que les lieux étaient déserts.

Il marcha à pas de loup jusqu'à une porte.

— Voilà, c'est ici. Qu'est-ce qu'on fait ? On entre ?

— On va quand même s'annoncer, répondit James. Si quelqu'un se manifeste, on se barre en courant.

Il frappa à trois reprises puis, n'obtenant pas de réponse, tourna la poignée. La porte n'était pas fermée à clé.

C'était une vaste pièce meublée d'un bureau à plateau de marbre et de fauteuils tendus de cuir violet. Lauren resta postée près de l'entrée. James se précipita vers l'ordinateur et constata que le panneau latéral avait été démonté, exposant un entrelacs de fils électriques.

— Et merde ! s'exclama-t-il.

— Un problème ? interrogea Rat.

— Ils ont pris le disque dur. C'est comme s'ils avaient su qu'on allait se pointer ici.

— C'est indispensable pour faire fonctionner l'ordinateur ? demanda Rat, qui ignorait tout de l'informatique.

— Plutôt, oui, répondit James. Toutes les informations sont stockées dessus.

— Tu penses que Susie a des complices dans l'ASIS ? Elle a peut-être reçu un tuyau concernant l'assaut, suggéra Lauren.

— Quel assaut ? s'étonna Rat.

James ignora sa question.

— Je ne sais pas. J'ai déménagé le laboratoire des

frères Evans, ce matin. Si ça se trouve, elle a l'intention de prendre le large avec Brian. Mike m'a dit qu'il devait passer ici ce soir pour régler quelques détails.

— Comment vous connaissez Brian Evans ? s'étrangla Rat.

James et Lauren observèrent un silence embarrassé.

— Bon ! cette fois ça suffit, lâcha le garçon. J'en ai marre que vous me preniez pour un débile. Vous voulez que je vous aide, alors que vous n'arrêtez pas de me mentir ? Vous pouvez aller vous faire foutre !

— S'il te plaît, Rat, la situation est déjà assez compliquée. Je te promets que tu peux nous faire confiance. Je t'expliquerai tout plus tard. Pour le moment...

— Non, je veux tout savoir immédiatement.

— Bon, je vois que je n'ai pas vraiment le choix... Nous sommes des agents en mission d'infiltration. Notre objectif est de découvrir les liens entre les Survivants et un groupe terroriste nommé *Sauvez la Terre.* On voulait saisir les données de l'ordinateur de Susie avant de partir parce qu'un commando héliporté va prendre l'Arche d'assaut dans moins de quatre-vingt-dix minutes.

Rat s'accorda quelques secondes de réflexion.

— D'accord, tout s'explique, dit-il. C'est pour ça que vous ne vous êtes pas laissé laver le cerveau, que vous vous battez comme des pros et que vous connaissez tous ces trucs sur les ordinateurs. Waow, alors ça, c'est vraiment incroyable !

Lauren se sentit soulagée. Son frère n'avait pas lâché

le mot CHERUB. Si Rat s'avisait de répéter ces confidences, personne n'en croirait un traître mot.

— Voilà, tu connais toute la vérité, lança James. Maintenant, dis-moi ce que tu sais sur les frères Evans.

— Oh, pas grand-chose. Je ne savais même pas que Brian avait un frère. Un jour, je me suis pointé ici pour présenter le parapheur à Susie et je les ai surpris en pleine partie de galipettes sur le bureau. Elle a complètement flippé. Elle a menacé de me faire liquider si je racontais quoi que ce soit.

— Bien sûr ! s'exclama James. Elle va se tirer avec lui. Il y avait un autre avion en stand-by, quand je suis passé près de l'aéroport avec Ernie, tout à l'heure. Ils ont drogué le majordome et récupéré les disques durs pour faire disparaître les preuves de leurs combines.

Rat hocha la tête.

— Ça expliquerait pourquoi elle m'a dispensé de lui présenter les documents, aujourd'hui. Ce que je ne comprends pas, c'est pourquoi elle a pris toutes ces précautions pour cacher son départ. Elle n'est pas en cage, ici. Elle va souvent à Sydney pour faire du shopping.

— L'avion n'a pas encore décollé. C'est un jet. On aurait entendu le grondement des réacteurs. Je vais contacter Chloé par radio pour l'avertir que Susie est sur le point de se faire la malle.

Soucieuse de ne pas attirer l'attention des forces de police, Nina conduisait avec prudence.

Les images de la fusillade défilaient en boucle dans l'esprit de Dana. Elle était parvenue à retrouver toutes ses facultés. Elle était convaincue qu'elle n'était pas responsable du drame qui venait de se dérouler. En de telles circonstances, rien ni personne n'aurait pu sauver les deux agents de l'ASIS.

La voiture atteignit les faubourgs de Darwin puis emprunta une route secondaire déserte. Elle franchit un portail métallique et s'engagea sur un chemin de terre menant à une ferme abandonnée. Dana réalisa qu'ils se trouvaient à des kilomètres des côtes. Elle découvrit alors un bimoteur à hélices, derrière une étable.

— Qu'est-ce que ça veut dire ? s'étonna Ève. On ne part plus en mer ?

Nina immobilisa le véhicule et retira la clé de contact d'un coup sec.

— Si, mais notre bateau nous attend aux îles Wessel, à six cents kilomètres d'ici, dit Barry.

Dana n'y comprenait plus rien. À l'évidence, le raid visant la station GNL des environs de Darwin n'était plus d'actualité. Selon John, l'unique installation comparable en Australie se trouvait à plus de trois mille kilomètres de la côte Nord. Un bateau mettrait plusieurs jours à parcourir une telle distance.

Elle descendit de la voiture et chercha vainement du regard un indice trahissant la présence d'une unité de surveillance de l'ASIS.

Barry se dirigea vers l'avion et ôta les bâches qui recouvraient les turbines. Nina retira les cales glissées sous les roues.

— Le vol va durer combien de temps ? demanda Dana.

— Environ une heure et demie, répondit Barry. Ensuite, on embarquera sur un yacht à grande vitesse qui nous permettra de traverser la mer d'Arafura en quatre heures, quatre heures et demie maximum.

— Oh, murmura Dana, qui n'avait entendu parler ni des îles Wessel ni de la mer d'Arafura.

Par chance, Ève connaissait bien la géographie du continent océanique.

— Alors le terminal GNL est situé en Indonésie ?

Le sang de Dana se glaça dans ses veines. John et ses coéquipiers de l'ASIS n'avaient pris en compte que les installations pétrolières australiennes. C'était une lourde erreur. L'Indonésie ne se trouvait qu'à quelques centaines de kilomètres par voie de mer.

— On ne pouvait pas vous informer de tous les détails, les filles, expliqua Nina, tandis que Barry ouvrait la porte latérale de l'appareil. Lors des opérations de *Sauvez la Terre*, chacun ne sait que ce qu'il doit savoir.

— Pas bête, répondit machinalement Dana, qui prenait progressivement la pleine mesure de la situation catastrophique dans laquelle elle se trouvait.

La mission n'allait pas s'achever comme prévu, par une arrestation rondement menée sur un dock des environs de Darwin. Elle se retrouvait livrée à elle-même. Le rayon d'action de sa radio ne lui permettait pas de contacter son contrôleur de mission avant le décollage.

Malgré le dégoût que lui inspiraient les terroristes, elle ne pouvait s'empêcher d'éprouver de l'admiration pour leur efficacité, leur sens de l'organisation sans faille et leur faculté de berner les autorités.

Barry prit place sur le siège du pilote et fit signe à ses complices d'embarquer. Les moteurs vrombirent, puis l'appareil se mit à rouler. Nina ferma la porte du compartiment réservé aux passagers.

— Bouclez vos ceintures, ordonna Barry. Vu l'état de la piste, je ne peux pas vous garantir un décollage en douceur.

36. Fugitifs

Rat se dirigea vers le fond de la pièce et poussa une bibliothèque qui glissa latéralement sur un rail de métal, dévoilant une petite porte.

— Ce bureau était celui de ma mère, autrefois. Ça, c'est son dressing.

Les deux garçons pénétrèrent dans un réduit équipé d'une large penderie, d'un minibar et d'une coiffeuse où étaient alignés des produits de maquillage et des flacons de parfum de grande marque.

— J'adore ces pièces cachées, dit James. Plus tard, chez moi, il y aura des passages secrets partout.

Les cintres qui jonchaient le sol trahissaient l'empressement avec lequel Susie Regan avait quitté les lieux. Un léger voile de fumée flottait dans les airs.

— La corbeille à papier est pleine de cendres, fit remarquer Rat. Ils ont brûlé toutes les preuves qu'ils ne pouvaient pas emporter.

— Nom de Dieu ! s'étrangla Lauren, qui était restée postée à l'entrée du bureau. Susie et Brian sont dans le couloir. Ils portent des valises et des sacs de voyage.

Elle ferma doucement la porte puis y plaqua l'oreille. Trente secondes s'écoulèrent.

— C'est bon, ils sont passés.

— Ils se dirigeaient dans quelle direction ? demanda James.

— Vers l'escalier qui descend aux quartiers d'habitation du personnel.

— Il faut qu'on se tire, dit Rat. J'ai peur qu'ils repassent ici. Susie a laissé un tas de fringues. Ça ne lui ressemble pas.

— Mais on risque de tomber sur eux dans la résidence…

— On va passer par la chambre de mon père. Il dort tout le temps, de toute façon. Le majordome est inconscient, et je te parie n'importe quoi qu'ils ont aussi neutralisé l'infirmière et les femmes de ménage.

— Et après, comment on quitte l'Arche ?

— À cette heure-ci, il n'y a que deux postes de sécurité ouverts. Mieux vaut éviter la tourelle de l'aéroport, si on ne veut pas tomber sur Brian et Susie. Il ne reste que celle située près du hangar des véhicules.

— Ça fait une trotte, remarqua James, mais les vigiles sont super détendus, de ce côté-là. Ils ne nous regardent même pas, Ernie et moi, quand on sort avec le camion.

Il s'assit sur le tabouret placé devant la coiffeuse, ôta sa basket et saisit son émetteur miniaturisé. Rat considéra le dispositif avec stupéfaction.

— Chloé, tu m'entends ?

— Cinq sur cinq, répondit la jeune femme.

— Il y a du nouveau ici. Brian Evans se trouve dans la résidence de Regan. Il s'apprête à se tirer en avion avec Susie. Apparemment, ils s'amusent bien derrière le dos de Joel Regan, si tu vois ce que je veux dire. Ils ont brûlé un tas de documents et emporté le disque dur de l'ordinateur.

— Tant pis, James. Merci d'avoir tenté le coup. Je vais demander à l'ASIS de prendre l'appareil en chasse. Ils procéderont à leur arrestation dès l'atterrissage.

— On va piquer le camion postal et sortir de l'Arche par la tourelle côté hangar.

— Parfait. Je vous retrouve à cinq kilomètres, sur la route principale. Vous serez là dans combien de temps ?

— Vingt minutes, une demi-heure maximum. Ah ! au fait, il y a un léger changement de programme. Rathbone Regan est avec nous. Comme il avait des soupçons, il nous a suivis et nous a surpris dans les souterrains.

— Tant pis, amène-le. On réglera le problème plus tard.

James glissa la radio dans sa poche.

— C'est bon, on se tire.

Les trois fugitifs se ruèrent dans le couloir, puis pénétrèrent dans une salle de bains dont l'immense baignoire était ornée de robinets en or représentant des têtes de cygne.

Lauren remarqua un rasoir et un blaireau sur la tablette, au-dessus du lavabo.

— Combien vous croyez que ça pourrait nous rapporter sur *eBay* ?

— C'est quoi *eBay* ? demanda Rat.

— Laisse tomber, dit James en adressant à sa sœur un regard réprobateur. Lauren, tu peux éviter de compliquer les choses ?

Ils s'engagèrent dans le corridor menant à la chambre de Joel Regan. Rat s'approcha furtivement du lit de son père.

— Papa ! cria-t-il.

— Moins fort, protesta James. Tu vas le réveiller.

— Regarde comme il est blanc… Bon sang, quelqu'un a retiré son tube à oxygène.

Lauren posa une main sur le front du gourou.

— Froid comme la pierre, lâcha-t-elle avant de s'écarter vivement. Il est mort il y a au moins une heure.

— Oh ! la vache, gémit Rat.

— Je suis désolée, murmura la jeune fille en caressant doucement l'épaule de son ami.

— Il était complètement dépendant de l'oxygène. Je suis sûr que c'est Susie qui a fait le coup. Elle a dû agir pendant qu'il dormait. Ça explique pourquoi ils étaient si pressés de quitter l'Arche.

— Excusez-moi, mais ce n'est pas le moment de traîner, fit observer James.

— Pour l'amour de Dieu, tu ne peux pas lui laisser une minute ? gronda Lauren, indignée.

— Non, il a raison, bredouilla Rat, au bord des larmes. De toute façon, mon père ne s'est jamais intéressé à moi.

James saisit sa radio et informa Chloé de leur macabre découverte. L'assistante de mission s'accorda quelques secondes de réflexion.

— Il s'agit sans doute d'une manœuvre de diversion destinée à faire croire que Susie a détourné les fonds sur les comptes des Survivants pour son seul profit. Ils espèrent que les forces de police se concentreront sur l'hypothèse de l'assassinat crapuleux et ne feront pas le rapprochement avec *Sauvez la Terre*.

James consulta sa montre.

— OK ! On file au hangar immédiatement. Tout va bien, il nous reste une heure avant l'assaut.

Ils quittèrent la chambre de Joel et sprintèrent dans le couloir menant à la porte d'entrée de la résidence.

— Ça craint, lâcha Rat d'une voix anxieuse. L'Araignée est complètement fêlée. Quand elle découvrira que notre père est mort et que Susie s'est taillée, elle va faire boucler le périmètre. Je ne serais pas étonné qu'elle annonce la fin du monde et ordonne la distribution des flingues et des munitions.

— Ça va faire mal, dit James en poussant une double porte de bois exotique. Une poignée de fanatiques religieux contre un commando des forces spéciales... Je sais sur qui je vais parier.

Ils atteignirent l'entrée du palais, franchirent une baie vitrée, contournèrent la piscine extérieure, puis entamèrent l'ascension d'une haute clôture métallique.

À cet instant précis, dans un grondement assourdissant, le jet transportant Susie Regan et Brian Evans s'élança sur la piste de décollage située à moins d'un kilomètre.

Ils franchirent l'obstacle, se frayèrent un chemin dans un enchevêtrement de buissons, puis rejoignirent l'allée goudronnée menant au Temple de l'Arche.

Conscients qu'ils devaient à tout prix s'abstenir de courir sous peine d'attirer les soupçons, ils marchaient du pas vif propre aux Survivants, les yeux braqués sur la pointe de leurs chaussures. Ils croisèrent un adepte qui leur lança un regard inquisiteur. Ils n'avaient aucune raison de se trouver là : à cette heure, tous les élèves de l'internat étaient réunis dans la cour d'exercice.

— On ne devrait pas passer par les tunnels ? chuchota James à l'oreille de Rat.

— Garde ton calme. Si quelqu'un nous pose des questions, je dirai qu'on est en mission pour Susie.

Ils contournèrent les murs blancs du Temple, puis se dirigèrent vers le hangar. L'équipe de l'après-midi ayant achevé son service, les immeubles de bureaux qui encadraient le parking couvert étaient inoccupés.

Soudain, l'Araignée, accompagnée de deux hommes, déboucha à l'angle de l'un des bâtiments et marcha d'un pas nerveux dans leur direction.

James, Rat et Lauren s'attendaient à subir un interrogatoire serré, mais les deux adeptes leur firent signe de s'écarter pour laisser passer Eleanor.

— Qu'est-ce que tu penses de ça ? demanda James, lorsque le trio se fut éloigné.

— Elle a des espions partout, dit Rat. Elle a dû apprendre que Susie avait foutu le camp.

— Je suis sûr qu'elle va aller voir son père.

— Et elle va découvrir son cadavre, ajouta Rat.

— Merde, souffla James. En combien de temps peut-elle ordonner la fermeture des tourelles ?

— En deux coups de fil, le périmètre sera bouclé.

James sentit un flot d'adrénaline déferler dans ses veines. Il ne leur restait plus que dix à quinze minutes pour s'échapper de l'Arche.

Lauren lui lança un regard entendu.

— On court ? dirent-ils avec une parfaite simultanéité.

— Et comment ! répondit Rat.

Les trois fuyards prirent leurs jambes à leur cou.

— Il faut qu'on récupère les clés du camion, fit observer James. Je sais qu'Ernie les dépose dans l'un des bureaux de l'administration à la fin de son service.

— Toutes les clés des véhicules utilitaires sont rangées dans une boîte dans le bureau de la grosse.

— De qui ? demanda James.

— C'est la connasse qui dirige la comptabilité.

— Rat la déteste, expliqua Lauren. Elle lui fait faire du classement au sous-sol à chaque fois qu'elle le surprend en train de glander.

Ils atteignirent le bâtiment.

— Bordel, c'est fermé, gronda James en lançant un violent coup de pied dans la porte. J'aurais dû m'en douter.

— Les toboggans à courrier, lâcha Rat.

Ils se précipitèrent dans le hangar. James fut le premier à traverser le rideau de lamelles de caoutchouc et à entamer l'ascension du tube métallique.

Il avait parcouru trois mètres lorsqu'il dérapa, glissa en arrière et donna un coup de pied involontaire à sa sœur.

— Eh ! fais gaffe, cria-t-elle en portant une main à sa lèvre.

— C'est bon, bredouilla James, j'ai pas fait exprès.

La jeune fille lui adressa un regard noir. Derrière eux, Rat, qui se hissait en posant la semelle de ses baskets sur les boulons qui liaient l'une à l'autre les deux parties du tube, gagnait rapidement du terrain.

— Wow, c'est vrai que je t'ai pas loupée, murmura James en examinant la bouche sanglante de sa sœur. Attends-nous en bas. Tu risques de foutre du sang partout.

— Ramène-moi des Kleenex, pauvre naze ! lança Lauren avant de se laisser glisser vers le hangar.

Parvenu au sommet du toboggan, James ouvrit la trappe d'un coup de poing, produisant un vacarme assourdissant.

— Mais vas-y, va carrément prévenir les vigiles qu'on s'évade, protesta Rat.

Les deux garçons franchirent la porte menant à la comptabilité et coururent jusqu'au bureau de la chef de service. Rat désigna une boîte à clés murale.

— Elle est verrouillée.

James décrocha l'extincteur suspendu à quelques centimètres du coffret.

— Recule.

Il écrasa le lourd cylindre métallique contre le couvercle de plastique transparent. Une pluie de clés s'abattit sur la moquette.

— Il me faut un peu plus de lumière.

Rat actionna l'interrupteur situé à l'entrée de la pièce. Les deux néons fixés au plafond illuminèrent le bureau. James s'accroupit et examina les clés éparpillées sur le sol.

— C'est bon, je l'ai ! lança-t-il en s'emparant d'un porte-clés Toyota.

Sur ces mots, il se dressa d'un bond. Rat s'empara d'une boîte de Kleenex posée sur une étagère, puis les deux complices se ruèrent vers le service postal. Ils se glissèrent l'un après l'autre dans le tube de métal. Un boulon déchira la poche du short de James.

Il trouva Lauren assise au pied du toboggan. Rat lui tendit le paquet de mouchoirs en papier.

— Tu vas bien ? demanda James, qui se sentait un peu coupable.

— Je pense que je survivrai, répondit la jeune fille en tamponnant sa lèvre inférieure.

Ils se dirigèrent vers le camion d'Ernie. James prit place derrière le volant. Rat et Lauren se pressèrent à ses côtés. Il était intimidé. Malgré la direction assistée, l'ABS et la boîte automatique, il n'avait jamais conduit un véhicule aussi massif.

Il tourna la clé de contact, libéra le frein à main et enfonça l'accélérateur.

— Moins vite, James, supplia Lauren.

— On n'a pas le temps d'être prudents, répliqua James en s'engageant sur la route goudronnée menant au poste de sécurité.

La lumière du jour commençait à décliner. En approchant de la tourelle, il réalisa que la herse métallique avait été abaissée.

— Oh, c'est pas vrai ! hurla Rat en frappant le tableau de bord des deux pieds.

James envisagea un instant de mettre les gaz et de défoncer le portail, mais il estima qu'il avait dû être conçu pour résister à une attaque de démons ou à une apocalypse nucléaire. Il pila net.

— Bon, qu'est-ce qu'on fait maintenant ?

— Tirons-nous de ce camion et trouvons un endroit où nous cacher, répondit Lauren.

37. Action Man

L'avion filait dans un ciel d'encre en direction des îles Wessel, un minuscule archipel situé à six cents kilomètres, à l'est de Darwin. Dana était recroquevillée sur une banquette, à l'arrière de la cabine.

Elle doutait que les agents de l'ASIS aient pu suivre la trajectoire de l'appareil et mettre en place un comité d'accueil. Après la découverte des corps de leurs collègues, ils considéreraient sans doute que les terroristes de *Sauvez la Terre*, conscients d'avoir été repérés par les services secrets, avaient annulé l'attaque avant de disparaître dans la nature.

C'est à Dana, et à elle seule, que revenait la lourde charge de déjouer l'attentat. Selon ses estimations, en comptant l'équipage des pétroliers et les employés de la station GNL, au moins cinquante vies étaient en jeu. Pourtant, elle ne se sentait pas accablée par la lourde responsabilité qui pesait sur ses épaules. Elle nourrissait désormais à l'égard de Barry une haine sans borne. Elle était motivée, de nouveau en pleine possession de ses moyens, fermement décidée à lui faire payer ses crimes. Elle disposerait de quatre heures, sur le bateau qui devait les conduire en Indonésie.

Lorsque le yacht se trouverait en pleine mer, les membres du groupe terroriste baisseraient leur garde. Avec un peu de chance, ils s'accorderaient quelques moments de repos. Dana ne possédait pas d'arme, mais elle savait qu'elle trouverait de quoi neutraliser ses adversaires sur l'embarcation : hameçons, cordes, ustensiles de cuisine…

Dana avait vécu sur le campus de CHERUB depuis l'âge de sept ans. Elle avait été brûlée, gelée, à demi noyée et atteinte par d'innombrables projectiles au cours des exercices d'entraînement. Elle avait lu des centaines de manuels et appris à parler couramment le russe. Un jour, un instructeur sadique lui avait plongé le visage dans son propre vomi. Hélas, les efforts consentis n'avaient jamais porté leurs fruits. Toutes les missions auxquelles elle avait participé s'étaient soldées par un échec ou un succès en demi-teinte.

Une chance de démontrer ses capacités s'offrait enfin à elle. C'était comme si les huit années écoulées n'avaient été qu'un long et ennuyeux prologue aux événements qui allaient se dérouler dans la nuit.

.:.

Chloé avait garé son véhicule sur le bas-côté de la route, à deux kilomètres de l'Arche. De la position qu'elle occupait, un calme absolu semblait régner dans le complexe. Elle tenait un téléphone satellitaire contre son oreille. La voix de son interlocuteur, parasitée par le son d'un rotor d'hélicoptère, était à peine audible.

— Vous ne comprenez pas ce que je vous dis ? cria-t-elle. Je vous répète qu'il y a plus de cent gamins là-dedans. Et mes deux agents infiltrés m'ont assuré que des armes lourdes étaient entreposées dans le sous-sol.

— Nous sommes parfaitement conscients des forces qu'ils sont en mesure de nous opposer, mademoiselle, répondit le commandant de l'unité d'assaut sur un ton condescendant. Cette opération a été soigneusement planifiée. Nous nous entraînons depuis deux mois.

— Mais vous êtes bouché, ou quoi ? Selon les informations dont je dispose, Joel Regan est mort. Vous allez lancer l'assaut au pire moment. L'Arche a été bouclée. Les Survivants sont sur leurs gardes.

— Je suis navré, mais on ne m'a pas communiqué ces éléments.

— Ben si, puisque je viens de tout vous expliquer !

— Écoutez, vous n'êtes pas en mesure d'interrompre cette opération. Nous serons sur zone dans neuf minutes. Ne vous inquiétez pas pour vos agents. Nous sommes parfaitement préparés. Notre plan a été approuvé par le Premier ministre en personne.

— Y a-t-il un officier de l'ASIS près de vous ?

Le chef du commando, soulagé de se débarrasser de Chloé, tendit l'émetteur à son voisin, un responsable des services secrets australiens.

— Vous êtes qui, exactement ? demanda l'homme.

— Chloé Blake, du MI5. Mes deux agents infiltrés à l'intérieur de l'Arche m'ont informée qu'Eleanor Regan avait distribué des armes à tous les adeptes en âge de se battre. Si vous vous posez à l'intérieur de l'enceinte, vous allez devoir faire face à une riposte significativement – je dis bien *significativement* – plus importante que vous ne l'imaginez.

— Mademoiselle Blake, on ne m'a même pas tenu informé de cette mission d'infiltration, et il nous est impossible d'annuler l'assaut à ce stade de son déroulement. Si vous êtes toujours en contact avec vos agents, suggérez-leur de se mettre à l'abri. Si vous estimez que notre comportement est inapproprié, je vous invite à rédiger une plainte officielle dès que l'opération sera achevée.

— Faudrait encore que vous soyez en vie pour la lire, espèce de connard !

Sur ces mots, Chloé coupa la transmission et jeta le téléphone sur le siège passager. Elle poussa un grognement inarticulé puis saisit l'émetteur qui lui permettait d'entrer en contact avec ses agents.

— James, tu me reçois ?

— Fort et clair. Où on en est ? Ils sont toujours décidés à attaquer ?

— J'en ai bien peur, dit Chloé. À vingt heures pile, comme prévu. Quelle est votre situation ?

— Rien de nouveau. Eleanor a fait une annonce sur la sono interne pour informer les adeptes de la mort de son père. Elle leur a ordonné de se préparer à l'attaque des démons. Tout le monde court dans tous les sens, déguisé en Action Man. Quand ils entendront les hélicos, ils vont croire que leur putain d'apocalypse est arrivée.

— Tu peux me donner des détails sur leur armement ?

— Ils sont équipés de fusils d'assaut automatique AK-47 et M16. Il paraît qu'il y a des canons de vingt millimètres et des lance-grenades dans les tourelles.

— Vous vous trouvez où, en ce moment ?

— Dans une salle de cours du centre de formation des adultes, au premier étage. Il n'y a personne, à part nous. Le bâtiment est laissé à l'abandon depuis que l'Arche a cessé d'accueillir des gens de l'extérieur.

— Vous ne pouvez pas trouver une planque plus sécurisée ?

— On pourrait se réfugier dans les souterrains, mais on ne pourrait pas te dire ce qui se passe à l'extérieur.

— Peu importe, dit Chloé. On a complètement perdu la main. Le commandant des forces spéciales n'écoute pas ce que je lui dis et les officiers de l'ASIS qui participent à l'opération n'ont même pas été informés de votre mission d'infiltration. Ils m'ont tellement poussée à bout que j'ai fini par les insulter…

— Ça ne te ressemble pas.

— Mettez-vous à l'abri et tenez-vous tranquilles, compris ?

— Tu sais bien qu'on n'est pas du genre à prendre

des risques, ironisa James, malgré l'inquiétude qui le tenaillait. Je te contacte dès que j'ai du nouveau.

Chloé coupa la communication. Alors, elle perçut une pulsation profonde, un grondement lointain qui s'amplifiait à chaque seconde. Elle consulta la pendule digitale du tableau de bord. Il était dix-neuf heures cinquante-sept.

∴

L'avion se posa sur une plage, à la lumière d'une batterie de projecteurs alimentés par un générateur diesel. Les passagers détachèrent leur ceinture puis descendirent de l'appareil. Un homme portant des chaussures bateau et un ample bermuda vint à leur rencontre.

Il s'adressa à Barry avec un accent texan prononcé :

— Le bateau est prêt à partir. Vu que la mer est calme, tu pourras pousser les moteurs à fond si nécessaire. Garde un œil sur la jauge de carburant. Au-delà de cinquante nœuds, la consommation atteint huit litres par minute. À cette vitesse, vous ne pourrez pas regagner l'Australie.

— Et que dit le radar ? demanda Nina.

— C'est le calme plat, dans l'air comme sur mer. Je suis sûr à quatre-vingt-dix-neuf pour cent que personne ne vous a suivis depuis Darwin.

Sur ces mots, l'homme se tourna vers les jeunes filles.

— Tu ne me présentes pas à ces demoiselles, Barry ?

L'Australien esquissa un sourire.

— Voici Ève et Dana. Je suis extrêmement fier de faire équipe avec elles. Les filles, je vous présente Mike Evans.

— Vous ne venez pas avec nous ? demanda Dana, qui craignait de devoir neutraliser un quatrième terroriste.

— J'adorerais vous accompagner en croisière, mais il faut que je remballe les projecteurs et que je fasse disparaître l'avion.

— Quel dommage, mentit Dana, écœurée par la façon insistante dont Mike regardait ses jambes.

L'homme les conduisit jusqu'à une jetée où était amarré un catamaran motorisé aux formes agressives, une formule 1 des mers à la double coque noire rehaussée d'équipements chromés. Un canot pneumatique identique à celui qu'ils avaient utilisé lors des exercices d'entraînement était fixé à une rampe située à la poupe.

Les quatre membres de l'équipe d'attaque enjambèrent le bastingage. Barry gravit la volée de marches menant au poste de pilotage.

— Bonne chance ! lança Mike en dénouant les amarres.

Les turbines produisirent un grondement puissant et propulsèrent une haute gerbe d'eau. Le yacht gîta quelques secondes puis s'éloigna de la jetée.

38. Onde de choc

Des sirènes se mirent à hurler aux quatre coins de l'Arche. Quelques secondes plus tard, la voix d'Eleanor Regan résonna dans tous les haut-parleurs du complexe.

« *Les anges postés dans la tour Sud ont aperçu des hélicoptères se dirigeant dans notre direction. La mort de mon père a donné aux démons le courage de porter leur attaque. Ils seront bientôt entre nos murs. Tenez bon, défendez vos positions et souvenez-vous que Dieu est avec nous.* »

Rat adressa à ses camarades un sourire narquois.

— Je parie qu'elle prononce ce beau discours guerrier depuis le quatrième sous-sol.

Les fenêtres du centre de formation se mirent à vibrer, signalant l'arrivée imminente des appareils.

— On pourra rejoindre le sous-sol à temps ? demanda James.

— J'en sais rien, répondit Rat. Il faut aller au rez-de-chaussée, courir sur une trentaine de mètres et descendre un escalier.

— Je le sens pas trop, lança Lauren.

— Moi non plus, dit son frère. On risque de se trouver en terrain découvert au moment de l'attaque. On ferait mieux de rester ici.

Des hélicoptères survolèrent le toit du bâtiment à basse altitude. Mus par un réflexe de sauvegarde, les trois fugitifs plongèrent à plat ventre. Un appareil de type Black Hawk apparut dans leur champ de vision, puis se stabilisa au-dessus du Temple, s'exposant aux faisceaux qui illuminaient les hautes flèches dorées.

L'un des occupants alluma son projecteur de poursuite et balaya les allées situées au centre du complexe. L'engin transportait une douzaine de membres des forces spéciales. Ils se tenaient devant les portes ouvertes, prêts à mettre pied à terre dès l'atterrissage.

Soudain, une boule de feu jaillit du Temple et frappa l'appareil à courte distance. Trois hommes furent précipités dans le vide. Un éclair illumina l'intérieur du poste de pilotage.

— Reculez ! cria James, qui craignait que l'appareil n'explose et ne pulvérise la fenêtre derrière laquelle ils étaient postés.

Il plaça un bras devant son visage et se jeta sous la table la plus proche. Lauren et Rat l'imitèrent.

Quelques instants plus tard, n'ayant entendu aucune déflagration, James jeta un regard prudent à l'extérieur. Les extincteurs automatiques de l'hélicoptère avaient parfaitement fonctionné. Les parois de la cabine étaient maculées de neige carbonique.

Les instruments de navigation ayant rendu l'âme, le pilote fut contraint de reprendre de l'altitude et de se diriger droit vers le désert, abandonnant les soldats qui avaient été éjectés. Deux d'entre eux gisaient sans vie, l'uniforme en feu. Le troisième, les jambes brisées, rampait dans la poussière.

Les trois Black Hawk intacts tentèrent à leur tour de se poser. Une roquette frôla le cockpit de l'un d'eux puis s'écrasa au pied du mur d'enceinte.

Un troisième projectile atteignit la queue de l'appareil le plus proche du sol, pulvérisant le rotor stabilisateur. Il s'inclina sur la gauche, les pales frôlant dangereusement la coupole du Temple. Constatant l'étendue du désastre, le commandant de l'opération ordonna aussitôt aux pilotes de se retirer. Les deux appareils intacts évacuèrent le périmètre de l'Arche. L'hélicoptère endommagé, qui parvenait à peine à stabiliser son assiette, fut touché en plein réservoir par une roquette tirée depuis une tourelle.

James enfouit son visage entre ses mains. Une explosion assourdissante ébranla les bâtiments. Le ciel s'embrasa, puis une formidable onde de choc pulvérisa toutes les vitres du complexe.

Une pluie d'éclats de verre et métal s'abattit sur la pièce. James, Lauren et Rat sentirent leurs oreilles se boucher sous l'effet du brusque changement de pression. S'ils s'étaient tenus debout, ils auraient été instantanément taillés en pièces.

L'atmosphère de la salle de cours empestait le

kérosène. La fumée était si dense que James ne parvenait pas à localiser sa sœur.

— Lauren ? lança-t-il.

— Tout va bien, répondit-elle. Et toi ?

— Ouais, j'ai les oreilles qui sifflent, mais je n'ai rien de cassé.

Il marcha précautionneusement sur un épais tapis de verre pilé et rejoignit ses deux complices.

— Les autres hélicos se sont repliés.

— C'était horrible, ces deux types brûlés vifs, murmura Lauren, visiblement sous le choc.

— Il devait y avoir une bonne dizaine de soldats dans l'appareil qui a explosé.

James enfonça le bouton de transmission de sa radio.

— Chloé, tu m'entends ?

— Vous avez vu ce que j'ai vu ? bredouilla la jeune femme.

— Oui, on a assisté à l'explosion. On n'a pas eu le temps de descendre au sous-sol. On est toujours dans le centre de formation.

— Je les avais prévenus, sanglota Chloé. Putain, je les avais prévenus. Et vous, vous allez bien ?

— Lauren est un peu secouée, mais aucun d'entre nous n'est blessé.

— Les trois hélicos viennent de se poser dans le désert, à quelques centaines de mètres de moi. J'ai un diplôme d'infirmière. Il y a sans doute des blessés. Je vais aller voir si je peux me rendre utile.

.:.

Le catamaran à haute vitesse était un jouet pour milliardaire. Malgré le mépris qu'elle éprouvait à l'égard d'un signe aussi puéril de richesse extérieure, Dana était sensible à son aspect esthétique, aux courbes parfaites des robinets chromés de la salle de bains, à la décoration minimaliste du salon et aux équipements sophistiqués de la cuisine.

Elle ressentait un profond sentiment d'isolement. Les deux turbines propulsaient l'embarcation à près de cent kilomètres heure, mais l'isolation phonique était d'une efficacité redoutable. Une fois fermée la porte à triple vitrage du pont arrière, on ne percevait guère qu'un discret grondement.

Il était vingt heures quarante. Dana avait la certitude que l'ASIS ignorait sa position. Elle disposait de trois heures pour neutraliser les membres du groupe et prendre le contrôle du yacht.

Elle inspecta discrètement les tiroirs et les placards de la cuisine à la recherche d'armes de fortune, puis elle étudia attentivement la disposition des cabines et des parties communes. Elle devait neutraliser ses adversaires l'un après l'autre. À l'évidence, Ève et Nina n'étaient pas en mesure de résister à une attaque portée par surprise. Barry, lui, était grand, puissant et manifestement rompu aux techniques de combat. En outre, il portait une arme et avait démontré qu'il était capable de s'en servir sans manifester la moindre émotion.

— Tu es en bas ? demanda Nina depuis le pont arrière.

Dana tressaillit. Elle se laissa tomber sur le canapé.

— Je suis un peu fatiguée, lâcha-t-elle dans un bâillement.

La femme descendit les trois marches menant au salon. Ève la suivait comme son ombre.

— Ça a été une longue journée. Dès que nous aurons terminé le briefing, vous pourrez vous reposer dans votre cabine.

Sur ces mots, elle sortit un plan de son sac à dos et le déroula sur la table de la cuisine.

— Tenez les coins, dit-elle.

C'était un schéma représentant un terminal GNL. On distinguait le tracé irrégulier de la côte, deux énormes citernes cylindriques jouxtant les installations de refroidissement et une longue jetée où étaient amarrés deux supertankers.

— Le timing et le positionnement des explosifs sont essentiels. Nous embarquerons sur le Zodiac à deux cents mètres de l'objectif et effectuerons notre approche à la rame, par souci de discrétion. Nous nous glisserons dans l'espace vide situé sous le quai. Chacune de vous s'occupera d'un tanker. Vous positionnerez deux charges magnétiques à deux mètres sous la surface, l'une à la proue, l'autre à dix-huit mètres de la première. Ces dispositifs sont conçus pour percer le métal et injecter du gaz explosif dans la double coque quelques secondes avant la détonation. L'explosion devrait être assez puissante pour déchirer le blindage des cylindres pressurisés qui contiennent le GNL. Une fois les bombes en place, Barry et moi poserons deux autres charges sur la jetée, près du portique de ravitaillement en carburant et à proximité du rivage. Tout doit être terminé en moins de dix minutes. Les six engins exploseront simultanément un quart d'heure après que nous aurons évacué la zone. Le terminal est équipé de soupapes destinées à relâcher le GNL en cas d'incident. Mais si nos calculs sont corrects, les détonations simultanées devraient prendre de court les systèmes de sécurité. Les bateaux, la jetée, les cuves de stockage et l'usine de refroidissement seront entièrement détruits.

— Ça va être du gâteau, dit Dana, le visage éclairé d'un large sourire de Survivante.

— Pas si tu prends les choses avec une telle nonchalance, répliqua sèchement Nina. Si vous avez des questions, posez-les maintenant. Lorsque l'opération aura débuté, il sera trop tard.

39. Un joli feu d'artifice

James avait sous-estimé la capacité des Survivants à résister aux forces spéciales. Il n'ignorait pas que des armes étaient entreposées dans les sous-sols de l'Arche, mais il n'avait pas imaginé une seule seconde qu'un hélicoptère serait abattu, forçant le commandement à annuler l'opération avant même d'avoir pu débarquer un seul homme.

Au fond, il n'était pas étonné que les adeptes soient parvenus à se procurer grenades, mortiers et lance-roquettes. La côte australienne offrait des milliers de kilomètres de plage déserte où n'importe quel trafiquant d'armes approvisionné dans un pays en guerre pouvait débarquer sa marchandise sans être inquiété par les autorités.

Vingt minutes s'étaient écoulées depuis la destruction de l'hélicoptère. Des volutes noires jaillissaient de la carcasse tordue. Le soldat éjecté du premier appareil avait été capturé par un groupe d'adeptes et se trouvait désormais retenu en otage dans les souterrains.

Lorsque la fumée qui avait envahi la salle de cours se fut dissipée, Rat et Lauren renversèrent une table sur le flanc puis s'en servirent comme d'un chasse-neige pour repousser les débris de verre dans un coin de la pièce.

James surveillait la place centrale où le Black Hawk achevait de se consumer. Dans les secondes qui avaient suivi l'explosion, des fidèles armés s'étaient précipités vers la carcasse, mais ils s'étaient rapidement retranchés dans les bâtiments et les tunnels.

— C'est le calme plat, dehors, dit-il. On pourrait peut-être tenter une sortie pour rejoindre le sous-sol.

— Rien ne nous dit qu'on y sera plus en sécurité qu'ici, objecta Lauren. Nous n'avons aucune idée de ce qui se passe, là-dessous.

— Franchement, vu où en sont les choses, je doute que les Survivants décident subitement de se rendre sans faire d'histoires. Dans une heure, un jour ou une semaine, les commandos reviendront avec des engins blindés. Et vu qu'ils ont perdu une vingtaine de leurs collègues, je ne suis pas certain qu'ils choisiront la manière douce. Quand ils débarqueront, je ne veux pas me trouver dans un bâtiment en bois et en placo.

— Ouais, t'as pas tort, mais me retrouver enfermée avec des fanatiques persuadés que le Jugement dernier est arrivé ne me branche pas plus que ça. Rat, tu es certain qu'il n'y a pas un autre moyen de quitter le périmètre ?

Rat secoua la tête.

— Tout cet endroit est conçu pour résister à un siège. Les postes de sécurité des tourelles sont les seuls points d'accès.

— Dans ce cas, on n'a pas le choix. Allez, on dégage.

Les trois adolescents quittèrent la salle, coururent jusqu'à l'extrémité du couloir desservant les classes du premier étage et franchirent la porte donnant sur l'escalier de secours extérieur. Ils dévalèrent les marches quatre à quatre, puis piquèrent un sprint sur la chaussée jonchée de morceaux de verre. Soudain, une rafale d'arme automatique déchira le silence. Persuadés d'être pris pour cible, ils se jetèrent à plat ventre dans la poussière.

— Fausse alerte ! lança James. Le feu a atteint un chargeur, dans la carcasse de l'hélico. Ça a fait un joli feu d'artifice.

— Vous croyez qu'on peut crever d'une crise cardiaque, à notre âge ? souffla Lauren, une main crispée sur sa poitrine.

Rat conduisit ses camarades jusqu'à une rampe de béton qui s'enfonçait en pente douce dans le sol et s'achevait par une petite porte d'acier. Il abaissa le levier à poignée de caoutchouc puis poussa de toutes ses forces, sans succès.

— Tu veux que j'essaye ? demanda James.

— On perd notre temps. C'est fermé de l'intérieur.

— Il n'y a pas d'autre moyen d'entrer ?

— Pas que je sache. Un bâtiment sur deux dispose d'un accès direct aux souterrains, mais si ce sas est verrouillé, je ne vois pas pourquoi les autres seraient restés ouverts.

— Alors, qu'est-ce qu'on fait ? demanda Lauren.

— On pourrait essayer d'autres accès, pour le principe, dit James. Si ça ne marche pas, on retournera dans la salle de cours. On bricolera un abri en empilant des tables.

— Mais oui, bien sûr. Il n'y a rien de mieux que les tables pour se protéger des balles, comme chacun sait.

— C'est ça, fous-toi de ma gueule. Si tu as une meilleure idée, n'hésite pas.

— Fermez-la, chuchota Rat. J'ai cru entendre des pas, derrière nous...

Les trois fuyards se retournèrent lentement. Une puissante lampe torche était braquée dans leur direction.

— Tournez-vous, les mains sur la tête.

La voix était familière aux oreilles de James.

— Ernie, Dieu merci, c'est toi.

Alors, il entendit le son caractéristique du cran de sûreté d'une arme automatique.

— Les mains sur la tête, répéta Ernie d'une voix glaciale. Je ne sais pas ce vous fabriquez, vous trois, mais Eleanor Regan a envoyé une douzaine de personnes à votre recherche. Vous allez me suivre bien gentiment, sans faire d'histoires. Et pas de gestes brusques, compris ?

∴

Tous les adeptes qu'ils croisaient dans les tunnels étaient équipés d'un fusil d'assaut et d'un gilet pare-balles. Selon le *Manuel des Survivants*, un ange devait se tenir constamment prêt à défendre l'Arche par tous les moyens nécessaires.

Ces guerriers aux vêtements miteux, quadragénaires pour la plupart, avaient quelque chose de comique. On aurait dit une bande de comptables s'apprêtant à reconstituer une grande bataille de l'Histoire.

Mais James n'avait pas le cœur à rire. Ces fanatiques avaient abattu un hélicoptère de l'armée et envoyé une vingtaine de soldats d'élite dans l'autre monde. Ils ne plaisantaient pas.

Le bunker de l'Araignée se trouvait au troisième sous-sol, à la verticale du Temple.

Elle portait une tenue de circonstance : casquette camouflage, veste de treillis, pistolet-mitrailleur suspendu à ses épaules osseuses et grenades accrochées aux passants de son short en jean.

James, Rat et Lauren étaient alignés devant son bureau, la tête baissée en signe de soumission. Ses fidèles étaient assis derrière elle sur des chaises en plastique. Georgie se trouvait parmi eux. Ses doigts couraient nerveusement sur le sélecteur d'un fusil d'assaut M16.

— Quelqu'un vous a vus quitter la résidence de mon père, dit Eleanor. Pourquoi vous trouviez-vous là-bas ?

— Susie nous a demandé de l'aider à porter ses bagages, répondit James.

— Ce qui n'explique pas que vous soyez sortis en escaladant la clôture. En outre, vous n'êtes pas retournés en cours.

Constatant que James n'avait aucun argument à opposer, Rat prit la parole :

— J'ai déchiré l'une des robes de Susie en la retirant d'un cintre, et ça l'a rendue à moitié folle. Elle a menacé de nous punir et elle a blessé Lauren à la lèvre en lui jetant une boîte de maquillage au visage. Alors on s'est échappés. On n'avait pas l'intention de désobéir, honnêtement. Mais elle nous a vraiment flanqué la trouille. On a vu ce qui est arrivé au majordome, tu comprends.

— Je vois, dit Eleanor en croisant les doigts. Mais pourrais-tu m'expliquer pourquoi vous avez essayé de franchir un poste de sécurité à bord d'un camion, quelques minutes plus tard ? De mon point de vue, il s'agissait d'une tentative de fuite.

— On avait peur d'être battus. James nous a dit qu'il savait conduire et qu'il pouvait nous emmener jusqu'à la ville pour téléphoner à son père.

James était soufflé par la vivacité d'esprit de Rat. Ses excuses improvisées étaient infiniment plus crédibles que tout ce qu'il aurait pu imaginer.

L'Araignée cherchait la faille dans le récit du garçon.

— Mais vous avez forcément compris que Susie avait quitté l'Arche quand vous avez entendu l'avion décoller. Pourquoi êtes-vous restés cachés ?

— On pensait qu'elle avait laissé des ordres à Georgie.

— Eh bien… voilà qui semble expliquer ce grand mystère. En tout cas, je peux vous rassurer. Nous ne sommes pas près de revoir Susie Regan parmi nous.

Georgie s'éclaircit bruyamment la gorge.

— Tu as quelque chose à dire ? demanda Eleanor.

— Je vous conseille de ne pas croire un mot de ce que raconte Rathbone. C'est un menteur né. À lui seul, il a reçu plus de punitions que l'ensemble des garçons de la section bleue.

L'Araignée se raidit.

— Georgie, sache que je ne fais pas grand cas de ton avis. Je sais que Rathbone est parfois un peu dissipé, mais je te prie de ne pas oublier que le sang de Joel Regan coule dans ses veines. Il est et restera à jamais mon propre demi-frère.

L'instructrice se recroquevilla dans son fauteuil.

— Bien entendu, bredouilla-t-elle. Je regrette infiniment de vous avoir offensée.

— Ramène-les à l'internat, ordonna l'Araignée. Et tâche de ne plus les laisser filer !

Lorsqu'ils se trouvèrent à une centaine de mètres du bureau d'Eleanor, Rat adressa à Georgie un sourire provocateur.

— Regarde devant toi, Rathbone, dit la femme. Tu as peut-être réussi à embobiner ta grande sœur, mais moi, je sais que tu as essayé de t'évader.

— Ah bon ? Et tu as des preuves ?

— Je n'en ai pas besoin. Chaque phrase qui sort de ta bouche démoniaque est un mensonge.

— Je crois que je devrais parler de toi à Eleanor. Plus ça va, plus je trouve que tu me manques de respect.

Deux minutes plus tard, ils atteignirent le sous-sol de l'internat. L'état d'urgence ayant été instauré, les élèves étaient confinés dans leur dortoir. Lauren, qui pensait être séparée de James et Rat, leur adressa un regard inquiet. Mais Georgie nourrissait d'autres projets pour les fuyards dont elle avait la garde. Elle déverrouilla une porte et les fit entrer dans une pièce aveugle jonchée de jouets et de coussins où flottait une odeur de peinture à l'eau et de lait caillé.

C'était la garderie souterraine de l'Arche, le lieu exigu où les enfants trop jeunes pour être admis à l'internat passaient le plus clair de leur temps. Cinq d'entre eux y étaient rassemblés. Georgie les avait laissés sans surveillance, estimant que la menace d'une sévère punition corporelle suffirait à les faire tenir tranquilles.

— Je ne vous laisserai pas vous enfuir de nouveau, expliqua Georgie. Vous resterez ici, et je vais vous avoir à l'œil !

Une petite fille traînant un doudou tira sur le pantalon de la femme.

— Mademoiselle, Michael a pris ma tétine.

Georgie lui lança un regard noir.

— Je ne suis pas ta nounou, Annabel. Trouves-en une autre ou suce ton pouce.

La fillette leva les yeux vers des boîtes en plastique alignées sur une étagère.

— Je suis trop petite.

La femme pointa vers l'enfant un index menaçant.

— Je ne suis pas d'humeur à t'écouter pleurnicher. Tu veux vraiment une fessée, c'est ça ?

La lèvre inférieure d'Annabel se mit à trembler mais elle parvint à retenir ses larmes.

Lauren s'agenouilla devant elle et lui prit les mains.

— Pourquoi tu ne me montres pas dans quelle boîte se trouvent les tétines ?

— Si tu commences à jouer avec les petits, ne les énerve pas, gronda Georgie. Il est tard, et je ne supporte pas de les entendre crier ni de les voir courir dans tous les sens.

— Oui, mademoiselle.

— Je vais fumer une cigarette au rez-de-chaussée. Tenez-vous tranquilles, vous tous, ou je vous garantis que vous le regretterez.

Sur ces mots, Georgie quitta la pièce, claqua la porte derrière elle, puis tourna la clé dans la serrure.

40. Hydroxyde de sodium

Ève, les yeux clos, était allongée sur la couchette supérieure, mais Dana doutait qu'elle fût endormie. Qui aurait été capable de trouver le sommeil, une heure et demie avant d'embarquer dans un Zodiac et de faire sauter deux supertankers ?

Dana rejeta les draps à ses pieds, passa son bermuda, puis se baissa pour ramasser ses chaussettes sur le sol. Une vague plus haute que les autres frappa le flanc gauche du bateau. Dana perdit l'équilibre et se cogna la tête contre la paroi de la cabine. Ève entrouvrit les yeux.

— Oooh, ça secoue drôlement, gémit-elle. Tu t'es fait mal ?

— Non, ça va, rendors-toi, dit Dana en frottant son crâne endolori.

— Pourquoi tu t'es habillée ? C'est déjà l'heure ?

— Non, il faut que je retourne aux toilettes.

— Inutile de mettre tous tes vêtements.

— Je préfère… Je pourrais tomber sur Barry, on ne sait jamais.

— Ça fait au moins cinq fois que tu y vas. Tu es sûre que tu te sens bien ?

— Mon estomac me joue toujours des tours, quand je suis anxieuse. L'année dernière, avant les examens de fin d'année, j'ai dû y aller au moins vingt fois.

— On devrait prier. Penser à Dieu m'aide à me détendre.

Dana se leva de la couchette.

— Nous prierons quand je reviendrai. Tu n'es pas nerveuse, toi ?

— J'espère simplement être assez forte pour accomplir la mission que le Seigneur m'a confiée. Nina a dit que nos noms seraient attribués à des salles, dans les nouvelles Arches. Tu arrives à croire ça ?

C'était le type même du délire fanatique qui mettait Dana hors d'elle. Aux yeux d'Ève, une perle de platine ou une plaque à son nom sur la porte d'une salle de culte valaient davantage que les numéros gagnants de la loterie.

Dana quitta la cabine et s'enferma dans les toilettes. Elle s'assit sur la cuvette, ouvrit le placard situé sous le lavabo et en sortit le matériel accumulé au cours de ses précédentes excursions solitaires dans le bateau : une clé, un couteau de chasse à lame crantée, un aérosol de nettoyant à four et une corde en nylon qu'elle avait débitée en neuf morceaux d'égale longueur.

Elle répartit l'équipement dans ses poches, puis contempla son reflet dans le miroir en respirant profondément. Elle devait faire le vide dans sa tête.

Dans dix minutes, elle aurait pris le contrôle du bateau ou perdu la vie.

.:.

James, Lauren et Rat étaient enfermés dans la garderie depuis près de deux heures.

James se glissa dans la salle de bains.

— Cette porte n'a pas de verrou, dit-il à son camarade. Monte la garde pendant que j'appelle Chloé.

Sur ces mots, il colla l'émetteur contre son oreille.

— Chloé, tu as du neuf ?

— Négatif.

La voix de l'assistante se perdit dans un flot d'émissions parasites.

— Désolé, tu peux répéter ?

— J'ai dit que les renforts terrestres allaient débarquer dans moins d'une heure. Le commandant des forces spéciales m'a suppliée de te demander si tu savais quelle est la situation dans les postes de sécurité.

— Aucune idée. On est enfermés au sous-sol. Georgie vient nous voir de temps à autre, mais elle refuse de nous dire ce qui se passe à l'extérieur.

— Les commandos surveillent les tourelles à l'aide de caméras thermiques. Apparemment, les Survivants évacuent les tourelles. Ils se replient dans les souterrains.

— Les forces spéciales ont un plan ?

— Ils...

— Désolé, Chloé, je t'ai encore perdue.

— Je dis qu'ils sont sous le choc. Ils ont perdu un quart de leurs effectifs dans l'explosion de l'hélicoptère. Le commandant sait qu'il s'est planté en beauté. Il tourne en rond comme un poulet sans tête. Personne n'est en mesure de prendre une décision. Une équipe de négociateurs spécialisés dans les situations de siège et les prises d'otages doit prendre la main, mais elle ne sera pas sur zone avant trois ou quatre heures.

— Les Survivants sont prêts à tout. Ils préféreront crever que quitter l'Arche. Je ne vois pas comment tout ça pourrait se terminer proprement.

— J'aimerais pouvoir te réconforter, mais je pense exactement comme toi. On reste en contact. Rappelle-moi dès que tu as du nouveau.

— Compris, fin de la transmission.

Dès que James eut glissé la radio dans sa poche, Rat laissa entrer Joseph, un petit garçon âgé de six ans vêtu d'un pyjama trop grand aux couleurs fanées.

— Qu'est-ce que tu fabriques là-dedans ? demanda l'enfant en se traînant jusqu'aux urinoirs.

— Mêle-toi de ce qui te regarde.

James et Rat rejoignirent Lauren qui somnolait, adossée à un pouf. Annabel et son frère Martin, quatre ans, dormaient profondément, la tête posée sur ses genoux.

— La cuve, lâcha Rat avec un sourire énigmatique.

— Qu'est-ce que tu dis ?

— Je dis qu'il y a peut-être un moyen de s'évader par

la cuve des eaux usées. Ça vient de me traverser l'esprit. Lauren, lève-toi. Il faut qu'on parle, tous les trois.

La jeune fille déplaça les deux enfants en s'efforçant de ne pas les réveiller.

Annabel souleva les paupières.

— Où tu vas ? murmura-t-elle.

— Pas bien loin. Rendors-toi. Je serai là dans une minute.

— Tu es gentille, dit la petite, incapable de garder les yeux ouverts une seconde de plus.

James, Lauren et Rat s'isolèrent dans un coin de la pièce.

— La cuve, répéta ce dernier. Quand j'ai vu Joseph pisser, à l'instant, j'ai eu comme un flash. Il y a quelques années, la cuve d'évacuation des eaux usées est devenue trop petite pour le nombre de résidents. Ça a débordé, je vous raconte pas l'odeur... Ils ont été obligés de creuser un grand trou et de poser une nouvelle citerne. Je l'ai vue, avant son installation. Elle est énorme. On peut largement marcher à l'intérieur sans se baisser.

— Où est-ce que tu veux en venir ? demanda Lauren.

— Le camion se pointe ici deux fois par semaine pour aspirer le contenu de la cuve. Il y a une valve à l'extérieur de l'enceinte, au niveau de la quatrième tourelle. On passe à côté tous les matins, pendant le footing.

— Je vois de quoi tu parles, dit James. On dirait un peu le sas d'entrée d'un sous-marin.

— Attends une minute, dit Lauren en levant les mains. Pour être clair, tu nous proposes de prendre la fuite en pataugeant dans la merde ?

James haussa les épaules.

— Dans quelques heures, les Survivants et les forces spéciales vont régler leurs comptes à l'arme lourde. Si c'est le seul moyen de ne pas se retrouver au milieu de ce foutoir, je suis partant.

— Bon, si on n'a vraiment pas le choix...

Une clé tourna dans la serrure.

— Qu'est-ce que vous complotez, vous trois ? gronda Georgie avant de se laisser tomber lourdement dans une chaise.

∴

Au sortir des toilettes, Dana tomba nez à nez avec Nina.

— Tu vas bien ? demanda la femme.

Dana posa une main sur son estomac.

— J'ai mal au ventre.

— Qu'est-ce que c'est que ça ? dit Nina en désignant le bout de corde qui dépassait accidentellement de l'élastique de son short.

Prise de court, Dana envisagea de la neutraliser sur-le-champ, mais elle avait prévu de ne passer à l'action qu'une fois en possession du pistolet de Barry.

— Oh, ce cordage... Il est tombé du placard quand on a heurté la vague, tout à l'heure. Je vais le ranger dans la cuisine pour éviter que quelqu'un ne trébuche.

Elle était consciente de la faiblesse de sa justification, mais la femme, tenaillée par une envie pressante, s'enferma dans les toilettes sans pousser plus loin son interrogatoire.

Dana traversa le salon et la cuisine, franchit la porte donnant sur le pont arrière, puis la ferma à clé. Ève et Nina auraient toujours la possibilité de sortir par une fenêtre, mais cette précaution pouvait lui faire gagner de précieuses secondes.

Elle gravit la volée de marches menant au poste de pilotage surélevé. C'était un espace exigu équipé de trois banquettes de cuir noir disposées en U devant un large tableau de bord. Barry, faiblement éclairé par la lueur bleue des instruments de pilotage, se tenait devant un volant chromé.

— Eh, ça va bien ? dit-il. Tu es venue me rendre une petite visite ?

— J'espère que je ne te dérange pas. Je n'arrive pas à dormir.

— Non, pas du tout. La nuit, il n'y a pas grand-chose à voir en mer. Il suffit de programmer le GPS, et le pilote automatique s'occupe du reste. Il n'y a plus qu'à garder un œil sur le radar pour éviter une éventuelle collision.

— Ce bateau est fantastique, dit Dana en jetant un œil au pare-brise profilé.

Barry haussa les épaules.

— C'est exactement ce dont nous avions besoin pour mener cette opération, mais pour être honnête, je trouve que ce genre d'engin ne devrait même pas exister.

— Ah bon ?

— Ce yacht appartenait à un magnat des médias. Il a englouti une fortune dans sa construction. Quelques années plus tard, il l'a revendu pour s'en payer un plus gros. Aujourd'hui, ce joujou se loue dix mille dollars par jour. De l'autre côté de la planète, en Afrique, des millions de gens meurent chaque année faute de pouvoir acheter des médicaments.

— Je comprends... murmura Dana en lorgnant sur le pistolet glissé dans le bermuda de l'homme. Je n'arrête pas de penser aux deux policiers, tout à l'heure. Je sais que c'étaient des démons, mais ils ne faisaient que leur boulot...

— C'est le problème du monde dans lequel on vit. Les gens se contentent de faire leur boulot en ignorant les conséquences. Ils prétendent se préoccuper de l'environnement, mais dès qu'ils gagnent un peu de fric, ils se payent des grosses bagnoles polluantes et des meubles en bois exotique. Ils s'extasient devant des documentaires sur la vie sauvage et protestent contre les vêtements en fourrure animale, mais ils se gavent de viande provenant d'élevages où les animaux sont élevés dans des conditions effroyables. Chacun est responsable de ses actes, Dana. Les scandales contre lesquels nous protestons sont connus de tous, mais tout le monde préfère fermer les yeux. De mon point de vue, tout individu éduqué qui travaille pour le gouvernement ou une compagnie pétrolière se rend délibérément complice de crime contre l'environnement.

— J'ai peur, Barry.

— Dans quelques heures, tu vas accomplir quelque chose de fantastique. *Sauvez la Terre* et les Survivants se battent pour rendre ce monde meilleur. Tu devrais être fière.

L'homme avança et serra Dana ses bras. Tandis qu'il caressait son dos, elle pouvait sentir le pistolet collé contre sa hanche. Elle glissa une main dans la poche arrière de son bermuda, saisit l'aérosol puis tâta du bout des doigts le bouton pressoir pour en localiser l'ouverture.

Au moment où Barry desserra son étreinte, elle brandit le vaporisateur et lui aspergea le visage de nettoyant à four à base d'hydroxyde de sodium, une substance extrêmement corrosive utilisée pour dissoudre les graisses animales.

Barry tituba en arrière, les yeux et la bouche maculés de mousse blanche. De sa main libre, Dana saisit le pistolet et fit basculer le cran de sûreté d'un geste expert.

— À genoux, connard, gronda-t-elle. Magne-toi.

— Je vais te buter, gémit Barry.

— T'as l'air plutôt mal parti, dit la jeune fille avant de lui envoyer un violent coup de crosse en pleine face.

Un filet de sang jaillit du nez de sa victime et gicla sur son T-shirt. L'homme s'effondra sur une banquette de cuir. Il reçut un deuxième, puis un troisième coup, et sombra dans l'inconscience.

Son visage était en bouillie. Dana, consciente que des dizaines de vies étaient en jeu, n'y était pas allée de main morte.

Elle posa le pistolet sur le coussin et traîna le corps inerte sur le plancher, face contre terre. Une vague puissante secoua l'étrave du bateau, la contraignant à demeurer à quatre pattes quelques secondes pour rester d'aplomb. Elle posa un genou entre les omoplates de Barry, attacha ses mains et ses chevilles, puis lia les deux nœuds l'un à l'autre. Elle n'avait pas eu recours à cette manœuvre depuis le programme d'entraînement, cinq ans plus tôt. Lorsqu'elle eut achevé la procédure, elle constata que le résultat ne ressemblait guère au schéma présenté dans le manuel d'entraînement de CHERUB.

Elle se redressa, s'approcha du tableau de bord et tira la manette des gaz pour couper les moteurs afin d'éviter tout risque de collision. Lorsque les turbines eurent atteint leur régime minimum, tout sembla soudain étrangement calme à bord du bateau. Alors, Nina fit irruption dans le poste de pilotage. Le regard fiévreux, elle brandissait un couteau à pain.

— Espèce d'ordure ! rugit-elle. Je me doutais bien que tu mijotais quelque chose avec cette corde.

Dana tendit la main vers la banquette où elle avait posé le pistolet et constata avec effroi que le brusque mouvement imprimé au yacht par la vague l'avait fait glisser sur le sol. Le regard de Nina se posa sur l'arme. Les deux adversaires plongèrent simultanément.

Dana fut la première à refermer sa main sur la crosse, mais Nina abattit le couteau en direction de sa tête. La lame frôla son épaule et se planta profondément dans une banquette. La femme pesait de tout son poids sur le corps de son adversaire, immobilisant le bras qui tenait le pistolet. Dana enroula un bras autour du cou de Nina et serra de toutes ses forces. Leurs doigts s'entremêlèrent, effleurant tour à tour la détente. Une nouvelle vague ébranla le yacht. Le couteau tomba sur le sol en produisant un claquement métallique. Dana sentit que le corps de son adversaire était parcouru de convulsions. Elle était à bout de souffle.

Au seuil de l'inconscience, Nina parvint à introduire l'index dans la détente et à libérer le percuteur.

Une détonation feutrée résonna dans l'espace exigu. Dana éprouva une sensation inconnue, comme si son pied avait été arraché. Luttant contre la douleur, elle parvint à conserver sa prise quelques secondes de plus. Son ennemie perdit connaissance.

La jeune fille roula sur le dos et poussa un cri aigu.

Assaillie par la nausée, elle rampa jusqu'à la console et actionna l'interrupteur commandant l'éclairage du poste de pilotage. Son cœur battait à plus de deux cents pulsations minute.

Elle baissa les yeux vers son pied blessé et ressentit un immense soulagement. Un filet de sang s'écoulait lentement d'un orifice situé à l'extrémité de sa basket. Chose étrange, la douleur se concentrait sur son tendon d'Achille. Elle était comparable à celle qu'elle avait ressentie en se tordant la cheville, quelques années plus tôt, au cours d'un exercice d'entraînement. Elle comprit que l'articulation avait été déplacée par l'impact de la balle.

Dana glissa le pistolet dans l'élastique de son short puis se traîna jusqu'à Nina. Elle vérifia qu'elle respirait toujours, la retourna sur le ventre et la ligota fermement.

Elle craignait de ne pas être en état d'affronter Ève au corps à corps, mais le pistolet de Barry et sa position retranchée lui donnaient un avantage majeur. Elle se redressa péniblement puis sautilla jusqu'au tableau de bord.

Elle saisit le téléphone satellitaire posé sur la console puis composa l'indicatif du Royaume-Uni suivi du numéro de la permanence de CHERUB.

— Garage Unicorn Tyre, j'écoute ? dit une femme avec un fort accent de Newcastle.

— Agent 11-62, dit Dana. Est-ce que vous pouvez me mettre en contact avec John Jones ?

— Dana Smith ?

— C'est bien moi.

— Ça fait drôlement plaisir de t'entendre. Tu fais l'objet d'un avis de disparition. Où es-tu ?

— Vous connaissez la mer d'Arafura ?

— Jamais entendu parler.

— Il semblerait que je me trouve en plein milieu, à mi-chemin entre l'Australie et l'Indonésie.

— OK, je te bascule sur le portable de John.

Dana se tourna machinalement vers la poupe du yacht et sentit aussitôt son sang se glacer. Les projecteurs éclairant la rampe mécanisée située sur le pont arrière étaient allumés. Le Zodiac avait disparu.

— Dana ? dit John. Tu m'entends ?

— Oui, je t'entends, dit la jeune fille, totalement sonnée.

Elle ne pouvait détacher son regard de l'emplacement vide à l'arrière du bateau. Le canot n'était pas tombé à l'eau accidentellement. La bâche était posée sur le pont, soigneusement pliée.

Dana ignorait si le Zodiac était capable de naviguer en haute mer, ou s'il disposait d'assez de carburant pour atteindre la côte indonésienne. Tout ce qu'elle savait, c'est qu'Ève était une Survivante fanatique prête à tout pour anéantir le terminal GNL.

41. Balade en poussette

La garderie était trop exiguë pour que James, Lauren et Rat puissent s'entretenir de leur projet d'évasion sans éveiller les soupçons de Georgie. Ils s'allongèrent sur des coussins posés à même le sol, mais les événements de la journée écoulée avaient mis leurs nerfs à si rude épreuve qu'ils furent incapables de trouver le sommeil. À minuit moins cinq, la voix de l'Araignée résonna dans les haut-parleurs du circuit interne.

« *Chers frères et sœurs, les démons qui se rassemblent autour de l'Arche seront bientôt assez nombreux pour nous écraser. Dans ses écrits, mon défunt père a maintes fois évoqué ces heures sombres. Il nous a commandé de rejoindre l'abri inexpugnable situé sous le Temple, d'y prier et d'attendre les instructions du Seigneur. Lorsque nous en sortirons, dans des semaines, des mois ou des années, nous découvrirons un monde nouveau. Nous devrons alors rebâtir l'humanité ou affronter le Jugement dernier.* »

Georgie se leva d'un bond et s'adressa aux trois adolescents :

— Voici venue l'ère des ténèbres, dit-elle avec gravité. Je dois monter à l'internat pour distribuer les directives. Pendant ce temps, réveillez les petits, installez les plus jeunes dans des poussettes et conduisez-les au bunker.

Sur ces mots, elle quitta la pièce, le M16 en bandoulière, laissant la porte ouverte derrière elle. James passa furtivement la tête dans le couloir pour s'assurer qu'il pouvait parler librement et constata que des pains de C4 reliés par des câbles électriques étaient disposés sur le lino à intervalles réguliers.

— Ils ont piégé tout le sous-sol, s'étrangla-t-il. Je crois qu'ils ont prévu de tout faire sauter quand les forces spéciales entreront.

— Il est hors de question qu'on s'enferme dans le blockhaus, dit Lauren.

— Alors, on passe par la cuve ? demanda Rat.

Une petite voix résonna dans un coin de la pièce.

— On s'en va ?

— Oui, répondit James. Réveille Ed et habillez-vous en vitesse.

— Il faut qu'on se décide immédiatement, dit Rat, tandis que l'enfant réveillait son camarade en lui tordant l'oreille. Georgie se méfie de nous. Elle ne va pas nous laisser seuls très longtemps.

— OK, dit James. Personnellement, je n'ai aucune envie de rester coincé dans un abri antiatomique jusqu'à ce qu'il n'y ait plus rien à bouffer ou qu'un commando défonce les portes blindées à coups de bulldozer. Je suggère de suivre le plan de Rat.

— On n'a pas d'autre option, conclut Lauren. Mais qu'est-ce qu'on fait des petits ?

— Pardon ?

Lauren adressa à son frère un regard noir.

— Tu n'as tout de même pas l'intention de les abandonner ? S'il leur arrivait quelque chose, je ne me le pardonnerais jamais.

— C'est impossible. Certains savent à peine marcher...

Lauren fit deux pas en arrière.

— Très bien, barrez-vous. Moi, je reste ici. Je ferai tout ce que je peux pour les aider.

— Je suis plus gradé que toi, Lauren. Tu dois m'obéir. Je t'ordonne de me suivre.

— C'est hors de question.

James, qui avait fréquemment eu affaire au caractère buté de sa sœur, savait que rien ne la ferait changer d'avis.

— Bon, d'accord, soupira-t-il. Ils viennent avec nous.

Joseph, six ans, et Ed, sept ans, étaient déjà habillés. James souleva précautionneusement Joel, un petit garçon de trois ans qui n'avait pas ouvert l'œil depuis leur arrivée, et l'allongea dans une poussette. Lauren installa Annabel et Martin dans un modèle double.

Georgie entra dans la pièce.

— Formidable ! s'exclama-t-elle. Tout le monde est prêt.

— Attends-moi dans le couloir, chuchota James à l'oreille de sa sœur.

Il attendit que tout le monde ait quitté la garderie pour lancer :

— Il faut que j'aille aux toilettes.

— Pour l'amour de Dieu, gronda Georgie, tu ne peux pas te retenir ? On n'a pas une minute à perdre.

— Il y a urgence, dit James en s'engouffrant dans la salle de bains.

Il grimpa sur la cuvette des toilettes, s'empara du couvercle en céramique de la chasse d'eau puis se glissa derrière la porte.

Deux minutes s'écoulèrent.

— Qu'est-ce que tu fabriques ? cria la femme.

— Tu peux pas me lâcher deux secondes, grosse vache ? répliqua-t-il.

Tout individu un tant soit peu avisé aurait vu clair dans cette ruse, mais Georgie, d'un naturel sanguin, ne brillait pas par son intelligence.

— Je vais t'apprendre à surveiller ton langage, jeune homme ! hurla-t-elle avant de se précipiter dans les toilettes.

James frappa la femme à l'arrière du crâne avec le couvercle. Elle perdit l'équilibre et s'affala lourdement sur le carrelage, comme un grand arbre foudroyé. Un sourire éclaira le visage du garçon. Georgie, qui s'était toujours montrée injuste et cruelle à l'égard des élèves dont elle avait la charge, avait enfin reçu la monnaie de sa pièce. Il s'empara de son fusil d'assaut, regagna le couloir, ferma la porte métallique, puis fit tourner la clé dans la serrure.

— Qu'est-ce qui est arrivé à Georgie ? demanda Joseph, tandis que la petite troupe se mettait en marche. Pourquoi tu as pris son fusil ?

James comprit que le garçon avait déjà assimilé le système de croyances des Survivants. Il eut beau se creuser la cervelle, aucune excuse crédible ne lui vint à l'esprit.

— On a découvert que Georgie était un démon, expliqua Rat. James a dû s'en débarrasser.

Joseph et Ed échangèrent un regard joyeux.

— Ça ne m'étonne pas, dit ce dernier. Elle est tellement méchante avec nous.

— Exactement. Quelqu'un d'aussi cruel ne pouvait pas être un ange.

Les enfants, qui avaient toujours vécu dans la terreur de cette femme, jugèrent l'explication pleinement satisfaisante.

Rat et Lauren marchaient à vive allure en poussant les trois petits. James fermait la marche, la radio plaquée contre son oreille.

— Je n'ai pas de signal.

— On ne va pas dans la bonne direction, fit observer Ed. Le Temple se trouve de l'autre côté et...

— Les soldats ont déjà envahi une partie de l'Arche, dit Rat. On est obligés de faire un détour. Ne t'inquiète pas, je connais bien ces souterrains. On sera bientôt en sécurité.

Sur ces mots, il quitta le couloir principal et s'engagea dans un tunnel obscur au sol jonché de pains de plastic menant à un escalier en spirale. James prit Annabel et Martin dans ses bras. Rat se chargea de Joel. Lauren plia les poussettes puis monta les déposer à l'étage supérieur.

Rat manqua une marche. Joel se réveilla, jeta un regard éberlué à l'inconnu qui le portait et se mit à hurler en se tortillant comme un possédé.

— Où sont les autres ? demanda Ed. Vous êtes sûrs qu'on n'est pas perdus ?

— Toi, tu la boucles, cracha Lauren, les nerfs à vif.

— Tu n'as pas d'ordres à me donner. Tu n'es même pas une adulte.

— Fermez-la, vous deux, ou j'en prends un pour taper sur l'autre, lâcha Rat, empruntant l'une des menaces favorites de Georgie.

Ils se remirent en route et empruntèrent une galerie de maintenance éclairée par des ampoules nues. Des tuyaux et des câbles électriques couraient le long des murs. Cinquante mètres plus loin, Rat s'immobilisa. Constatant que Joel s'était calmé, il le reposa dans sa poussette.

Il fit cinq pas en avant et désigna une trappe métallique sur le sol.

— C'est ici, dit-il. La cuve est juste sous nos pieds.

Il saisit la poignée et souleva l'écoutille, dévoilant les barreaux d'une échelle. Une bouffée d'air tiède et pestilentiel s'en échappa.

— Oh ! mon Dieu, gémit James. Je n'ai jamais senti une puanteur pareille.

Rat esquissa un sourire.

— Faut croire que les anges ne sont pas de purs esprits.

— Tu sais où on pourrait trouver une lampe électrique ? Il fait tout noir, là-dessous.

— Je crois qu'il y a du matériel dans les placards, un peu plus loin, mais ils sont tous fermés à clé. Il va falloir faire sans. Descends et avance droit devant toi. Il doit y avoir une autre échelle de l'autre côté.

— Eh, pourquoi c'est à moi de descendre le premier ? protesta James.

— Parce que tu es le plus gradé, sourit Lauren.

— Je ne veux pas descendre dans ce trou, dit Joseph, terrorisé.

Lauren lui ébouriffa les cheveux.

— Ne t'inquiète pas, on va te porter.

— Non, je ne veux pas, répéta-t-il. Ça sent mauvais et on n'y voit rien du tout.

— Tu veux retrouver les autres au Temple, n'est-ce pas ? C'est le seul moyen. C'est juste un mauvais moment à passer.

James tendit le M16 à sa sœur.

— Prends ça. On ne sait jamais, si les démons rappliquaient... Tu sais où est le cran de sûreté ?

— Eh, je ne suis plus un T-shirt rouge !

James prit une profonde inspiration puis posa le pied sur le premier degré de l'échelle.

42. Le sens de la vie

James ignorait combien de barreaux comportait l'échelle. Il était incapable d'estimer la profondeur de la citerne, et envisageait avec épouvante la perspective de devoir nager dans un lac d'excréments. Il s'efforçait de respirer par la bouche, mais les vapeurs âcres lui brûlaient la gorge.

Son pied s'enfonça quinze centimètres sous les eaux, puis rencontra une surface solide tapissée de vase. Horrifié, il sentit sa basket se remplir de liquide fétide.

Il posa la main sur la paroi métallique et fit un pas. Son corps bascula en avant, soulevant une gerbe de liquide puant, et il se retrouva immergé jusqu'à mi-cuisse. Le bas de son short était trempé. Des gouttes avaient atteint ses bras nus et son visage.

— Et merde. J'ai loupé une marche.

— Tout va bien ? demanda Lauren.

— Cette fois, j'en ai ras le bol. Si on sort d'ici vivants, je pose ma démission.

Il entendit Joseph fondre en larmes.

— Je ne veux pas descendre, sanglotait-il encore et encore.

À cet instant lui parvint l'écho lointain d'une voix d'homme. La trappe métallique se referma. James comprit qu'un événement imprévu venait de se produire. Il resta immobile dans l'obscurité, tous les sens en éveil.

.:.

— Qu'est-ce que vous foutez ici ? s'étonna Ernie, son fusil braqué devant lui. Je suis descendu vérifier les explosifs et j'ai entendu des coups frappés à la porte de la garderie. J'ai trouvé Georgie mal en point. Elle saigne de la tête, et elle est complètement désorientée.

— Restez où vous êtes ! cria Lauren en épaulant le M16.

Elle fit basculer le cran de sûreté pour démontrer qu'elle ne plaisantait pas.

— Tout doux, ma jolie, dit l'homme, un sourire confiant sur le visage. Baisse cette arme. Ce n'est pas un jouet.

— Ne me parlez pas sur ce ton.

Sur ces mots, elle pointa le canon du fusil d'assaut vers le plafond et lâcha une brève rafale, produisant un vacarme assourdissant.

Les trois enfants qui sommeillaient dans les poussettes se réveillèrent en sursaut.

Ernie, livide, recula de deux pas.

— Eh, mais t'es complètement malade ? C'est quoi votre plan ? Rester ici pour que ces bombes vous explosent à la gueule ?

Rat leva les mains en l'air et marcha lentement dans sa direction.

— Salut, Ernie. Tu sais qui je suis, n'est-ce pas ?

— Bien sûr, tu es Rathbone. Il faut que je vous emmène au Temple. Quand Elcanor aura ordonné le bouclage du sanctuaire, personne ne pourra plus entrer ni sortir.

— Tu ne comprends pas. J'ai eu le temps de parler à mon père, avant qu'il ne rende son âme à Dieu. Il savait que Susie allait le sacrifier. Il m'a dit que des démons s'étaient glissés parmi les Survivants et que l'Arche allait être anéantie, dès ce soir, de l'intérieur. Il m'a ordonné de fuir et de me cacher pour attendre un message divin. Alors, je réunirai les anges et rebâtirai notre Temple.

Tout en parlant, Rat s'était progressivement rapproché d'Ernie. Il se tenait désormais à deux mètres de lui, les bras grands ouverts, bravant le fusil automatique braqué vers sa poitrine. Lauren était impressionnée par la lucidité et le courage de son ami.

— Donne-moi cette arme, ordonna Rat, reproduisant habilement les intonations impérieuses de Joel Regan. Nous devons respecter les dernières volontés de mon père.

Sur ces mots, il croisa les mains dans le dos. Elles tremblaient comme des feuilles.

∴

Les coups de feu avaient résonné longuement sur la voûte métallique de la citerne. James, qui ne portait pas d'arme, estima qu'il était inutile de regagner la galerie. Il lui fallait quitter l'Arche au plus vite et informer les autorités de la localisation de Rat et de Lauren.

Ses yeux s'étant adaptés à la pénombre, il distingua des reflets à la surface de l'eau puis repéra le rectangle de lumière qui indiquait la position de la trappe donnant sur l'extérieur de l'enceinte. Il s'illuminait à intervalles réguliers, balayé par un projecteur mobile mis en place par les forces spéciales. Soucieux de ne pas glisser de nouveau, il avança avec précaution, tâtant le fond de la cuve de la pointe du pied avant chaque pas.

Il atteignit l'extrémité de la citerne et gravit un palier semblable à celui d'où il était tombé, quelques secondes plus tôt. Réalisant que l'ouverture ne disposait pas d'échelle, il poussa un juron. Il se hissa sur la pointe des pieds et constata que l'écoutille était hors de portée. Il n'était pas certain que Joseph ou Ed, portés à bout de bras, auraient la force de la soulever. Seule Chloé pouvait lui venir en aide.

Il glissa une main dans la poche de son bermuda et découvrit que sa radio avait été immergée lorsqu'il avait failli basculer dans les eaux putrides.

Espérant que l'appareil, conçu pour résister à un fort taux d'humidité, avait survécu à ce bref séjour en milieu liquide, il le plaqua contre son oreille et pressa le bouton d'alimentation. Il entendit quelques interférences et vit l'indicateur de charge clignoter.

La batterie était à plat.

∴

Lauren se sentait complètement dépassée. Elle tâchait de garder Ernie dans sa ligne de mire tout en s'efforçant de dissuader Annabel, Martin et Joel de quitter leur poussette. Ed la harcelait de questions sans queue ni tête. Joseph répétait comme un robot qu'il ne voulait pas descendre dans le trou.

— Le sang des Regan coule dans mes veines, dit Rat. Tu dois avoir foi en moi.

Ernie ne savait plus à quel saint se vouer.

— Vous voulez sortir par la cuve ?

— Oui. C'est mon père qui m'a indiqué la voie.

— J'ai été chargé de la nettoyer deux ou trois fois. C'est un endroit dégueulasse, mais tu as raison, il y a bien une trappe donnant sur l'extérieur.

— Je sais. Mon père ne se trompait jamais. Regarde dans ton cœur, Ernie, et interroge le Seigneur. Il te dira que tu dois m'accompagner.

Le visage de l'homme s'illumina.

— Oui, bien sûr, murmura-t-il. Ce n'est pas le hasard qui m'a conduit jusqu'à vous. Nous ne sommes que trois Survivants à être descendus dans cette cuve. Dieu m'a envoyé pour vous prêter main-forte.

Rat lui adressa un sourire radieux.

— Bien sûr. C'est Lui qui a guidé tes pas.

— Merci, Seigneur ! merci, Rathbone ! s'exclama Ernie, comme s'il venait de découvrir le sens de la vie.

Rat et Ernie rejoignirent Lauren près de la trappe.

— Mon frère est déjà en bas, dit la jeune fille.

Ed, rassuré par la présence d'un adulte, cessa de jacasser. Joseph hurla de plus belle :

— Je ne veux pas descendre dans le trou !

Ernie souleva la trappe de quelques centimètres.

— Tu dis que James est déjà à l'intérieur ?

— Ouais.

L'homme semblait stupéfait. Il glissa un bras dans l'ouverture et actionna un interrupteur.

— Pourquoi vous n'avez pas allumé la lumière ?

43. Des perles dans la poussière

En des circonstances ordinaires, Dana aurait adoré faire joujou avec un catamaran de trente mètres équipé de puissantes turbines, mais elle avait perdu beaucoup de sang et se sentait à bout de forces. Son pied blessé la faisait atrocement souffrir. Assise sur le siège du capitaine, les yeux braqués sur l'écran radar, elle se pinçait régulièrement pour rester éveillée.

Barry n'avait pas repris conscience. Nina, elle, lui lançait des insultes et se tortillait en vain pour se débarrasser de ses liens. Dana n'était pas d'humeur à se montrer compréhensive. Elle saisit le pistolet et la mit en joue.

— Je te suggère de la fermer. À moins que tu ne veuilles un trou dans la tête, histoire de compenser celui que tu as fait dans mon pied.

— Tu as trahi les Survivants. Tu es un démon !

Dana esquissa un sourire malfaisant.

— Laisse tomber. Ni toi ni moi ne sommes des Survivantes.

Le bateau glissait dans la nuit noire vers le point de rendez-vous convenu avec l'opérateur radio d'une vedette des garde-côtes australiens.

Lorsqu'elle aperçut le projecteur entre les deux coques du yacht, Dana ressentit un immense soulagement. Elle coupa le moteur et laissa les sauveteurs procéder à la délicate manœuvre d'abordage. Un officier sauta sur le pont du yacht pour installer un filin permettant de maintenir les deux vaisseaux bord à bord. Une dizaine d'équipiers le rejoignirent.

Une femme en uniforme entra dans le poste de pilotage. Elle fut frappée par la quantité de sang répandue sur le pont. Dana était effondrée dans son siège, désormais incapable de garder la tête droite.

— Oh, ma pauvre chérie. Comment te sens-tu ?

— Faible, gémit Dana. Je n'ai pas retiré ma chaussure. J'avais peur que ça aggrave l'hémorragie.

— Tu as bien fait. Je suis le docteur Goshen. Nous allons te conduire au salon pour examiner ta blessure.

Le plus robuste des marins prit Dana dans ses bras, descendit avec assurance les marches menant au pont arrière, puis l'allongea sur le sofa du salon.

— Eh bien, tu pèses ton poids, plaisanta-t-il.

Dana parvint à lui rendre son sourire.

— Je pratique le triathlon. C'est que du muscle.

— Ça ne m'étonne pas, vu la taille du type à qui tu as flanqué une dérouillée, là-haut.

— Et le Zodiac ? demanda Dana. Vous avez retrouvé Ève ?

— Ces canots sont constitués de caoutchouc et de plastique. Il est pratiquement impossible de les repérer sur un radar. De plus, on ne peut pas naviguer en haute mer avec une embarcation à fond plat. Tôt ou tard, elle sera renversée par une vague. De toute façon, toutes les stations GNL d'Indonésie ont été évacuées, les cuves dépressurisées et les tankers amarrés à plusieurs kilomètres des côtes.

— C'est bien, murmura Dana.

L'image d'Ève en train d'écoper désespérément le fond de son Zodiac s'imposa à son esprit. Malgré elle, les larmes lui montèrent aux yeux.

L'officier des garde-côtes adressa un regard coupable au collègue qui se trouvait à ses côtés.

— Essaye de ne pas t'inquiéter pour ça, dit ce dernier. On met tout en œuvre pour la retrouver.

Dana secoua la main devant son visage.

— Je pleure, mais ce n'est pas votre faute. Mon pied me fait super mal, et je suis complètement crevée. Et puis… vous savez, Ève… elle ne mérite pas de finir comme ça. Elle n'a que quinze ans. Elle n'est pas responsable de toutes les bêtises que ces salauds de Survivants lui ont fourrées dans le crâne.

Soudain, elle fut prise de vertige. Elle entendit l'un des garde-côtes appeler la femme médecin d'une voix anxieuse, puis elle perdit connaissance.

.:.

Une longue rangée de néons illumina l'intérieur de la citerne. James examina ses vêtements. Son bermuda et le bas de son polo étaient maculés d'eau brunâtre. Un énorme cafard se promenait sur son bras. Au-dessus de sa tête, les pales d'une hotte de ventilation chargée d'évacuer les émanations se mirent à tourner.

Il resta quelques instants bouche bée, incapable d'organiser ses pensées, puis il vit la chaussure d'Ernie se poser sur le premier barreau de l'échelle.

— Oh ! il y avait un bouton, balbutia-t-il, furieux contre lui-même.

Il jeta un regard circulaire et découvrit une passerelle surélevée qui permettait d'atteindre l'extrémité de la cuve à pied sec.

— Je vais sans doute me réveiller.

Ernie descendit jusqu'à la plateforme.

— Qu'est-ce que tu fabriques là-dedans, mon garçon ? Non mais, regarde dans quel état tu t'es mis !

Le visage de Lauren apparut dans l'ouverture. James crut y discerner l'ombre d'un sourire.

— Je te conseille de ne pas rire, gronda-t-il en pointant vers sa sœur un index menaçant.

— Je crois que tu as un morceau de papier toilette collé à la cuisse, fit-elle observer.

Ernie traversa la coursive, décrocha l'échelle fixée horizontalement à la paroi et la positionna sous la trappe donnant vers l'extérieur.

James réalisa qu'il lui fallait ravaler son orgueil et se concentrer sur la mission.

— Lauren, ma radio est morte. Contacte Chloé et dis-lui ce qui se passe. Je ne tiens pas à ce qu'on se fasse tirer comme des lapins par les forces spéciales au moment où on passera la tête hors de ce trou à rats.

— Compris.

La jeune fille s'accroupit pour récupérer l'émetteur dissimulé dans sa basket.

— Chloé, tu me reçois ?

— Fort et clair, Lauren.

— On est sur le point de sortir par la trappe de la citerne des eaux usées, entre la quatrième et la cinquième tourelle. Tu peux t'assurer que personne ne nous tire dessus ?

— Vous ne risquez rien. Le commando est positionné de l'autre côté, près de l'aéroport. Apparemment, les Survivants ont abandonné les tourelles.

— Je te le confirme. Tout le monde a reçu l'ordre de se rassembler dans le bunker situé sous le Temple. Il faut que tu demandes au commandant de l'opération de ne pas donner l'assaut. Les Survivants ont piégé le sous-sol avec des charges de C4.

— Bien reçu. Quand vous sortirez, courez droit devant vous sur deux cents mètres. Je viendrai vous chercher en voiture.

— Euh… il faut que je te dise, bredouilla Lauren. On est accompagnés d'un adulte et de cinq enfants.

— Quoi ? s'étrangla Chloé. Vous êtes neuf ? Bon, vous m'expliquerez tout ça dans quelques minutes.

Lauren glissa sa radio dans la poche arrière de son bermuda.

Ernie tendit son arme à James.

— Passe en premier. Sers-toi de ce flingue pour nous couvrir si nécessaire.

— OK, boss, dit James en épaulant la bandoulière du M16.

Il gravit l'échelle et passa lentement la tête à l'extérieur de la trappe. Comme prévu, il se trouvait au pied de l'enceinte, à proximité du parcours de jogging.

— La voie est libre, lança-t-il avant de se hisser à l'extérieur.

Rat sortit à son tour.

— Allez-y, ordonna Lauren à Ed et Joseph.

Les garçons avaient compris qu'ils s'apprêtaient à quitter l'Arche, mais la présence d'un adulte de la secte les rassurait. Ils descendirent dans la citerne, traversèrent la passerelle en se bouchant ostensiblement le nez puis grimpèrent à l'échelle. Lauren passa les petits enfants endormis à Ernie. L'homme les porta l'un après l'autre au bout de la coursive et les remit à Rat.

Lorsque tous les fugitifs furent rassemblés à l'extérieur, ils marchèrent vers le désert pendant cinq minutes avant de faire halte. James ôta son bermuda et utilisa la partie sèche pour s'essuyer les jambes. Lauren et Ernie s'efforçaient d'apaiser les enfants épouvantés par l'obscurité environnante. Joseph et Ed, perplexes, observaient un silence absolu.

Rat se tenait à l'écart du groupe, incapable de détacher les yeux des trois flèches illuminées.

— Je n'arrive pas à croire que je n'y retournerai jamais, lâcha-t-il.

Il saisit son collier de cuir et l'arracha d'un coup sec. Une dizaine de perles roulèrent dans la poussière.

Alors, une formidable explosion ravagea l'Arche des Survivants.

44. Journal télévisé

« Il est 7 heures. Le journal, présenté par Linda Levitt.

— Et nous retrouvons sans plus tarder Mick Hammond qui nous parle en direct des ruines de la célèbre Arche des Survivants.

— Oui, Linda, l'Australie se réveille en état de choc, au lendemain d'un des drames les plus extraordinaires de son histoire. Cette nuit, le pittoresque gourou Joel Regan a trouvé la mort, probablement assassiné par son épouse Susie. Dans les heures qui ont suivi, le quartier général des Survivants a été dévasté par une explosion qui a coûté la vie à un grand nombre de fidèles.

— Merci, Mick. Mais revenons, si vous le voulez bien, sur le fil des événements.

Hier, vers 19 heures, Eleanor Regan, fille aînée du chef religieux, découvre le corps sans vie de son père. Au même moment, un commando des forces spéciales de l'armée australienne décolle d'une base aérienne du Queensland afin de mener une attaque surprise, de procéder à l'arrestation des leaders de la secte et de saisir des documents permettant d'établir la preuve d'une complicité avec le groupe terroriste Sauvez la Terre.

À 20 heures, l'un des quatre hélicoptères de transport parvenus sur le site est touché par une roquette. Deux soldats sont tués, six de leurs collègues victimes de graves brûlures. L'un d'eux se trouve actuellement dans un état critique. Quelques instants plus tard, un second appareil est abattu. Tous ses occupants, 18 hommes et 3 femmes, perdent la vie. Face à cette résistance inattendue, les unités des forces spéciales sont contraintes de battre en retraite.

À minuit et demi, alors que les renforts dépêchés sur les lieux prennent position autour de l'Arche, une puissante explosion détruit une grande partie des installations. Les autorités ignorent encore les circonstances de cette catastrophe. Certaines sources affirment qu'il s'agit d'un suicide collectif initié par Eleanor Regan, mais les autorités privilégient l'hypothèse d'un déclenchement accidentel de charges explosives disposées dans les souterrains.

Les images de trois enfants titubant dans l'obscurité parmi les ruines apparurent à l'écran.

— *Au moins cinquante fidèles ont trouvé instantanément la mort dans ce drame. La plupart étaient des adolescents qui quittaient l'internat du complexe pour rejoindre un bunker souterrain. Une partie du mur d'enceinte et une flèche de 150 mètres de haut ont été soufflées par la déflagration. Les Survivants qui sont parvenus à s'extraire des tunnels souffrent pour la plupart de brûlures et d'intoxication par la fumée. Les soldats qui se sont portés au secours des victimes ont été accueillis par des coups de feu. L'un d'entre eux a été tué. Deux autres ont été légèrement blessés.*

Une vue aérienne de l'Arche dévastée, au lever du jour.

— Ce n'est que tard dans la nuit que les commandos sont parvenus à prendre le contrôle de la zone. Le bilan s'élève à 93 victimes, dont 37 enfants et 24 membres des forces de l'ordre. Plus de 50 blessés ont été conduits à l'hôpital. Une douzaine d'entre eux restent dans un état grave. Les corps de deux héritiers de Joel Regan ont été retrouvés parmi les décombres. Il s'agit de sa fille aînée, Eleanor, et de son plus jeune fils, Rathbone, âgé de onze ans.

La femme porta une main à son oreille.

— Mais Mick m'annonce qu'il a du nouveau. Mick, vous m'entendez ?

Mick Hammond se tenait devant les deux flèches intactes de l'Arche.

— Oui, Linda. Un officier des services de renseignement vient de m'informer que le jet privé à bord duquel Susie Regan a pris la fuite avant l'assaut des forces spéciales aurait été intercepté par deux chasseurs F-16 et contraint de se poser sur l'aéroport international de Perth. Elle a été arrêtée en compagnie de Brian Evans, cerveau présumé de la tentative d'attentat à l'anthrax visant un centre de conférences au Royaume-Uni, il y a deux ans.

La présentatrice semblait sous le choc.

— Eh bien, voilà un rebondissement tout à fait surprenant. En attendant davantage d'explications, nous recevons sur ce plateau le professeur Miriam Longford, spécialiste des mouvements sectaires et des méthodes de contrôle de la pensée. Selon vous, Professeur, une telle tragédie était-elle prévisible ? »

45. Même pas mort

Deux jours après la catastrophe de l'Arche, Rat, qui était on ne peut plus vivant, passa la matinée à faire du shopping à Townsville en compagnie de Lauren, à mille trois cents kilomètres au nord de Brisbane. C'était un centre commercial de taille modeste, le genre d'endroit où les habitants de la région venaient s'approvisionner en vivres et en produits ménagers, mais le garçon n'avait pas pratiqué le lèche-vitrines depuis la mort de sa mère, huit ans plus tôt. Il était dans un état d'excitation indescriptible.

Tout l'enthousiasmait. Pendant cinq minutes, il observa avec ravissement un bébé qui se balançait sur un poney mécanique à pièces. Il insista pour pousser le Caddie dans chaque travée du supermarché, alors qu'ils n'avaient acheté qu'une tablette de chocolat et un paquet de pain de mie.

Il observa minutieusement chaque jaquette exposée sur les présentoirs du magasin de jeux vidéo. Dans la librairie discount, il craqua pour une dizaine de romans à trois dollars.

À l'heure du déjeuner, il se montra incapable de choisir entre le *KFC* et le *McDonald's*. Ils achetèrent un menu dans chacun des restaurants puis s'installèrent à la terrasse commune. Rat engloutit une quantité industrielle de hamburgers, de beignets de poulet et de frites.

— Pourquoi tu souris ? demanda-t-il à Lauren, dont la lèvre inférieure était ornée de trois points de suture.

Elle haussa les épaules.

— Je sais pas. T'as vraiment l'air de t'éclater.

— Tu n'aimes pas le shopping ?

— Si, bien sûr. Mais cet endroit n'est pas terrible, et je n'ai pas grand-chose à dépenser.

— Attends, tu veux dire qu'il existe des centres commerciaux encore mieux que celui-là ?

— Rat, c'est complètement naze, ici. Mon préféré, c'est *Bluewater*, près de Londres. Imagine un bâtiment triangulaire sur deux niveaux, si grand que tu ne peux pas en faire le tour en une seule journée. Quand ma mère était encore en vie, elle nous emmenait là-bas chaque mois de novembre, et on passait des heures à faire la liste des jouets qu'on voulait qu'elle nous vole pour Noël.

— Qu'elle vous *quoi* ?

— Oh, c'est une longue histoire. Elle dirigeait un réseau de fauche dans les grands magasins du nord de Londres.

— Je peux te poser une question ?

— Bien sûr. Je t'écoute.

— Est-ce que tu me trouves bizarre ?

Lauren éclata de rire.

— Bizarre, je ne sais pas. Je te trouve drôle et intelligent. Je t'aime bien. Pourquoi tu me demandes ça ?

Rat rougit.

— Eh bien... j'ai passé pas mal de temps à mater les filles à poil sous la douche, mais on n'avait pas le droit de se mélanger, à l'intérieur de l'Arche. Tu es... Tu es la première fille avec qui je discute vraiment et je me demandais si tu me trouvais normal.

Lauren posa une main sur celle de son ami.

— Ne t'inquiète pas pour ça. D'habitude, je ne supporte pas les garçons. Toi, tu es vraiment chouette. Enfin, il y a quand même un truc qui m'embarrasse...

— Quoi ? demanda Rat, le visage anxieux.

Lauren pesa soigneusement ses mots. Elle ne savait pas trop comment aborder le sujet.

— Je sais que tu as eu une éducation bizarre, et tout ça, mais il faut que je te dise... Cette manie d'espionner les filles dans la salle de bains, il faut que tu t'en débarrasses. Je te conseille même de n'en parler à personne.

— C'est enregistré. Tiens, voilà John.

Lauren jeta un œil à la pendule de la galerie marchande.

— Toujours pile à l'heure, ce bon vieux John Jones. Tu ferais bien de régler ta montre sur la sienne.

Le contrôleur de mission portait un bermuda et un T-shirt passe-partout. Il prit place sur le banc, à côté de la jeune fille, et considéra les deux sacs posés aux pieds de Rat.

— On dirait que mes cinquante dollars n'ont pas fait long feu. Qu'est-ce que tu as acheté ?

— Des livres, surtout. Un exemplaire tout neuf d'*Oliver Twist* et quatre autres romans de Charles Dickens. Et puis *Le Seigneur des anneaux*, ce truc que lisait Dana à l'hôpital. Il paraît que c'est génial.

— Tu es courageux de t'attaquer à ce pavé. Personnellement, je n'ai jamais réussi à en venir à bout.

— J'adore lire, mais il n'y avait pas grand-chose d'intéressant dans la bibliothèque des Survivants.

— Tant mieux. Comme ça, James et toi arrêterez de vous chamailler pour cette saleté de PSP.

Lauren secoua la tête.

— Alors là, je te trouve bien optimiste.

— Je viens de recevoir un appel du directeur du campus.

À ces mots, Rat et Lauren observèrent un silence absolu.

— … et j'ai le plaisir de vous annoncer…

— *Yesssssss !* s'exclama le garçon.

John leva la main pour calmer son enthousiasme, mais il ne put s'empêcher de sourire.

— Laisse-moi finir. Après avoir lu le rapport de James décrivant ton comportement à l'intérieur de l'Arche, il te dispense de passer les tests de recrutement réglementaires. Le médecin qui t'a examiné dit que tu es en parfaite santé et que les résultats de tes tests de QI sont exceptionnels. On te propose officiellement de rejoindre notre organisation. Tu débuteras le programme d'entraînement initial dans trois semaines.

Lauren prit Rat dans ses bras.

— Félicitations, mon vieux. Ce programme, c'est juste un moment difficile à passer. Quand tu en auras terminé, je parie que tu vas adorer la vie d'agent.

∴

James était assis dans le salon, face à la baie vitrée donnant sur la plage, un téléphone sans fil plaqué contre son oreille.

— Ah, Kerry, murmura-t-il. J'arrive enfin à t'avoir. Ça fait deux jours que j'essaye de te joindre.

— Je viens de rentrer d'une mission dans le Devon.

— Ah, d'accord. C'était sympa ?

— Oh, rien de très excitant. Kyle m'a dit que tu te trouvais dans l'Arche des Survivants au moment où elle a explosé. Tu n'es pas blessé ?

— Non. On a réussi à s'échapper par la citerne d'évacuation des eaux usées. On a eu de la chance, vu que l'explosion s'est produite tout près de la garderie où on se planquait. Par contre, j'ai chopé une saloperie de microbe dans les égouts. Ils m'ont mis sous antibiotiques.

— Mon pauvre.

— T'inquiète, ça va mieux. Je commence à retrouver l'appétit, mais je suis toujours un peu faiblard. Alors, ils ont parlé de l'Arche à la télé ?

— Ouais, cette histoire fait toujours la une des journaux.

— Eh, tu ne devineras jamais chez qui on habite.

— Je donne ma langue au chat.

— Ils ne pouvaient pas nous renvoyer à Brisbane, parce qu'on risquait d'être reconnus par les Survivants qui font la manche à tous les coins de rue. On est à Townsville, chez Amy Collins et son frère.

— Ouah, c'est génial, s'exclama Kerry. Je ne l'ai pas revue depuis son départ de CHERUB. Comment elle va ?

— Super, mais elle a tourné un peu hippie depuis qu'elle est à l'université, et j'ai l'impression qu'elle est un peu fauchée. Elle a des perles dans les cheveux et elle porte des jeans dégueu. Son petit ami a au moins trente-cinq ans.

— Dis-moi, tu serais pas un peu jaloux, toi ?

— Tu sais bien que je ne pense qu'à toi, Kerry.

— Bieeeen sûr, ricana la jeune fille. Tiens, au fait, ça me fait penser que Gabrielle veut te botter le cul.

— Quoi ?

— On s'est un peu lâchées sur les ragots, l'autre jour, entre copines. Il est possible que je lui aie raconté que tu ne l'avais draguée que parce que tu étais bourré.

— Tu veux ma mort ou quoi ?

— Alors, quand est-ce que tu rentres ?

— On va rester ici deux semaines de plus pour se reposer et profiter un peu de la plage. Le médecin qui nous a examinés dit qu'on est complètement crevés à cause du mode de vie des Survivants. On dormait peu et on était forcés d'avaler des trucs immondes... Si tu voyais ma peau... J'ai au moins vingt boutons blancs dans le dos.

— Beurk. J'espère qu'ils auront disparu quand on se reverra.

— J'aimerais tellement que tu sois ici. Tu peux pas savoir comme tu m'as manqué.

— Toi aussi, tu m'as manqué, James. Tu sais, j'aimerais vraiment qu'on se remette ensemble.

James émit un gloussement incontrôlé.

— Eh ben moi, j'aimerais vraiment mettre la main sous ton T-shirt.

— Si ça se trouve, je ne porterai même pas de T-shirt.

Les yeux de James jaillirent littéralement de leurs orbites.

— Attends, tu es sérieuse, là ?

— Mmmh, peut-être bien. Les mecs avec qui je t'ai trompé pendant que tu n'étais pas là m'ont appris pas mal de trucs.

— Oh, c'est marrant, ça, exactement comme moi, répliqua James, un sourire aux lèvres. Ces nanas branchées religion sont des vraies bombes atomiques. Je peux te dire que j'ai enchaîné.

— Je suis super contente que tu m'aies appelée, James, mais il est une heure du matin et je dois être au dojo à six heures et demie pour assister Miss Takada pendant l'entraînement des T-shirts rouges. Il faut vraiment que j'aille me coucher.

— OK, je comprends. Je peux te rappeler demain ?

— Ça marche, dit Kerry avant de couvrir le combiné de baisers. Repose-toi bien. J'ai hâte de te revoir.

James émit à son tour divers sons étranges avec sa bouche, puis raccrocha le téléphone.

Il se traîna jusqu'à la cuisine, hanté par l'image de Kerry retirant son T-shirt. Amy, assise au bar, tournait une cuiller en bois dans un gigantesque saladier.

— Tu penses que ça suffira ? demanda-t-elle.

James esquissa un sourire en coin.

— Tu pourrais nourrir une armée avec tout ça.

— Tu as l'air de bien t'entendre avec Kerry.

— Ouais. Elle me manque quand je suis loin du campus. Le problème, c'est que ça part en vrille dès qu'on est sur le même continent.

Amy esquissa un sourire.

— Essaye de faire un effort, James, elle en vaut la peine. J'ai toujours trouvé que vous étiez complémentaires.

— Tu as besoin d'un coup de main ?

— Non, tout est prêt. Mon frère s'occupe du barbecue, et John Jones doit s'arrêter au magasin pour acheter quelques bouteilles.

Par la fenêtre de la cuisine, James vit une voiture ralentir dans l'allée.

— Eh ! c'est Dana et Chloé.

Il alla à leur rencontre et aida Dana à s'extirper de la banquette arrière. Lorsqu'elle se tint debout sur ses béquilles, il la serra dans ses bras.

— Alors, comment tu te sens ? Content de te revoir en un seul morceau.

Dana sourit.

— Erreur. J'ai perdu un bout d'orteil.

— Vois les choses du bon côté. Tu mettras moins de temps à te couper les ongles des pieds.

— Tu es tellement positif, James.

— Je suis désolé de ne pas avoir pu te rendre visite à l'hôpital avec les autres, mais le médecin a dit que je pouvais te contaminer.

— Ça va mieux ?

— Ça peut aller.

— Lauren m'a décrit ta tronche quand la lumière de la cuve s'est allumée. Qu'est-ce que je me suis marrée… Elle a même dit que tu avais menacé de poser ta démission.

Le visage de James s'assombrit.

— Merde ! elle va raconter ça à tout le monde au campus. Je n'ai pas fini d'en entendre parler.

— Alors, tu restes à CHERUB ?

— Bof, tu sais ce que c'est, la vie d'agent. Quand on est en opération, c'est toujours un peu la galère, mais dès qu'on rentre au campus, on ferait n'importe quoi pour obtenir une nouvelle mission.

∴

Une heure plus tard, la fête battait son plein dans le jardin. Les convives étaient rassemblés autour du barbecue où le frère d'Amy, lui aussi ancien agent de CHERUB, faisait cuire saucisses et côtelettes.

John Jones posa son verre sur la table en plastique et frappa dans ses mains.

— Très bien, comme vous êtes tous là, je vais être obligé de vous infliger un petit discours... Attendez une seconde, quelqu'un a vu Rat ?

— Je crois que je sais où le trouver, dit Lauren.

Elle franchit la baie vitrée menant au salon. Rat était avachi dans le canapé, la mâchoire ballante, un regard intense braqué sur l'écran de la PSP.

— Ramène-toi, espèce de crétin asocial. Tu ne vas quand même pas passer la journée à jouer ?

Rat détourna furtivement les yeux de la console portable.

— Laisse-moi finir cette course. Si j'arrive premier, James a dit que ça débloquait la Mitsubishi Evo.

Lauren lui arracha la console et coupa l'alimentation.

— Eh ! protesta Rat.

Elle le saisit par le bras, le tira brutalement hors du canapé, puis le poussa dans le jardin.

— Merci, Lauren, dit John, avant de poursuivre son discours. Nous garderons tous un souvenir amer de cette opération, car de nombreuses victimes ont perdu la vie dans l'explosion de l'Arche. Cependant, ce triste bilan ne doit pas nous faire oublier le travail extraordinaire accompli par l'ensemble de l'équipe.

John fit une pause pour boire une gorgée de vin.

— Je me suis longuement entretenu avec le docteur McAfferty, ce matin. Comme certains d'entre vous le savent déjà, Rathbone est admis à CHERUB.

Un tonnerre d'applaudissements salua cette annonce. Rat, fendu jusqu'aux oreilles, ne savait plus où se mettre.

— Mac tient aussi à adresser ses félicitations et ses remerciements à Abigail. Nous lui souhaitons une longue et glorieuse carrière à l'ASIS.

John se tourna vers son assistante.

— Quant à toi, ma chère Chloé, j'ai le regret de t'annoncer que je n'aurai plus besoin de tes services. Allons, ne fais pas cette tête. Le docteur McAfferty t'a nommée contrôleuse de mission à part entière. Tu auras bientôt un assistant pour toi toute seule, que tu pourras martyriser comme bon te semble. Toutes mes félicitations !

La jeune femme lâcha une exclamation enthousiaste. Amy lui adressa un coup de coude complice.

— Mais cette mission n'aurait pu être couronnée de succès sans le travail extraordinaire accompli par nos trois brillants agents. Mac est heureux d'avoir enfin l'opportunité d'accorder le T-shirt bleu marine à Dana Smith. Nous savons désormais que plus d'une centaine de personnes auraient été tuées si *Sauvez la Terre* avait pu mener à bien son projet de destruction de l'installation GNL en Indonésie. Chacune d'elles doit la vie au courage exceptionnel de Dana.

Les invités applaudirent à tout rompre. Un sourire

radieux illumina le visage d'ordinaire sombre de la jeune fille.

— Ça fait longtemps que tu le méritais ! cria James.

— Quant à toi, mon garçon, continua John, McAfferty t'exprime toute sa reconnaissance. Encore une mission réussie à ton actif. C'est à croire que tu nous portes chance. Mais c'est à Lauren que notre directeur a réservé ses plus chaleureuses félicitations. À seulement onze ans, elle s'est comportée de façon irréprochable au cours de ces deux mois extrêmement éprouvants. En outre, son courage et son sang-froid exceptionnels ont permis de sauver cinq enfants qui auraient sans le moindre doute péri dans l'explosion. Lauren Adams, j'ai l'immense plaisir de t'annoncer que tu as obtenu le T-shirt noir. Cela fait de toi le troisième plus jeune agent à recevoir cette distinction depuis la création de CHERUB.

Lauren poussa un cri aigu puis bredouilla :

— C'est une blague ?

Chloé la serra chaleureusement dans ses bras. James était sous le choc, tiraillé entre la joie et le ressentiment. Bien sûr, c'est sa sœur qui avait pris l'initiative d'exfiltrer les enfants, mais il avait payé de sa personne pour mener son plan à bien, et n'avait reçu qu'un hommage formel.

Amy planta un doigt entre ses côtes.

— Qu'est-ce que tu attends pour la féliciter ?

James ravala sa rancœur, s'avança vers Lauren et posa un baiser sur sa joue baignée de larmes.

— Je n'arrive pas à y croire, sanglota-t-elle. Aucune de mes copines n'a obtenu le bleu marine. Les autres T-shirts noirs ont tous quinze ou seize ans. Je… Je…

— Ce sont les capacités, pas l'âge, qui comptent à CHERUB, dit John.

James retourna vers le barbecue pour remplir son assiette. Il surprit un sourire en coin sur le visage de Dana.

— Qu'est-ce qui te fait marrer, toi ?

— Je me disais juste qu'il fallait absolument que je sois complètement remise pour le prochain entraînement tactique.

— Ah bon, pourquoi ?

— Oh, tu ne peux pas savoir comme j'ai hâte de voir Lauren te donner des ordres…

Épilogue

Sauvez la Terre

L'arrestation de **BRIAN EVANS, SUSIE REGAN, NINA WILLIAMS** et **BARRY COX** a marqué une étape décisive dans la lutte contre le groupe *Sauvez la Terre*.

Les quatre accusés attendent leur procès en Australie. Les autorités de Hong Kong, du Royaume-Uni, des États-Unis et du Venezuela ont manifesté leur désir de les interroger dans le cadre d'enquêtes menées sur des attaques terroristes ayant eu lieu sur leur territoire.

Dans les jours qui ont suivi la tragédie de l'Arche, la police australienne a procédé à l'arrestation d'**ARNOS LOMBORG**, considéré comme le principal financier de *Sauvez la Terre*.

Depuis sa rencontre avec Dana Smith sur la plage des îles Wessel, **MIKE EVANS** n'a pas pu être localisé.

Si ces arrestations ont indiscutablement ébranlé *Sauvez la Terre*, les spécialistes de la lutte antiterroriste estiment que le groupe dispose encore de nombreuses cellules en activité dans le monde entier. En outre, les enquêteurs n'ont jamais retrouvé la trace des quatre cents millions de dollars détournés par Susie Regan.

.:.

LES SURVIVANTS

Au lendemain du drame, la plupart des commentateurs estimaient que la mort de Joel Regan et la destruction de l'Arche avaient sonné le glas de la secte. C'était compter sans la pugnacité des Survivants.

L'organisation a survécu aux conséquences financières des agissements de Susie Regan. Les adeptes attendent la venue d'un nouveau prophète qui les guidera et les aidera à bâtir une nouvelle Arche.

ELLIOT MOSS a guéri de ses blessures par arme blanche. En association avec **WEEN**, il a créé la *Fondation des Nouveaux Survivants*, plus connue sous le sigle FNS. Grâce à plusieurs prêts bancaires et aux sommes collectées auprès des membres de la communauté de Brisbane, la FNS est parvenue à payer les dernières traites de la galerie commerciale et du hangar voisin.

Sur les vingt-trois communautés que comptait l'organisation avant ce que les fidèles nomment désormais « la chute de la première Arche », dix-neuf restent en activité grâce aux collectes et à l'inventivité de leurs résidents.

Depuis sa remise en liberté après un bref interrogatoire, **ERNIE CRAIG** n'a cessé de clamer que Rathbone Regan n'avait pas péri lors de la catastrophe et qu'il reviendrait un jour guider les Survivants. Aucun membre de la FNS n'a porté le moindre crédit à ses affirmations. Après une série de violentes disputes, il a été chassé de la communauté de Brisbane.

Le cadavre de **GEORGIE GOLDMAN** a été exhumé des ruines d'un souterrain effondré.

La mer a déposé le corps d'**ÈVE STANNIS** sur une plage indonésienne. Ni le Zodiac ni le matériel destiné à la perpétration de l'attentat n'ont été retrouvés. Elle a été rapatriée à Brisbane par avion et enterrée selon le rite des Survivants. Ses parents et ses deux sœurs cadettes ont quitté la FNS quelques semaines plus tard.

∴

LES AUTRES PROTAGONISTES DE L'AFFAIRE

ABIGAIL SANDERS a rejoint sa véritable famille et son travail à l'ASIS. Elle est chargée d'identifier les cellules actives de *Sauvez la Terre* et de retrouver la trace de l'argent détourné par Susie Regan.

MIRIAM LONGFORD est apparue dans plus d'une douzaine d'émissions de télévision. Les journaux du monde entier ont publié ses analyses et ses interviews. Lorsque l'attention du public est retombée, elle a repris son travail de thérapeute spécialisée dans le soutien des anciens adeptes. Elle travaille actuellement à une biographie intitulée *Susie Regan, le top model qui voulut ébranler le monde.*

EMILY WILDMAN a de nouveau modifié son testament. À sa mort, un quart de sa fortune reviendra à son fils **RONNIE** ; le reste sera versé sur le compte de la Croix-Rouge australienne. En excellente santé pour son âge, elle a récemment célébré son quatre-vingt-huitième anniversaire.

.:.

Les agents de CHERUB

RATHBONE REGAN a adopté le nom de Greg Rathbone. Il participe au Programme d'entraînement en compagnie de onze autres recrues, et ses instructeurs s'avouent impressionnés par ses performances. Malgré ses protestations incessantes, ses camarades continuent à l'appeler Rat.

Remise de sa blessure à l'orteil, **DANA SMITH** a repris l'entraînement. Elle envisage de participer prochainement à son premier triathlon adulte.

Après dix jours de repos à Townsville, **JAMES** et **LAUREN ADAMS** ont regagné le campus. Ils seront admissibles à une nouvelle mission dès qu'ils auront rattrapé les cours manqués pendant leur opération en Australie.

CHERUB, agence de renseignement fondée en 1946

1941

Au cours de la Seconde Guerre mondiale, Charles Henderson, un agent britannique infiltré en France, informe son quartier général que la Résistance française fait appel à des enfants pour franchir les *check points* allemands et collecter des renseignements auprès des forces d'occupation.

1942

Henderson forme un détachement d'enfants chargés de mission d'infiltration. Le groupe est placé sous le commandement des services de renseignement britanniques. Les *boys* d'Henderson ont entre treize et quatorze ans. Ce sont pour la plupart des Français exilés en Angleterre. Après une courte période d'entraînement, ils sont parachutés en zone occupée. Les informations collectées au cours de cette mission contribueront à la réussite du débarquement allié, le 6 juin 1944.

1946

Le réseau Henderson est dissous à la fin de la guerre. La plupart de ses agents regagnent la France. Leur existence n'a jamais été reconnue officiellement.

Charles Henderson est convaincu de l'efficacité des agents mineurs en temps de paix. En mai 1946, il reçoit du gouvernement britannique la permission de créer CHERUB, et prend ses quartiers dans l'école d'un village abandonné. Les vingt premières recrues, tous des garçons, s'installent dans des baraques de bois bâties dans l'ancienne cour de récréation.

Charles Henderson meurt quelques mois plus tard.

1951

Au cours des cinq premières années de son existence, CHERUB doit se contenter de ressources limitées. Suite au démantèlement d'un réseau d'espions soviétiques qui s'intéressait de très près au programme nucléaire militaire britannique, le gouvernement attribue à l'organisation les fonds nécessaires au développement de ses infrastructures.

Des bâtiments en dur sont construits et les effectifs sont portés de vingt à soixante.

1954

Deux agents de CHERUB, Jason Lennox et Johan Urminski, perdent la vie au cours d'une mission d'infiltration en Allemagne de l'Est. Le gouvernement envisage de dissoudre l'agence, mais renonce finalement à se séparer des soixante-dix agents qui remplissent alors des missions d'une importance capitale aux quatre coins de la planète.

La commission d'enquête chargée de faire toute la

lumière sur la mort des deux garçons impose l'établissement de trois nouvelles règles :

1. La création d'un comité d'éthique composé de trois membres chargés d'approuver les ordres de mission.

2. L'établissement d'un âge minimum fixé à dix ans et quatre mois pour participer aux opérations de terrain. Jason Lennox n'avait que neuf ans.

3. L'institution d'un programme d'entraînement initial de cent jours.

1956

Malgré de fortes réticences des autorités, CHERUB admet cinq filles dans ses rangs à titre d'expérimentation. Au vu de leurs excellents résultats, leur nombre est fixé à vingt dès l'année suivante. Dix ans plus tard, la parité est instituée.

1957

CHERUB adopte le port des T-shirts de couleur distinguant le niveau de qualification de ses agents.

1960

En récompense de plusieurs succès éclatants, CHERUB reçoit l'autorisation de porter ses effectifs à cent trente agents. Le gouvernement fait l'acquisition des champs environnants et pose une clôture sécurisée. Le domaine s'étend alors à un tiers du campus actuel.

1967

Katherine Field est le troisième agent de CHERUB à perdre la vie sur le théâtre des opérations. Mordue par un serpent lors d'une mission en Inde, elle est rapidement secourue, mais le venin ayant été incorrectement identifié, elle se voit administrer un antidote inefficace.

1973

Au fil des ans, le campus de CHERUB est devenu un empilement chaotique de petits bâtiments. La première pierre d'un immeuble de huit étages est posée.

1977

Max Weaver, l'un des premiers agents de CHERUB, magnat de la construction d'immeubles de bureaux à Londres et à New York, meurt à l'âge de quarante et un ans, sans laisser d'héritier. Il lègue l'intégralité de sa fortune à l'organisation, en exigeant qu'elle soit employée pour le bien-être des agents.

Le fonds Max Weaver a permis de financer la construction de nombreux bâtiments, dont le stade d'athlétisme couvert et la bibliothèque. Il s'élève aujourd'hui à plus d'un milliard de livres.

1982

Thomas Webb est tué par une mine antipersonnel au cours de la guerre des Malouines. Il est le quatrième agent de CHERUB à mourir en mission. C'était l'un des neuf agents impliqués dans ce conflit.

1986

Le gouvernement donne à CHERUB la permission de porter ses effectifs à quatre cents. En réalité, ils n'atteindront jamais ce chiffre. L'agence recrute des agents intellectuellement brillants et physiquement robustes, dépourvus de tout lien familial. Les enfants remplissant les critères d'admission sont extrêmement rares.

1990

Le campus CHERUB étend sa superficie et renforce sa sécurité. Il figure désormais sur les cartes de l'Angleterre en tant que champ de tir militaire, qu'il est formellement interdit de survoler. Les routes environnantes sont détournées afin qu'une allée unique en permette l'accès. Les murs ne sont pas visibles depuis les artères les plus proches. Toute personne non accréditée découverte dans le périmètre du campus encourt la prison à vie, pour violation de secret d'État.

1996

À l'occasion de son cinquantième anniversaire, CHERUB inaugure un bassin de plongée et un stand de tir couvert.

Plus de neuf cents anciens agents venus des quatre coins du globe participent aux festivités. Parmi eux, un ancien Premier Ministre du gouvernement britannique et une star du rock ayant vendu plus de quatre-vingts millions d'albums.

À l'issue du feu d'artifice, les invités plantent leurs tentes dans le parc et passent la nuit sur le campus. Le lendemain matin, avant leur départ, ils se regroupent dans la chapelle pour célébrer la mémoire des quatre enfants qui ont perdu la vie pour CHERUB.

Table des chapitres

**CHERUB est un département ultrasecret
des services de renseignement britanniques
composé d'agents âgés de 10 à 17 ans.
Ces professionnels rompus à toutes les techniques
d'infiltration sont des enfants donc...
des espions insoupçonnables !**

James n'a que 12 ans lorsque sa vie tourne au cauchemar. Placé dans un orphelinat sordide, il glisse vers la délinquance. Il est alors recruté par **CHERUB**, une mystérieuse organisation gouvernementale. James doit suivre un éprouvant programme d'entraînement avant de se voir confier sa première mission d'agent secret. Sera-t-il capable de résister 100 jours ?
100 jours en enfer…

Depuis vingt ans, un puissant trafiquant de drogue mène ses activités au nez et à la barbe de la police. Décidés à mettre un terme à ces crimes, les services secrets jouent leur dernière carte : **CHERUB**.
À la veille de son treizième anniversaire, l'agent James Adams reçoit l'ordre de pénétrer au cœur du gang. Il doit réunir des preuves afin d'envoyer le baron de la drogue derrière les barreaux.
Une opération à haut risque…

Au cœur du désert brûlant de l'Arizona, 280 jeunes criminels purgent leur peine dans un pénitencier de haute sécurité.
Plongé dans cet univers impitoyable, James Adams, 13 ans, s'apprête à vivre les instants les plus périlleux de sa carrière d'agent secret **CHERUB**. Il a pour mission de se lier d'amitié avec l'un de ses codétenus et de l'aider à s'évader d'Arizona Max.

En difficulté avec la direction de **CHERUB**, l'agent James Adams, 13 ans, est envoyé dans un quartier défavorisé de Londres pour enquêter sur les activités obscures d'un petit truand local.
Mais cette mission sans envergure va bientôt mettre au jour un complot criminel d'une ampleur inattendue.
Une affaire explosive dont le témoin clé, un garçon solitaire de 18 ans, a perdu la vie un an plus tôt.

Le milliardaire Joel Regan règne en maître absolu sur la secte des Survivants. Convaincus de l'imminence d'une guerre nucléaire, ses fidèles se préparent à refonder l'humanité.
Mais derrière les prophéties fantaisistes du gourou se cache une menace bien réelle…
L'agent **CHERUB** James Adams, 14 ans, reçoit l'ordre d'infiltrer le quartier général du culte.
Saura-t-il résister aux méthodes de manipulation mentale des adeptes ?

Des milliers d'animaux sont sacrifiés dans les laboratoires d'expérimentation scientifique. Pour les uns, c'est indispensable aux progrès de la médecine. Pour les autres, il s'agit d'actes de torture que rien ne peut justifier.
James et sa sœur Lauren sont chargés d'identifier les membres d'un groupe terroriste prêt à tout pour faire cesser ce massacre.
Une opération qui les conduira aux frontières du bien et du mal…

Lors de la chute
de l'empire soviétique,
Denis Obidin a fait main
basse sur l'industrie
aéronautique russe.
Aujourd'hui confronté à
des difficultés financières,
il s'apprête à vendre son
arsenal à des groupes
terroristes.
La veille de son quinzième
anniversaire, l'agent
CHERUB James Adams est
envoyé en Russie pour
infiltrer le clan Obidin.
Il ignore encore que cette
mission va le conduire
au bord de l'abîme...

Les autorités britanniques
cherchent un moyen
de mettre un terme
à l'impitoyable guerre
des gangs qui ensanglante
la ville de Luton. Elles
confient à **CHERUB** la mission
d'infiltrer les Mad Dogs,
la plus redoutable
de ces organisations
criminelles.
De retour sur les lieux
de sa deuxième mission,
James Adams, 15 ans,
est le seul agent capable
de réussir cette opération
de tous les dangers...

Un avion de la compagnie Anglo-Irish Airlines explose au-dessus de l'Atlantique, faisant 345 morts.
Alors que les enquêteurs soupçonnent un acte terroriste, un garçon d'une douzaine d'années appelle la police et accuse son père d'être l'auteur de l'attentat.
Deux agents de **CHERUB** sont aussitôt chargés de suivre la piste de ce mystérieux informateur…

Le camp d'entraînement militaire de Fort Reagan recrée dans les moindres détails une ville plongée dans la guerre civile.
Dans ce décor ultra réaliste, quarante soldats britanniques sont chargés de neutraliser tout un régiment de l'armée américaine.
L'affrontement semble déséquilibré, mais les insurgés disposent d'une arme secrète : dix agents de **CHERUB** prêts à tout pour remporter la bataille…

De retour d'un long séjour en Irlande du Nord, l'agent Dante Scott se voit confier une mission à haut risque : accompagné de James et Lauren, il devra infiltrer le Vandales Motorcycle Club, l'un des gangs de bikers les plus puissants et les plus redoutés d'Angleterre. Leur objectif : provoquer la chute du Führer, le chef des Vandales. Un être sanguinaire dont Dante, hanté par un terrible souvenir d'enfance, a secrètement juré de se venger…

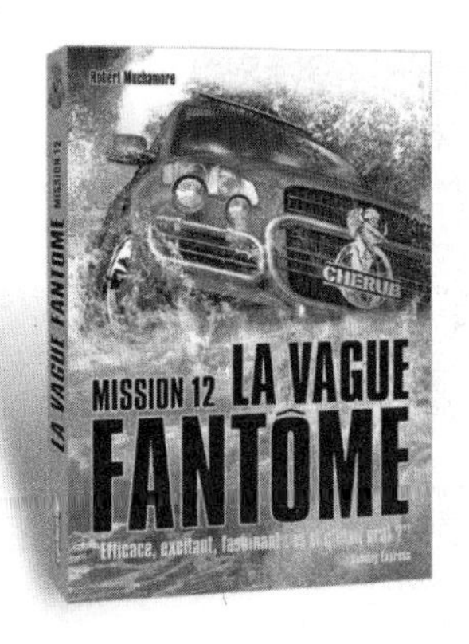

Décembre 2004 : un tsunami dévaste les côtes de l'Asie. Le gouverneur de l'île de Langkawi en profite pour implanter des hôtels de luxe à l'emplacement des villages dévastés… Quatre ans plus tard, James Adams doit assurer la sécurité du gouverneur lors de sa visite à Londres. Mais l'ex-agent Kyle Blueman lui propose d'entreprendre une opération clandestine particulièrement risquée. James trahira-t-il **CHERUB** pour prêter main-forte à son meilleur ami ?

Après huit longs mois d'attente, Ryan se voit enfin confier sa première mission **CHERUB**. Sa cible : Ethan, un jeune Californien privilégié passionné par l'informatique et le jeu d'échecs. Le profil type du souffre-douleur idéal... sauf que sa grand-mère dirige le plus puissant syndicat du crime du Kirghizstan. Si Ryan espérait profiter de cette opération pour bronzer sous le soleil californien, il déchantera bien vite.

RETROUVEZ CHEZ VOTRE LIBRAIRE

Pour tout connaître
des origines de l'organisation CHERUB,
lisez la série HENDERSON'S BOYS

Été 1940. L'aventure CHERUB
est sur le point de commencer…

L'EVASION

Été 1940. L'armée d'Hitler fond sur Paris. Au milieu du chaos, l'espion britannique Charles Henderson recherche désespérément deux jeunes Anglais traqués par les nazis. Sa seule chance d'y parvenir : accepter l'aide de Marc, 12 ans, orphelin débrouillard Les services de renseignement britanniques comprennent peu à peu que ces enfants constituent des alliés insoupçonnables. Une découverte qui pourrait bien changer le cours de la guerre…

LE JOUR DE L'AIGLE

1940. Un groupe d'adolescents mené par l'espion anglais Charles Henderson tente vainement de fuir la France occupée. Malgré les officiers nazis lancés à leurs trousses, ils se voient confier une mission d'une importance capitale : réduire à néant les projets allemands d'invasion de la Grande-Bretagne. L'avenir du monde libre est entre leurs mains…

L'ARMEEE SECRETE

Début 1941. Fort de son succès en France occupée, Charles Henderson est de retour en Angleterre avec six orphelins prêts à se battre au service de Sa Majesté. Livrés à un instructeur intraitable, ces apprentis espions se préparent pour leur prochaine mission d'infiltration en territoire ennemi. Ils ignorent encore que leur chef, confronté au mépris de sa hiérarchie, se bat pour convaincre l'état-major britannique de ne pas dissoudre son unité…

OPERATION U-BOOT

Printemps 1941. Assaillie par l'armée nazie, la Grande-Bretagne ne peut compter que sur ses alliés américains pour obtenir armes et vivres. Mais les cargos sont des proies faciles pour les sous-marins allemands, les terribles U-boot. Charles Henderson et ses jeunes recrues partent à Lorient avec l'objectif de détruire la principale base de sous-marins allemands. Si leur mission échoue, la résistance britannique vit sans doute ses dernières heures…

DO NO